兵器の科学1

弾道弾

多田将

明幸堂

『兵器の科学』シリーズ刊行にあたりまして

当然のことながら日本人にも良い面も悪い面もありますが、悪い面のひとつに、「寝た子を起こすな」という考えがあります。必要以上に知らせない、できるだけ人々を無知に保っておく、というものです。これはたとえば太平洋戦争後の日本で広まったもののひとつである、軍事関係の事柄を覆い隠し、国民の目に触れないようにしておけば、二度と戦争など起きないだろう、などというあまりに安直な考えもそれにあたります。

なぜ安直だと言えるのか。それは、自分のことばかりに目が行き、相手のことをまったく無視してしまっているからです。しかし、戦争は自分と相手、両者の間で起こるのであって、自分がすべての兵器とその知識を放棄して両手を挙げても、相手が同じことをしてくれるわけではないのです。

別に僕はここで「だから敵を圧倒する戦力を整備せよ！」と言っているわけではありません。どのような軍備を保持するかは、その国の国民が議論して決めることで、その結果多くの戦力を放棄してしまっても、自分たちで決めたことなのでそれはそれで仕方ありません。しかし、必要かどうかを議論するためにはそれに対する知識がなくてはなりません。そして、自分たちが放棄したとしても、相手側が保持している兵器に関しては、知識だけは持っておきなさい、ということを言いたいのです。

攻撃してくる相手を前にして、もっとも恐ろしいことは、「相手が何をしてくるのかわからない」ということです。手の内がわからないことほど恐ろしいことはありません。戦争に限らず、どのような事態に対しても、その対処方法は、何が起きているかを知り、それがどういう仕組みで起こっているかを理解したうえで、それに対して有効な手段を取ることです。そのためには、相手の手段に対して充分な知識を持っていることが不可欠です。相手の手段に対して無知な、「寝た」状態では、どうしようもないのです。

それに加えて、この「寝た子を起こすな」は、安直なだけでなく、あまりに人間を馬鹿にした考えだと言わざるをえません。とくに情報化社会の現代において、ずっと目に触れないように隠し続けられると考えるほうがおかしいのです。人間の「知りたい」という欲求をなめてはいけません。その好奇心こそが、人間がこの地球上に繁栄した原動力のひとつであるからです。

そして厄介なのは、ちゃんと系統的に学んでいない状態で、中途半端に特徴的なキーワードだけ頭に入ってしまった場合です。たとえばこの序文を執筆した時点（二〇二〇年）で話題に上っている「PCR検査」。この言葉を目にしない日はないと言ってもいいほどメディアに取り上げられ、そしてごくごく一般の人ですら安易に口にしてしまっている言葉であります。ところが、これがいったいどのような検査なのか、何を検査しているのか、理解している一般人はほとんどいないのではないでしょうか。さらに言えば、これがポリメラーゼ連鎖反応（Polymerase Chain Reaction）の略であることすら知らない一般人が大多数ではないでしょうか。なのに、この検査をすればまるでその対象の病気が消え去るかのように、もっとやれもっとやれと急き立てる世論になってしまっています。

別に一個人がさまざまな分野の事柄に精通している必要などどこにもありません。しかし、知らないなら知らないで黙っていればいいものを、人間はそういうものではないらしく、新たに耳にしたキーワードを、その中身を理解せずに、ついつい振りかざしてしまいたくなるものなのです。そして、単に振りかざすだけでなく、有害な社会的影響を与えてしまっていることは、コロナ騒ぎを見ても明らかでしょう。

「なぜそうなっているのか」という仕組みを理解しようとせずに、結論だけ知りたがる人は、残念ながらこの日本にはとても多いです。確かに人生の時間は限られていますし、一からちゃんと学んでいくのは手間だと思うのはわかります。しかし、基礎的な知識や基本的な考え方を身につけないまま結論だけを求めると、世に出ている事柄を、その意味するところを、本質的に理解できないまま、表面的にだけ知った気分になり、それが結局は曲解につながるのです。マスコミを中心に日本に蔓延する「キーワード主義」はここにあります。中身が理解できないから、印象的なキーワードだけにこだわるのです。

僕が本シリーズを始めようと思ったのは、こういう「キーワード主義」に陥らず、物事の本質を理解してくれる人を、少しでも増やしたかったからです。専門家、あるいはそれをちゃんと理解している人が、「素人は黙っとれ」と言うのはかんたんですが、いっぽうで、広く一般の人たちにも理解してもらうことは、多くの面で有益だと思うのです。
とは言え、中には僕が専門とする分野以外のことも多く含まれますから、その僕が書いていいのか、という気持ちもあります。ですので、本シリーズでは、大上段に構えて「教えてやるぞ」という態度ではなく、僕と一緒に、いろんな技術を見ながら考えていきましょう、という姿勢で進めていきたいと思います。そして、本書で扱う内容はあくまでも「入口」であって、これらに目を通された読者のみなさんが、その中で興味を持たれた事柄をさらに詳しく調べることの、きっかけにすぎない、ということも強調しておきたいと思います。それであれば、僕のような浅学の者でも、ガイド役を務めることができるだろう、そう思って、僭越ながら筆を執りました。

本シリーズで取り上げるのは、きわめて幅広いミリタリーの分野の中から、技術に関することです。たとえば書店に行き、ミリタリーの棚に行くと、並んでいるのは、戦史・戦記や、人物像や、軍事情勢や、そういったものが主流であって、兵器について解説しているものは少数派です。その兵器についての解説本も、見た目の違いを解説するものが多く、その兵器がどのような仕組みで動いているのか、技術的な解説をしたものは少数です。そして、その技術的な解説を定量的に扱ったものに至っては、その中のさらに少数派です。そういった本を見るにつけ、技術的な、あるいは科学的な側面について書いてあると称しながら、なぜグラフのひとつも載せていないのかと、物理学者の僕は不思議に思うのです。

そしてそうなっているのは、そこに使われている技術を本当の意味では理解していない人が書いているからではないだろうか、と勘繰ってしまうのです。たとえば本シリーズの先頭を飾る「弾道弾」に関することで言えば、弾道弾の軌道を「放物線」と書いてしまっているものが多数見受けられます。しかし実際には楕円軌道なのであって、それを理解していなければ軌道の計算ができないはずです。つまり、「放物線」と書いている段階で、その人は、科学的な中身を理解していないし、自分では計算をしていないことを告白しているようなものです。そういう人がどこかからもっともらしい数字を引用して「技術的なことを解説した」と言っても、はいそうですかと納得する気にはなれないではありませんか。だからこそ、本シリーズで、あらためてちゃんと「仕組み」を見直して、読者のみなさんと一緒に考えていきましょう、ということなのです。

また、本シリーズに書かれている内容には、極秘事項も、新たな発見を伴う事項もありません。論文や専門書を読めば載っていることを、集約したものです。と言うと、なんだそれだけのものか、と思われるかも知れません。ところが、なぜか、その「集約しただけの本」が、世の中に全然出回っていないのが現状なのです。あるテーマについて、そこに使われている技術が断片的に載っていることはありますが、それを系統的に一冊の本にまとめたものがないのです。

かつて僕が『核兵器』(明幸堂)を出版したとき、否定的な書評の中には、「どれも論文を読めば載っていることじゃないか」というものがありました。それに対しては、その通りです、としか言いようがありません。実際に『核兵器』には、それぞれの部分をどの論文から引用したのか、ということを詳細に書いています。では、世の中に、核兵器の動作原理について、一冊の中にちゃんと系統的に学べるようまとめた、一般に入手可能な本があるかと言うと、それはないのです。だから僕はそれを書いたのです。

本シリーズも同じで、いろんなところに少しずつ載ってはいるものの、それらを一冊にまとめ「この一冊を読めばとりあえず入門編としてはひと通り学べるようにした本」がこれまでなかったから、それを始めたわけです。もともとそれがあれば僕がわざわざ書く必要もありません。そもそもの動機は、僕自身がそれを読みたかったから、自分のための「まとめの一冊」として書いたまでです。

本シリーズは、イベントハウス「東京カルチャーカルチャー」にて二〇一五年から二〇一九年にわたって計一六回行われた「ミリタリーテクノロジーの物理学」の講演がもとになっています。もともとこの講演は、講演後にその内容をもとに加筆して新書で出すという立体的な企画を考えていたもので、その第一弾としてイースト・プレスから新書版『核兵器』が出版されました。それに「ミリタリーテクノロジーの物理学」とサブタイトルがつけられていたのはそのためでした。しかし、あまり売れなかったために打ち切られ、結局それは一冊だけとなり、シリーズとしては成り立ちませんでした。しかし講演のほうはありがたいことに好評を博して続けさせていただくことができ、その講演録（プレゼンテイションファイル）が着実に積み重なっていきました。途中からは、その講演内容をまとめた冊子を次回の講演にて配布する試みもいたしました。しかしやはりちゃんとした形で残したいという想いは常に抱いておりました。

その幻のシリーズとも言うべきものを、このたび、明幸堂さんのご厚意により、刊行させていただけることになりました。新たなシリーズを始めるにあたり、「もっと単純明快なシリーズ名を」ということと、「物理学だけでなくもっと広い範囲に広げて」ということを兼ねて、『兵器の科学』というシリーズ名を冠しました。

本シリーズを世に出す機会を与えてくださった明幸堂の高良和秀さん、そのもととなった講演をプロデュースしてくださったテリー植田さん、そしてこれらの書籍を手にしてくださったみなさんに、心より感謝いたします。

ありがとうございます。

そして、よろしくお願いいたします。

目次

『兵器の科学』シリーズ刊行にあたりまして　3
はじめに　12

第1章　弾道弾とは……15
戦略兵器と戦術兵器　16　弾道弾と爆撃機　21　弾道弾の位置づけ　23　ロケットとミサイル　25
弾道弾と巡航ミサイル　27

第2章　軌道……31
空はなぜ落ちてこないのか　32　ケプラーの法則　34　衛星の軌道　35　弾道弾の軌道　42　発射角　48
発射速度　51　最高高度　55　到達時間　57　最小エネルギーでない軌道　60

第3章　推進方法……67
弾道弾はどうやって前に進むのか　68　弾道弾の構造　77　推進についての諸量　80

液体燃料と固体燃料の比較 83
液体推進剤 92
固体推進剤 101
ロケットモーター 109
ロケットエンジン 117
ノズル 128
誘導 134
弾道弾の航法 138
姿勢の制御 145

第4章 発射と再突入 …… 153

サイロ 154
コールド・ローンチ 156
潜水艦からの発射 160
車輌からの発射 169
鉄道からの発射 176
発射手順 179
弾頭の切り離し 184
分割弾頭 187
再突入 193
機動式弾頭 205
極超音速滑空体 208

第5章 弾道弾防御 …… 217

弾道弾の行程のまとめ 218
弾道弾の迎撃 225
ブースト・フェイズでの迎撃 227
ミッドコース・フェイズでの迎撃 231
ターミナル・フェイズでの迎撃 238
早期警戒衛星 249
早期警戒レーダー 259
迎撃の仕組み 271
弾道弾防御を突破する方法 275
ディプレスト軌道とロフティッド軌道 278
滑空体 284
制御機器の防護 303
南回り軌道 305

推薦図書 310
おわりに 314
附録 i

はじめに

世界で初めて核兵器を実用化したのはアメリカ合衆国で、次いでソヴィエト連邦がそれに続きましたが、その間の期間、つまり、アメリカ合衆国のみが核兵器を実用化していた時期に、こんなアネクドート（анекдот）が生まれました。

ソヴィエト連邦とアメリカ合衆国が互いの軍事力を誇示するため、合同で軍事パレードを行った。もちろん、スターリン共産党中央委員会書記長とトルーマン合衆国大統領が臨席して。

最初にソヴィエト連邦のパレードが行われ、大祖国戦争でドイツを屈服させた強大な軍隊が行進した。圧倒的な数の戦車、自走砲、その他の装甲車輌、群れを成して上空を飛行する戦闘機、攻撃機、爆撃機、そして大地を覆い尽くすほどの歩兵の隊列と、そのさまは圧巻で、スターリン書記長は誇らしげだった。

つぎに合衆国の順になったとき、そこに現われたのは、スーツを着、それぞれ手にスーツケースを提げた、たった二人の男たちだけだった。驚いたスターリン書記長は、トルーマン大統領に、「ぇ、これだけかね？」と尋ねた。

するとトルーマン大統領は、「ああ、これで充分だよ。あのスーツケースのひとつには原子爆弾が入っていて、もうひとつには、相手にサインをさせる降伏文書が入っているのさ」と言った。

これは、核兵器がいかに強力な兵器であるか、従来の兵器にとって代わるものであるかを象徴的に示したアネクドートとされています。核兵器が登場した当時は、それほどまでに、世界に衝撃を与えたのです。

ところが、この話には、致命的な欠陥がふたつあります。

ひとつは、当時の技術では、核兵器は、スーツケースに入るほどに小型化できなかったこと。また、今でも、それほどまでに小型の核兵器では、一国を降伏に追いやるほどの威力はありません。

そしてもうひとつ。こちらのほうがより本質的なのですが、スーツを着た徒歩の男では、核兵器の運搬手段たりえないことです。このような生身の人間では、敵の中枢部に核兵器を運ぶことができないからです。

核兵器は確かに人類が手にした最強の兵器ではありますが、それをどうやって敵のところにまで持っていくか、ということまで考慮されていなければ、兵器としては成り立っていません。

僕は、これまでに、核兵器についてふたつの著作を出版しました。どちらもタイトルは『核兵器』ですが、片方は読み物風の新書の軽装版（イースト・プレス）で、もう片方は学術書風の本格的な重装版（明幸堂）です。どちらも、核兵器の破壊力のすさまじさを、その原理から解明するものですが、それらはあくまでも「弾頭」の部分についてであって、それを運搬する手段については書いていませんでした。そこで、このたび、その運搬手段のうち、冷戦期から現代に至るまで主流である「弾道弾」について取り上げることにしました。いきなり本格的な重装版を出すのも躊躇われましたので、『核兵器』のときに倣って、まずは軽装版から出すことにしました。それが本書にあたります。本書で「弾道弾とはどのようなものか」を知ってもらい、興味を持ってもらったところで、いずれ重装版を世に出したいと思っております。

前述の通り、弾道弾は、核兵器の運搬手段として、今やなくてはならないものので、核兵器と対になって装備されるものです。そして、核兵器と同じくらい、他の兵器とは比べものにならないくらいの威力を秘めた超兵器であり続けてきました。

地球の裏側にある敵国を、わずか三〇分で壊滅させるこの超兵器が、どのような原理で動作するのか、そのほんの一端でも、みなさんにお伝えできれば幸いです。

第1章

弾道弾とは

戦略兵器と戦術兵器

本書では、世に言う「戦略兵器」と「戦術兵器」の違いから始めてみたいと思います。中には、まるでその威力の違い（戦略兵器のほうが威力が大きい）で分類しているかのように書かれているものすらありますが、それはまったく違います。両者の違いは、威力の違いではなく、射程の違いなのです。

戦術兵器が、軍隊同士が激突する戦場で使用される兵器なのに対して、戦略兵器は、戦場を通り越して、敵国の中枢を直接攻撃する兵器です。

一九四四年、マリアナ沖海戦で聯合艦隊が合衆国艦隊に完敗し、サイパン島が合衆国軍に占領されました。そして、その後まもなく、そこには爆撃機の基地が建設されました。このときから、合衆国陸軍航空隊の爆撃機（B-29）の戦闘行動半径内に日本本土が入ることとなり、その爆撃機は「戦略爆撃機」となったのです。ハワイからでは戦闘行動半径内に入らなかったために、爆撃機そのものは同じであっても、サイパン占領までは戦略兵器たりえませんでした。同じ兵器でも、条件が変われば戦略兵器へと変わる例です。

本書のテーマである弾道弾について言うと、その分類は、射程によってなされています。

ソヴィエト連邦では、射程が五〇〇キロメーター以上のものを戦略ロケット（Стратегическая ракета）、五〇〇キロメーター以下のものを戦術ロケット（Тактическая ракета）と呼びますが、戦略ロケットのうち、射程が、五五〇〇キロメーター以上のものを大陸間弾道ロケット（Межконтинентальная Баллистическая Ракета、МБР）、一〇〇〇キロメーターから五五〇〇キロメーターのものを中距離弾道ロケット（Баллистическая Ракета Средней Дальности、БРСД）、五〇〇キロメーターから一〇〇〇キロメーターのものを短距離弾道ロケット（Баллистическая Ракета Малой Дальности、БРМД）、と分類しています（表1）。

アメリカ合衆国では、射程が、五五〇〇キロメーター以上のものを大陸間弾道ミサイル（InterContinental Ballistic Missile、ICBM）、三〇〇〇キロメーターから五五〇〇キロメーターのものを中距離弾道ミサイル（Intermediate Range Ballistic Missile、IRBM）、一〇〇〇キロメーターから三〇〇〇キロメーターのものを準中距離弾道ミサイル（Medium Range Ballistic Missile、MRBM）、一〇〇〇キロメーター以下のものを短距離弾道ミサイル（Short Range Ballistic Missile、SRBM）と呼びます。

ここに出てきた、五〇〇キロメーターと五五〇〇キロメーターという射程の区切りは、一九八八年に発効し二〇一九年に失効した中距離核戦力全廃条約（Договор о ликвидации ракет средней и меньшей дальности または The Treaty Between the United States of America and the Union of Soviet Socialist Republics on the Elimination of Their Intermediate-Range and Shorter-Range Missiles）によって明確に決められています。では、この五五〇〇キロメーターという半端な値は何なのか。それは、

ソヴィエト連邦 ／ロシア連邦	射程	アメリカ合衆国
大陸間弾道ロケット Межконтинентальная Баллистическая Ракета		大陸間弾道ミサイル InterContinental Ballistic Missile
	5,500 km	
中距離弾道ロケット Баллистическая Ракета Средней Дальности		中距離弾道ミサイル Intermediate Range Ballistic Missile
	3,000 km	
		準中距離弾道ミサイル Medium Range Ballistic Missile
	1,000 km	
短距離弾道ロケット Баллистическая Ракета Малой Дальности		短距離弾道ミサイル Short Range Ballistic Missile
	500 km	
戦術ロケット Тактическая Ракета		

表1｜弾道弾の分類

ソヴィエト連邦と、アラスカ州・ハワイ州を除くアメリカ合衆国本土との、最短距離を意味します。つまり、両国の本土から本土へ、直接攻撃できる射程を持つ弾道弾が、大陸間弾道弾であり、真の戦略兵器である、というわけです。冷戦期には、ソヴィエト連邦とアメリカ合衆国こそが世界を支配する超大国であり、両国の都合でこのような定義がつくられました。そもそも、「大陸間」なる言葉自体、ソヴィエト連邦とアメリカ合衆国が別の大陸に位置しているからにほかなりません。

ところが、それだけに、この定義はこの両国間でしか意味を持ちません。たとえばソヴィエト連邦と欧州の間であれば、大陸間弾道弾でなくとも、中距離弾道弾や、国によっては短距離弾道弾でも戦略兵器となりうるからです。これが顕わになったのが、一九六二年のキューバ危機におけるアナディル（Анадырь）作戦です。ソヴィエト連邦が、アメリカ合衆国本土の目と鼻の先にあるキューバに、中距離弾道弾のP-12（射程二〇八〇キロメーター）とP-14（射程四五〇〇キロメーター）を配備しました。これらの弾道弾は、ソヴィエト連邦本土に配備されている場合には、アメリカ合衆国に対して戦略兵器とはなりえませんが、キューバに配備されたとたんに、直接本土を攻撃できる戦略兵器と化したのです。同様の問題は、仮想敵国（北朝鮮、韓国、中国）が隣接している我が国について考えるときに、とても重要になってきます。我が国と仮想敵国との位置関係を考えるに、大陸間弾道弾や中距離弾道弾といった、ソヴィエト連邦とアメリカ合衆国の位置関係から生み出された分類は、ほとんど意味を持ちません。

一方、潜水艦から発射される弾道弾は、相手国の海岸線附近まで接近して発射することが「原理的には」可能ですから（実際にはそんなことはしませんが）、射程に関係なく、戦略兵器として扱われます。

「原理的には」というのは、強大な海軍を有する大国同士で考えると、自国近海では防衛体制も強化されていますから、実際には容易に近づけないからです。しかし、これが、大国と小国という非対称な国同士ではどうでしょうか。実際、本格的な海軍を整備している国というのは、世界では限られています。我が国のように国境線がすべて海であるような国に住んでいると、海軍は普通に整備されているものだと思いがちですが、日本並みの海軍を持つ国など、指で数えるほどしかありません。ですから、そういう「普通の国」に対しては、海岸線附近まで接近して攻撃することも可能となってきます。実際、合衆国海軍は、弾道弾こそ使用していませんが、巡航ミサイルによって艦艇から敵国の諸施設を攻撃することは、頻繁に行っています。この場合は、ソヴィエト連邦やロシア連邦に対しては「戦略兵器」とみなされない艦艇搭載型の巡航ミサイルが、充分な海軍を持たない国に対しては「戦略兵器」として機能したことを意味しています。同じ兵器でも、相手によって意味が違ってくる一例です。

なお、潜水艦発射式弾道弾については、ロシア語では潜水艦用弾道ロケット（Баллистическая Ракета для Подводных Лодок、БРПЛ）、英語では潜水艦発射式弾道ミサイル（Submarine-Launched Ballistic Missile、SLBM）もしくは艦隊弾道ミサイル（Fleet Ballistic Missile）と呼びます。

弾道弾と爆撃機

これも冷戦期に生まれた用語ながら、大陸間弾道弾、潜水艦発射式弾道弾、戦略爆撃機の三つを、核の三本柱と呼びます。しかし、技術的に完成された大陸間弾道弾がなかった冷戦初期を除いて、これらが実際に三本柱であったことはありません。弾道弾と爆撃機は、まったく異なる種類の兵器であって、並べられるものではないからです。実際にソヴィエト連邦あるいはロシア連邦とアメリカ合衆国の間で全面核戦争になった場合に、爆撃機で相手国本土を攻撃することなどまずありません。爆撃機が群れを成して飛び立つ姿は、一見勇ましくはありますが、何時間もかけて相手国に到達する間に、祖国は弾道弾によって火の海となって壊滅していることでしょう。

弾道弾と爆撃機の最大の違いは、その速度にあります。弾道弾がソヴィエト連邦／ロシア連邦とアメリカ合衆国の間を、わずか三〇分で飛来し、それに対応する時間をほとんど与えないのに対して、爆撃機はそれよりも桁違いに遅い速度でしか飛んでいけません。そして、迎撃する場合にも、その圧倒的な速度比が、困難さに大きな開きを生みます。亜音速から、速くてもせいぜいマッハ二ていどの速度で飛来する爆撃機など、撃墜する方法はいくらでもありますが、マッハ二〇を超える速度で突入する大陸間弾道弾を迎撃する手段は、現時点ではほとんどありません（第5章でお話しします）。文字通りの超兵器なのです。

では、それでもなお、ロシア連邦もアメリカ合衆国も、爆撃機を運用しているのはなぜでしょうか。それは、逆に、爆撃機にしかない利点があるからです。

まず、搭載量が段違いです。世界最大の弾道弾であるP-36M2は、総重量二一一トンに対して、搭載量は八・八トンです（四・二パーセント）。いっぽう、世界最大の爆撃機であるTy-160は、最大離陸重量二七五トンに対して、搭載量は四〇トンです（一五パーセント）。弾道弾は超高速である反面、搭載量も少ないのです。

そして、それ以上に重要なのが、運用の柔軟さです。弾道弾が、最初から決められた核弾頭を搭載し、いつでも発射できるように常に臨戦態勢にあるのに対して、爆撃機は、作戦が決まってから、その作戦に応じた兵器を選んで搭載します。さらに言えば、ソ米（もしくは露米）の戦略兵器としての弾道弾は試験を除いてほぼ核弾頭だけがその搭載物なのと対照的に、爆撃機は、そのほとんどの任務で、核兵器ではなく、通常兵器を搭載して作戦をこなしています。ですから、ソヴィエト連邦にせよアメリカ合衆国にせよ、数十年にわたり、戦略用の弾道弾の実戦使用は一度たりともありませんでしたが、爆撃機は、数え切れないほどの作戦で活躍してきました。「これまでどれだけ使われてきたか」という実戦での運用の実績だけを論ずるならば、（戦略用）弾道弾は、爆撃機の足許にもおよびません。

ですから、ソヴィエト連邦／ロシア連邦とアメリカ合衆国では、大陸間弾道弾と潜水艦発射式弾道弾は万が一の核戦争に備えて臨戦態勢にしておき、爆撃機は核兵器の搭載能力を維持しながらもふだんは通常兵器を搭載して世界の空で通常作戦に活躍する、という使い分けをしています。

爆撃機が核兵器を搭載して実戦を行うのは、限定的な核戦争か、あるいは、両国よりも核戦力的に劣る国を相手にした場合でしょう。冷戦後の現代では、そちらのほうがより現実味のある事態とも言えます。

このように、弾道弾と爆撃機は、それぞれの特徴に応じた役割を演ずる、まったく異なる、しかしどちらも重要な兵器であり、並べて比較するものではないのです。

弾道弾の位置づけ

このように「人類の最終兵器」として君臨する戦略用弾道弾も、その成り立ちは、ソヴィエト連邦とアメリカ合衆国で大きく異なります。

ソヴィエト連邦では、大陸間弾道弾と中距離弾道弾は、戦略任務ロケット軍（Ракетные Войска Стратегического Назначения、РВСН）という独立軍種がその運用を行っていました。ロシア連邦になって以降の二〇〇一年からは、戦略任務ロケット軍は独立軍種から独立兵科へと格下げされてしまいましたが、いずれにせよ独立した特別な地位を与えられ、「最後の切り札」であるこれらの兵器を扱う最高のエリート部隊であることをうかがわせます。冷戦後、ソヴィエト連邦時代とは比べものにならないほどに軍備を縮小し、もはや「西側諸国」に対抗するにはほど遠いロシア連邦にとって、この戦略核戦力は、圧倒的な軍事力を誇るアメリカ合衆国に対する抑止力としての価値が、今まで以上に高くなってきました。今でも、戦略核戦力だけは、アメリカ合衆国に比肩しうる戦力を維持しており、かつ、この両国と並ぶ核戦力を持つ国は存在しないからです。そして、冷戦時代に比べれば大幅に縮小した現在の戦略核戦力でも、アメリカ合衆国を滅亡させるには充分な能力があるのです。

その戦略任務ロケット軍は、もともと、最高司令部予備の工兵旅団から始まっていて、そこから一九五九年に独立した軍種となったものです。そのため、その編成も、軍（армия）＞師団（дивизия）＞連隊（полк）という、陸軍式になっています。弾道弾という兵器の位置づけも、野砲、ロケット弾、戦術ロケット、その上に戦略ロケットと、縦深作戦における多層的な砲兵装備の延長線上にあると考えるのが自然です。

いっぽう、アメリカ合衆国の大陸間弾道弾は、空軍地球規模攻撃コマンド（Air Force Global Strike Command）の第二〇航空軍が運用しています。空軍の部隊なので、その編成は当然ながら、航空軍（air force）＞航空団（wing）＞飛行隊（squadron）という、空軍式になっています。この第二〇航空軍は、太平洋戦争期には爆撃機部隊で、日本本土を空襲によって壊滅させた、我々日本人には忘れられない部隊です。そう言えばおわかりの通り、人類史上唯一、核兵器の実戦使用をした部隊でもあります。空軍地球規模攻撃コマンドには、ほかに第八航空軍も所属し、こちらが戦略爆撃機を運用していますが、この第八航空軍は、第二次世界大戦でドイツを壊滅させた爆撃機部隊です。このように、アメリカ合衆国における位置づけは、爆撃機部隊が装備を爆撃機から弾道弾に変えた、というもので、同国らしく、「空からの襲撃」の延長線上にあるのです。

ロケットとミサイル

一時期、北朝鮮が弾道弾の試験を行ったときに、あれはロケットなのかミサイルなのかという、馬鹿げた論争が、大手マスコミを中心に行われました。なぜ「馬鹿げた」と言うのかというと、それは、言葉遊びにすぎないからです。

ミサイル（missile）とは、飛翔体を意味する言葉です。しかし、この日本では、「ミサイルとは兵器に使われるものであって、平和利用であるロケット（rocket）とは別物だ」と思いたい人が多いようです。

ところが、ミサイルなる用語は英語の表現であって、ロケット発祥の地であるドイツでは、ミサイルとロケットという使い分けはなく、どちらもドイツ語ではrakete（ラケーテ、ロケット）です。また、世界一のロケット先進国であるロシア連邦でも、その区別はなく、どちらもロシア語ではракета（ラケータ、ロケット）です。英語だって、ロケット・ランチャー（rocket launcher）のように、無誘導の飛翔体にはロケットという表現を使ったりします。ちなみに、英語でのミサイルの表記は、正確には、guided missile（誘導された飛翔体）です。

そして、日本語にも、正式には、ミサイルなる用語は存在せず、それに相当するのは「誘導弾」です。

では、なぜ、日本では区別したがるのか。それは、日本が推し進めているのはロケットの平和利用であって、それが兵器に転用されることはない、ということを、世界に対してアピールする必要があるからです。ほんらい軍事技術と非軍事技術との間に垣根などありませんが、日本の置かれた特殊な政治的立場から、わざわざ区別しなければならない、苦肉の策なのです。もっとも、マスコミはそんな事情すら理解できずに、本当に別物だと思っていることでしょうが。

このように書くと、決まって、「北朝鮮を擁護するのか」と、こちらが言ってもいないことを勝手に脳内で補完して文句を言ってくる人がたくさん現われるのですが、どう考えたらこれが擁護になるのか、まったくもって理解不能です。ミサイルとロケットに本質的な違いなどない、だからこそ、平和利用だろうがなんだろうが、北朝鮮にロケット打ち上げの試験を行わせてはならない、と言っているのです。

また、「ロケットとは推進方法のことであって、誘導兵器としてのミサイルという用語と同じくくりで語るのは適切ではない」という意見もあります。あるミサイルがあって、それの推進方法がロケットなのか、ジェットエンジンなのか、という意味なのだ、という意見です。この意見にも一理ありますが、前述のように、ロシアやドイツでは、誘導兵器としてのミサイルに相当する用語としてロケットを充てており、ジェットエンジンを用いた誘導兵器のこともロケットと呼んでいます。ですから、そういったそれぞれの国での用語の事情を考慮したうえで語らねば意味はありません。

弾道弾と巡航ミサイル

世界で最初にロケットを実戦使用したのは第二次世界大戦期のドイツです。それらは「報復兵器（Vergeltungswaffe）」と呼ばれました。この報復兵器には、報復兵器一号（Vergeltungswaffe 1、V1）と、報復兵器二号（Vergeltungswaffe 2、V2）とがありました。そして、このふたつが、それ以降から現在に至るまでの、誘導兵器の元祖となったものなのです。

V1（正式名称 Fi 103）は、いわゆる無人航空機で、翼を持ち、パルスジェットエンジンで飛行しました。一九四四年六月に実戦配備され、八八九二基が地上から発射されましたが、発射に成功した七四八八基のうち、三九五七基もが撃墜されています。

V1の子孫が巡航ミサイルになります。英語で言う巡航ミサイル（cruise missile）は、その飛行形態を表わしています。つまり、航空機と同じく、飛行中ずっとエンジンを吹かしながら、任意の軌道を描いて巡航飛行を行います。途中の飛行経路を自在に変えられるのも、航空機と同じです。いっぽう、ロシア語ではこれを有翼ロケット（крылатая ракета）と呼びますが、これはその

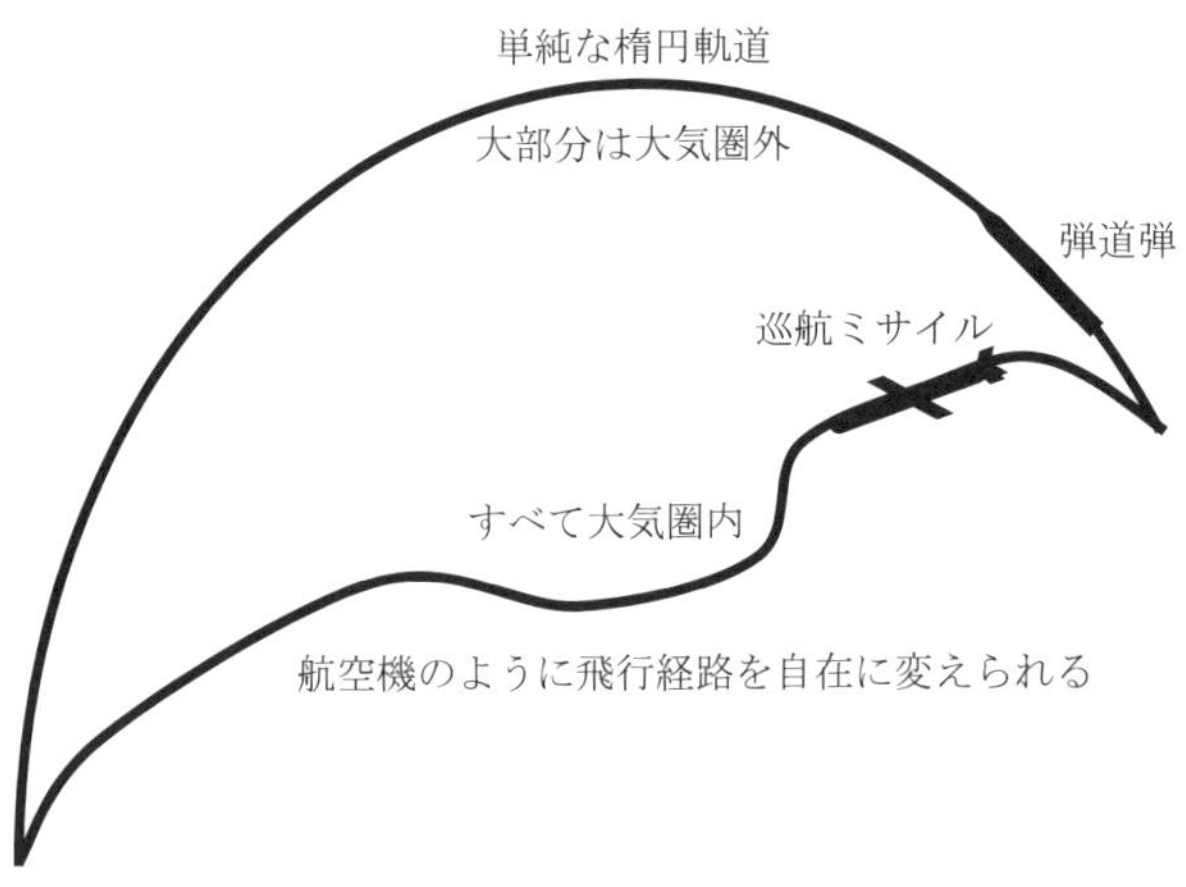

図1｜弾道弾と巡航ミサイルの違い

形状を表わしています。つまり、航空機と同じく、揚力を発生させる翼を持っているという意味です。ということは、空気の力を利用するために、大気圏内での飛行が前提となります。巡航ミサイルは、無人なだけで、完全に航空機です。近年、ドローンによる攻撃がにわかに注目を集め、マスコミはまるで時代を一新する新兵器であるかのように騒いでいますが、なんのことはない、無人航空機など、第二次世界大戦の昔からずっと使われ続けてきた兵器にすぎないのです。

V2の子孫が本書の主役である弾道弾になります。V2の正式名称はアグレガト四型（Aggregat 4、A4）であり、それを開発したのは、「ロケットの父」と呼ばれるヴェルナー＝マグヌス＝マクシミリアン＝フォン＝ブラウン男爵（Wernher Magnus Maximilian Freiherr von Braun）です。彼は、ドイツ敗戦後、アメリカ合衆国に投降し、同国に移住してロケット開発を主導しました。陸軍弾道弾機構（Army Ballistic Missile Agency、ABMA）を率い、その一部が他の機関と統合され、国立航空宇宙局（National Aeronautics and Space Administration、NASA）が設立されたあとは、その中でも重要な施設であるマーシャル宇宙飛行センター（Marshall Space Flight Center、MSFC）の初代所長を務めました（一九六〇年から一九七〇年）。同センターでの彼の最大の仕事は、人類を月面に送るアポロ計画におけるサターンV、人類史上最大のロケットの開発です。彼は、その所長の任期中に、人類史上初めて、人類を本当の意味での宇宙へと送ることに成功したのです。

ブラウンの業績はともあれ、弾道弾とはいったいどういう意味でしょうか。英語では弾道ミサイル（ballistic missile）、ロシア語では弾道ロケット（баллистическая ракета）と呼ばれますが、どちらも、「弾道」が頭につき、これがこのロケットの性質を表わしています。弾道とは、弾の道、つまり、弾丸の軌道を意味します。

弾丸は、最初に発射エネルギーを与えられたあとは、地球の重力に引かれて、運動の法則にしたがった楕円軌道を描いて飛行します。基本的には、重力と空気からの力だけを受け、自律的に方向を変えたりはしません。

弾道弾も、基本的にはこれと同じ動きをします。燃料の噴射による加速は、弾丸よりもずっと長い時間続きますが、それでも全行程の一部であり、途中で補助ロケットなどで進路を微調整するにしても、飛行経路の大部分において、弾丸と同じ重力まかせの「なりゆき」の軌道を描きます。

ここで重要なのは、巡航ミサイルが、空気によって重力と反対方向の力である揚力を得ることで、落ちないで飛行を続けているのに対して、弾道弾は、抵抗という意味での空気の力は受けますが、基本的には、重力のみ、つまり地球の中心向きの力だけを受けて運動している、言ってしまえば、「重力に引かれて落ちていっている」ということです。そう考えれば、弾道弾が巡航ミサイルとは根本的に異なるものだということがよりよくおわかりになることでしょう。

それでは、次章では、その弾道弾の軌道とはいったいどのようなものなのか、について詳しく見ていきましょう。

第2章

軌道

空はなぜ落ちてこないのか

コロニー落としを目の当たりにした世代でもない限り、「空が落ちてくる」なんて心配をする人は、恐らくきわめて少数派だと思われます。文字通りの「杞憂」です。ところが、それが「なぜ」かと訊かれた場合に、ちゃんと説明できる人も多くはいないのではないでしょうか。

重力には引力しかないので、地球附近のような大きな重力が働く場所では、物体は地球の中心方向に向かって落下していきます。みなさんが日常で体験している通りです。落ちて欲しくないものが落ちるといらっとしますよね。僕は毎日のように重力に対していらついています。

いっぽうで、ある速度で物体を投げ上げると、物体は下方向に重力がかかっているにもかかわらず、あるていどの時間は上に向かって動きます。それが大きな速度であればあるほど、長時間にわたって落ちてこないでしょう。このように、運動を考えるときに重要なのは、速度と加速度(重力)の関係なのです。空にある天体が落ちてこないのは、落ちないように必死で運動しているからにほかなりません。

物体の運動といえば、まず名前が挙がるのが、イングランドの物理学者であるアイザック＝ニュートン(Isaac Newton)でしょう。日本では、彼はリンゴが落ちるのを見て重力を発見したかのように言われたりしますが、それはあくまで伝説であって、リンゴの落下を見たくらいでそんなことができるなら、青森のリンゴ農園の方々は、収穫期ごとにすごい物理法則を発見していることでしょう。彼はむしろ、リンゴは落ちるのに、なぜ、星は落ちてこないのか、ということを考え、一連の運動の法則の発見に至ったのです。

星の中でも、惑星の運動については、ニュートンが生まれる三〇年前に、ケプラーの法則が発表されていました。それを物体の運動という形で一般化したものがニュートンの運動の法則です。ニュートンの慧眼は、リンゴに重力がかかっているというていどのことではなくて、地球からはるか遠くにある惑星と、地球上の物体（リンゴ）とが、同じ法則のもとで運動する、ということを提唱したことなのです。

本書の主役である弾道弾の動きも、地球の重力圏内での運動ですから、つまるところ、ニュートンの運動の法則にしたがって計算すればよいことになります。しかし、本書は読み物であって、高校時代に運動の法則が理解できなくて嫌な思い出しかない人も読者の対象にしています。いっぽうで、学生さんたちは、ちゃんとした数式があったほうが理解しやすいでしょう。ですから、本書では、本文に載せる式を最小限にして、代わりに、附録にあるていどの数式を載せるようにします。また、その式も、モデルをできるだけ単純化したうえで、微分方程式などは扱わず、最低限のかんたんな式だけを載せることとします。そして、式との整合性を取るため、数式にもかかわる数字はアラビア数字で表記し、単位も英字表記とします。

それでは、まず、ニュートンが運動の法則のもとにした、ケプラーの法則から見ていくことにします。

ケプラーの法則

ヨハネス＝ケプラー（Johannes Kepler）は、神聖ローマ帝国の天文学者です。もっとも有名な天動説派の天文学者であるティコ＝ブラーエ（Tycho Brahe）の弟子でした。ティコ＝ブラーエは、神聖ローマ皇帝ルドルフII世のお気に入りで、ヴェン島に天文台（ウラニボリとステルネボリ）を建設してもらい、そこで、生涯にわたって解析し尽くせないほどの天体の観測データを取りました。これはおおげさな表現ではなくて、本当に大量の未解析のデータが、彼の死後に積み重なっていたのです。ケプラーは、その師匠の観測データを解析することで、惑星の運動についての法則を発見するに至りました。それがケプラーの法則です。

ケプラーの法則は三つから成り、そのうち二つは一六〇九年、最後の一つは一六一八年に発表されました。それは以下のようなものです。

第一法則　惑星は、太陽（の重心）を焦点のひとつとする楕円軌道上を公転運動する。

第二法則　単位時間あたりに惑星と太陽とを結ぶ線分が描く面積は一定である。

第三法則　惑星の公転周期の二乗は、軌道の長軸半径の三乗に比例する。

これらは、太陽と惑星との間に成り立っている法則ですが、のちにニュートンが一般化したように、重力が働くあらゆる系で成り立っています。たとえば、地球と人工衛星の間でも、あるいは、本書であつかいたい、地球と弾道弾の間でも、です。つまり弾道弾は、地球の重力を利用して敵地に到達する兵器なのです。

以下では、これらの法則の意味するところを考えながら、弾道弾の運動に適用していくこととしましょう。

衛星の軌道

まず、人工衛星の運動について考えてみましょう。

人工衛星と地球との間にケプラーの第一法則を適用すると、人工衛星は、地球の重心を焦点のひとつとする楕円軌道上を運動することになります。実際、そのように運動しています。たまたまもうひとつの焦点も地球の中心に重なっている場合には、それは円軌道となります。楕円については、算数の復習になりますが、忘れてしまった方のために、附録1にまとめておきましたので、そちらをごらんください。

人工衛星は止まっておらず、絶えず運動しています。「静止衛星」と呼ばれるものでも、地表からの相対位置が常に同じであるために「静止しているように見える」という意味であって、そう見えるためには、地球の自転と同じ角速度で運動しなければなりません。運動しているということは、まったく力がかからない場合にはその速度の方向に飛んでいってしまいますから、人工「衛星」として地球の周りを回るためには、飛んでいかないような拘束力が必要です。その拘束力は向心力と呼ばれ、自身の質量と速度の自乗に比例し、地球の重心からの距離に反比例します。この拘束力が、人工衛星の場合には、地球からの重力となります。重力がぴったりこの値と等しい場合には、ちゃんと周回軌道を描きますが、それよりも重力が大きいと地球に向けて落下しますし、小さいと宇宙の彼方へと飛んでいきます。

二つの物体の間に働く重力は、それらの質量の積に比例し、距離の自乗に反比例します。比例定数をGとし、二つの物体の質量をmとM、その間の距離をrとすると、物体間にかかる力Fは、

$$F = \frac{GMm}{r^2}$$

となります。この比例定数Gを、重力定数と言い、

$G \sim 6.67430 \times 10^{-11}\ \mathrm{m^3 / kg\ s}$

です。これを地球と人工衛星の関係に適用すると、Mが地球の質量となり、mが人工衛星の質量、

rが地球の重心（中心）からの距離となります。もっとも単純な円軌道の場合で考えると、この人工衛星の速度vは、

$$v = \sqrt{\frac{GM}{r}}$$

となります（附録2）。この式を見ると、いろんなことがわかります。

まず、人工衛星の質量mは出てきません。つまり、重い衛星だろうが、軽い衛星だろうが、その軌道には関係がなく、重力定数と地球の質量は一定ですから、結局、速度と位置（地球からの距離）だけの関係式になることがわかります。

つぎに、速度は距離の平方根に反比例していますから、地表に近い衛星は高速で地球を周回し、地球から遠く離れた衛星はゆっくりと周回することを意味します。

また、これをもとにして、周回する周期と地球との距離との関係を附録3で計算しておきます。ここでも、結果だけを示すと、周期Tは、

$$T^2 = \frac{4\pi^2 r^3}{GM}$$

となります。π、G、Mは定数ですので、Tの二乗がrの三乗に比例することになり、これは、ケプラーの第三法則「惑星の公転周期（T）の二乗は、軌道の長軸半径（r）の三乗に比例する」そのものです。

偵察衛星などは、高解像度の画像を撮影しなければなりませんので、地表近くを飛行するのが望ましいのですが、そうなると、地球の自転速度よりもずっと速い速度で移動し、つまり、一日に地球を何周も回ることになります。月などは地球から三八万キロメーターも離れていますから、文字通り月に一回のゆっくりしたペースで周回することになります。

衛星ではなく、太陽の周りを周回する惑星に適用すると、地球から見て内側の軌道にある惑星の公転周期は地球の周期（一年）よりも短く（水星〇・二年、金星〇・六年）、外側は一年より長く（火星二年、木星一二年）、外にいくほど長くなっていきます。冥王星に至っては二四八年です。

では、ケプラーの第二法則はどうでしょうか。これを理解するには、角運動量という概念を導入する必要があります。「角」のつかない運動量については、みなさんも、学生時代に、「質量と速度をかけたもので、外から力が加わらなければ、それが保存する」と習ったことを憶えておられるかも知れません。しかし、角運動量のほうは、高校で物理学の授業を選択しなかった方は、習っておられないかも知れません（現在の教育課程がどうなっているのか知りませんが）。角運動量とは、位置ベクトルと運動量ベクトルの外積です。また、人工衛星の運動を考える場合には、「位置」とは、地球の重心からの位置を意味します。この角運動量は、加わる力が位置ベクトルと同じ方向の場合には、保存します。人工衛星が地球からの重力だけで運動している場合、力の方向は地球の重心を向いているので、まさにこの保存するケースに相当します（附録4）。

さて、この第二法則は、いったいどういうことを言っているのでしょうか。第三法則は別の軌道の周期の比較でしたが、この法則は、ひとつの軌道の中での、場所による速度の違いについて述べています（図2）。面積速度とは、単位時間あたりに進んだ軌道上の経路と軌道半径とで囲まれた扇形の部分の面積のことで、この面積が、どこでも同じ、というのが第二法則です。この面積が、角運動量に対応するのです。正確には、面積速度は、角運動量を物体の質量で割ったものの半分になります（附録5）。ケプラーの第二法則は、角運動量という概念がない時代に、観測によってその法則性に気づいたものです。

この面積を同じにしようとすると、焦点（人工衛星の場合は地球の中心、惑星の場合は太陽の中心）から遠い場合には、距離が長くなりますからその分軌道上の経路は短くしなければならず、

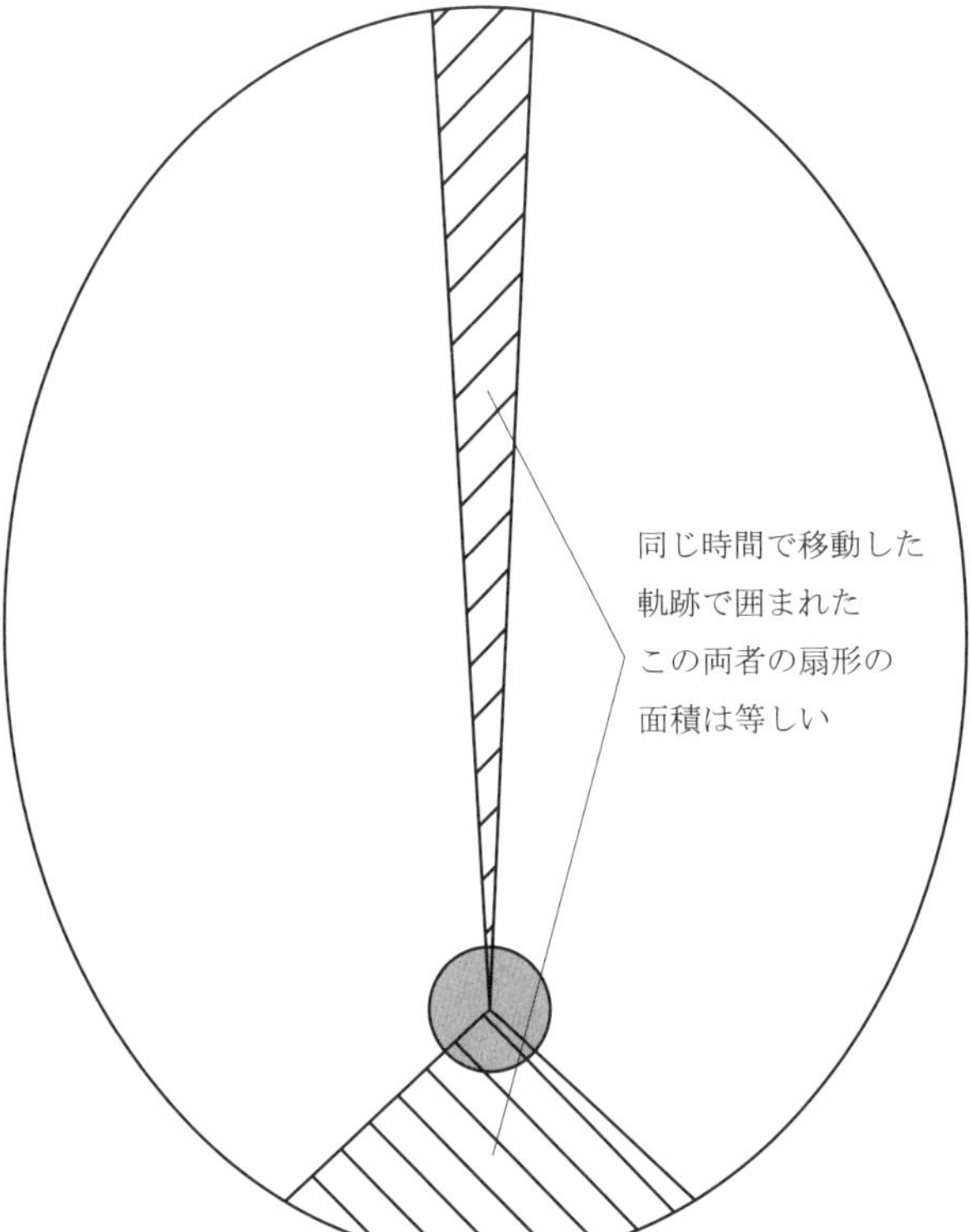
同じ時間で移動した
軌跡で囲まれた
この両者の扇形の
面積は等しい

図2｜ケプラーの第二法則

したがってゆっくり動かねばならず、逆に、焦点から近い場合には、距離が短くなりますからその分軌道上の経路は長くしなければならず、したがって速く動かねばなりません。地球の公転軌道のような、ほぼ円のようなもの（離心率0.017）だとほとんどその差を感じませんが（つまり季節による公転速度の違いを感じにくい）、たとえばハレー彗星の公転軌道のような長細いものだと（離心率0.97）、七五年もかけて飛んでくるのに、太陽の近傍（したがって我々地球の近傍）を通過するのは数箇月だけ、ほんの一瞬です。

この楕円軌道のうち、重力中心のほうの焦点（太陽や地球の重心）にもっとも近くなる点を近点（periapsis）、もっとも遠くなる点を遠点（apoapsis）と呼びます。それぞれの地点での速度を、v_p、v_aとすると、その速度は、それぞれ、

$$v_p = \sqrt{\frac{GM}{a}}\sqrt{\frac{1+e}{1-e}} \qquad v_a = \sqrt{\frac{GM}{a}}\sqrt{\frac{1-e}{1+e}}$$

となります（附録6）。aは軌道の長軸半径、eは離心率です。

本節の最後に、人工衛星のエネルギーについて触れておきましょう。ここで言うエネルギーと

は、運動エネルギーと重力による位置エネルギーとの和のことです。重力による位置エネルギーは、地球の重心からの距離によって決まり、重心に近いほど小さくなり、遠くなるほど大きくなりますが、全エネルギーはエネルギー保存則により一定となるので、位置エネルギーが変化した分が運動エネルギーの変化となります。たとえば、高い位置から物体を落下させると、落下した分（地球の重心に近づいた分）だけ位置エネルギーは減少し、その減少分だけ運動エネルギーは増し、速度が上がります。

人工衛星が持つ全エネルギーは、軌道が決まれば一意に決まりますが、この計算については附録7に書いておきます。ここでは結果だけ示すと、全エネルギーEは、

$$E=-\frac{GMm}{2a}$$

と、長軸半径aだけで決まります。

弾道弾の軌道

ではつぎに、弾道弾の軌道について考えましょう。

弾道弾は、重力に引かれて運動している点では、人工衛星とまったく同じです。もちろん、打

ち上げるときにはロケットの推進力がかかりますし、大気圏内を通るとき（打ち上げのときと再突入のとき）は空気抵抗もあります。しかし、これらの力を受ける区間は、全軌道のうち、ほんの一部にすぎません。大気圏のうち、成層圏で地上から五〇キロメーターまで、国際航空連盟の定める宇宙空間との境（カーマンライン）で地上から一〇〇キロメーターですが、一〇〇〇キロメーターの距離を飛行する弾道弾の軌道は、最高点で地上から一三〇〇キロメーターもの位置になります。ですから、その軌道の大部分で、人工衛星と同じ「宇宙空間」を通ります。そのため、おおまかには、それと同じく「重力だけが働く運動」と捉えてもよいことになります。本章ではそのように単純化して扱うことにしましょう。

その場合でも、弾道弾が人工衛星と違うのは、弾道弾が、「落ちてくる衛星」であることです。軌道で言うと、その楕円軌道の一部が、地球と重なっている、ということになります。このため、日本語では同じ「軌道」ですが、英語では、人工衛星のように周回する場合は「orbit」、弾道弾のように周回しない場合は「trajectory」と分けていることが多いです。

この弾道軌道は、大陸間弾道弾のような長大な射程を持つものでなくとも、たとえば弾丸や、あるいは人間が投げたボールなどでも同じ、楕円軌道が基本です。大気中だとそれに空気の影響を加味するだけです。よく弾道軌道を「放物線」だと書いているものを見かけますが、それは物理学を理解できていない人が書いている可能性が高いです。放物線を描くのは、地球が果てしなく平らで、かつ、どの場所でもどの高さでも重力が一様にかかっている場合に限られます。地球

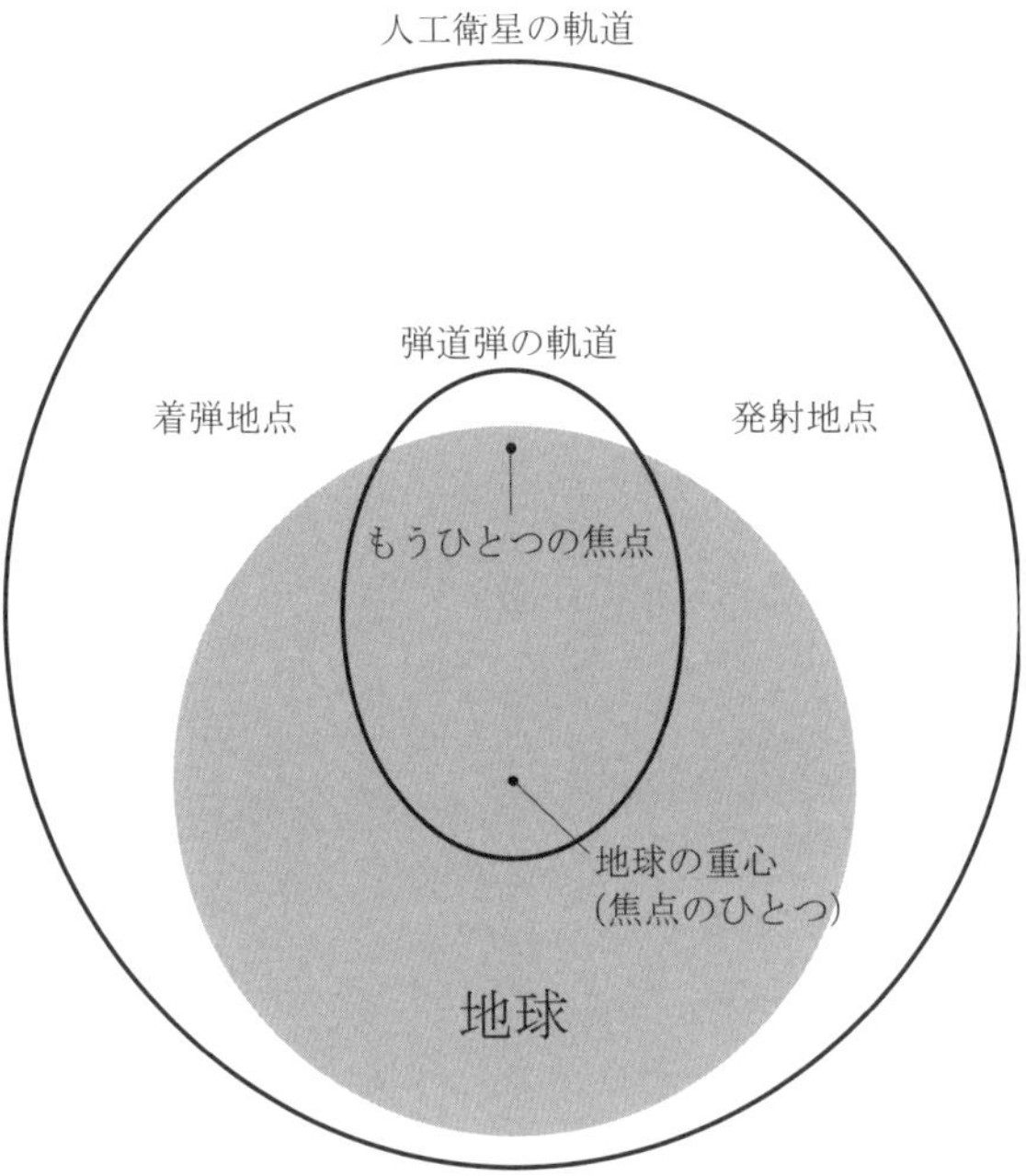

図3｜弾道弾と人工衛星の軌道

の丸さを意識しなくてもよいていどの狭い範囲で、かつ地球の半径に比べて無視できるほど低い高度に限っては、楕円軌道が放物線軌道に「近似」できる、というだけのことです。実際には地球は丸いですし、地球の中心から遠ざかるほど、つまり地表からの高度が高くなるほど、重力の大きさは小さくなります。弾道弾のような長大な射程と高い高度を持つ軌道を描くものに対しては、楕円軌道で考えなければなりません。

さて、これから弾道弾の軌道について考えていきますが、具体的な位置関係があったほうが、よりわかりやすくなります。そこで、ロシア連邦のテイコヴォにある第五四親衛ロケット師団から、アメリカ合衆国のワシントンにある国防省本部ビル（ペンタゴン）に向けて大陸間弾道弾を発射する場合を例として、話を進めていくことにしましょう。

そのどちらも地球上の位置（緯度と経度）がわかっていますから、そこから、地表上の最短経路が求められます（附録8）。その最短経路を通る地球の断面を、図4に示します。

Tがテイコヴォ、Pがペンタゴンを示します。その地表上の最短経路の中点が上にくるように図を描いてあります。Gが地球の重心です。地球はわずかに赤道方向に広い楕円回転体ですが、ここでは、半径Rの完全な球体としてあります。より精度を求める場合は実際の楕円回転体で計算しますが、本書ではこの単純なモデルで計算します。地表に薄く色がついた層が描いてあるのは、成層圏を表わしています。きわめて薄く、大陸間弾道弾の軌道のほとんどが宇宙空間を通ることがよくわかるでしょう。

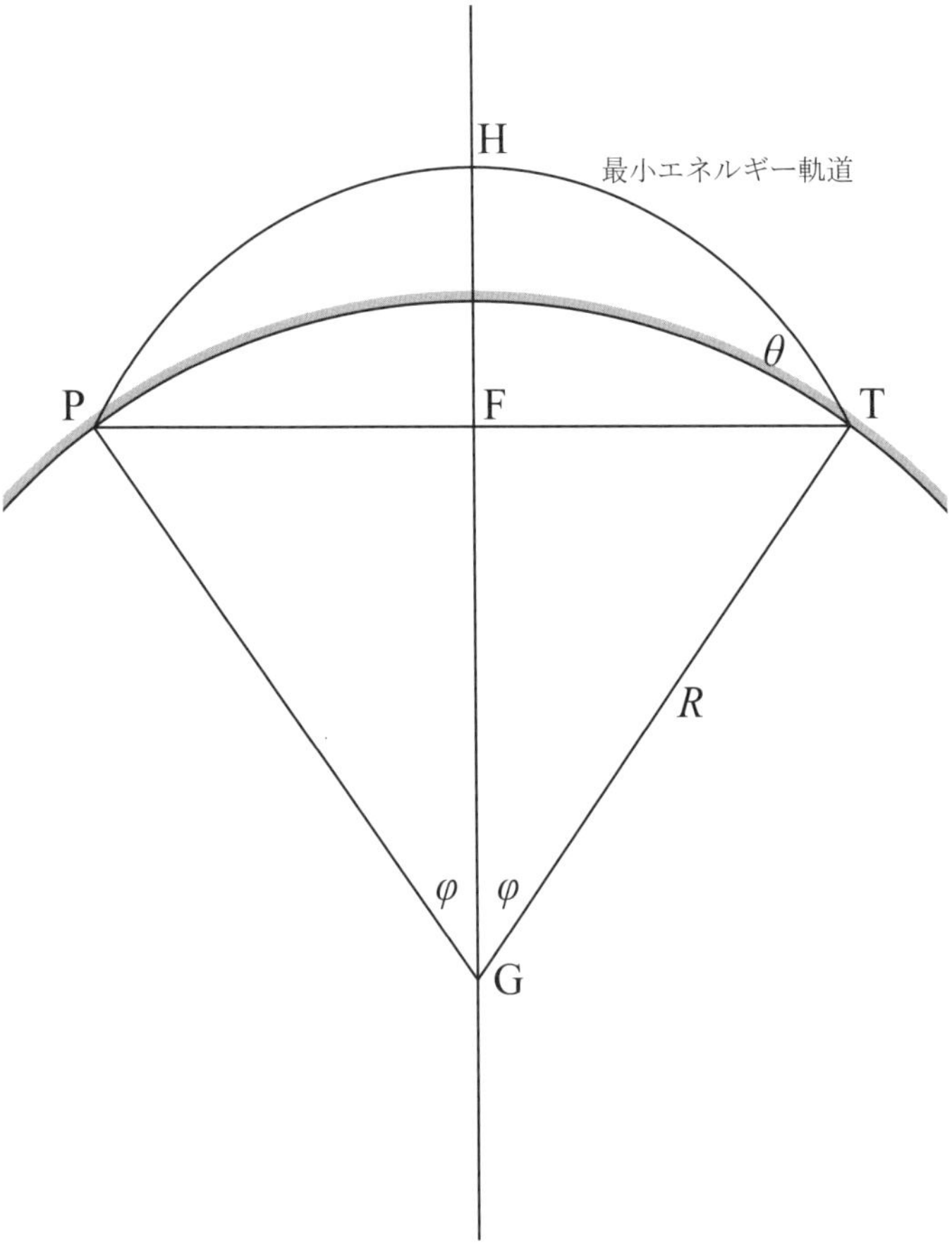

図4｜テイコヴォとペンタゴンの位置関係

テイコヴォからペンタゴンに向かって弾道弾を発射する場合、いろいろな軌道が考えられますが、どれも、地球の重心（中心）Gを焦点のひとつとする楕円となります。もうひとつの焦点は、線分TPの垂直二等分線上のどこかにあります。

いっぽう、打ち上げのエネルギーを最小にできる、もっとも効率的な軌道も決まっていて、それは、GでないもうひとつのTP焦点Fが、線分TPの中点と重なるような軌道です。この軌道だと、もっとも少ない燃料でペンタゴンを火の海に変えられます。この軌道を「最小エネルギー軌道(Minimum-Energy Trajectory、MET)」と言います。弾道弾の発射エネルギーを同じとして考えると、もっとも長い射程が得られるのが、この最小エネルギー軌道です。

ところでみなさんは、算数で図形を扱うのは得意だったでしょうか。数式は苦手でも、図形を描くのは好きだった、という方もおられるかも知れません。逆に、数式を扱うのは得意だったが、図形を描くのは苦手だった、という方もおられるかも知れません。これらの点の位置関係を考えるのは、弾道弾の物理学というよりも、算数の図形の問題になってきます。

TとPの間の角度、角TGPを、2φとします。図は中央の線で対称になっていますので、φではなく2φとしたほうがあとあと楽です。ちなみにテイコヴォとペンタゴンの場合は、$\varphi \sim 35.4$度です。

発射角

まず最初に、楕円軌道においてもっとも重要な値である長軸半径 a と、焦点間距離 $2d$、離心率 e などを求めておきましょう。長径 $2a$ は、焦点を両端とした折れ線の長さに等しいですから（附録1）、ここでは GT + TF になります。地球の半径 R を用いて、

$$a = \frac{1 + \sin\varphi}{2} R$$

となり、焦点間距離 $2d$ は、すなわち GF の長さなので、

$$2d = R\cos\varphi$$

となり、したがって離心率 e は、

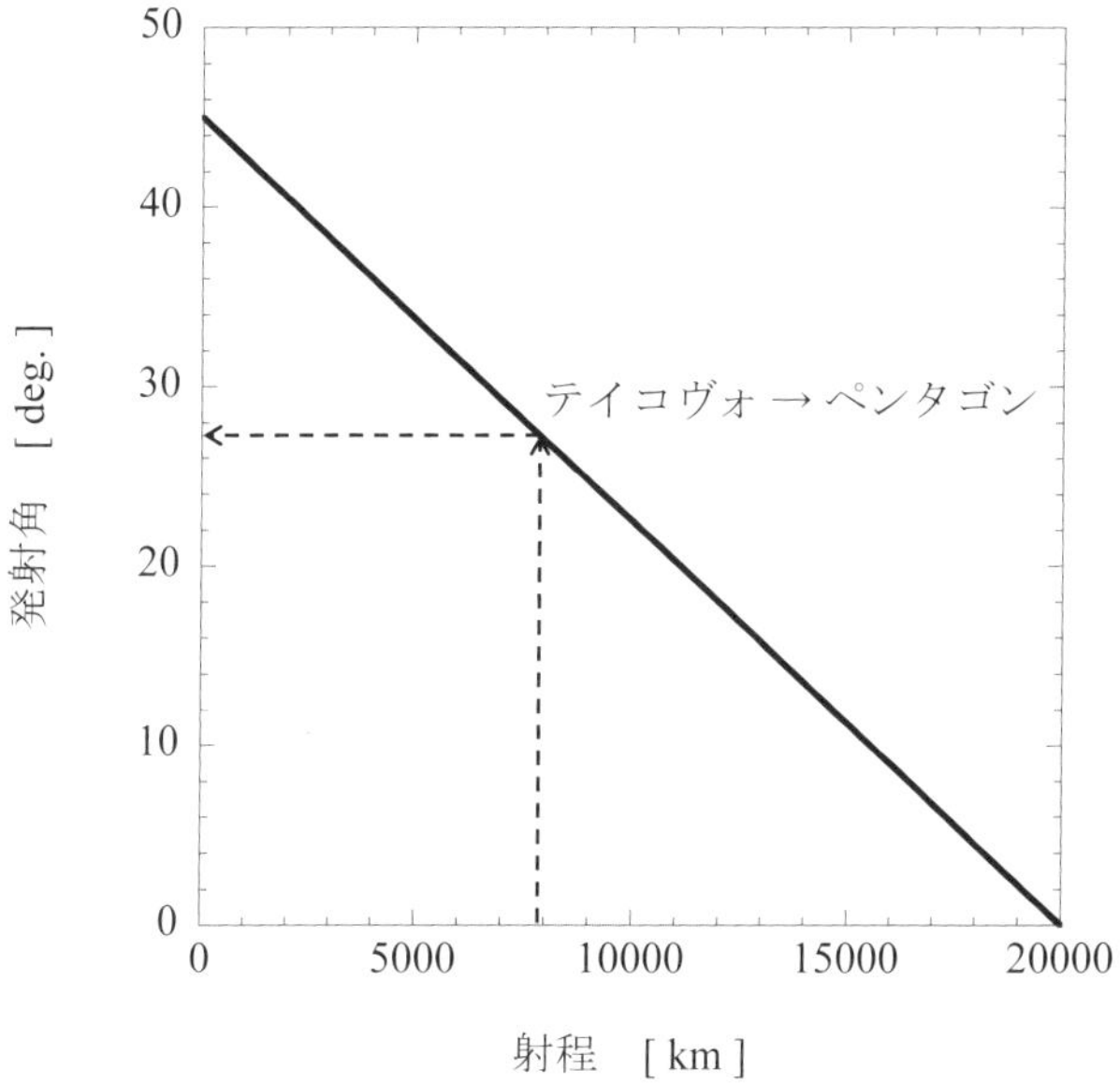

図5｜最小エネルギー軌道における発射角

$$e = \frac{\cos\varphi}{1+\sin\varphi}$$

となります。

つぎに、この最小エネルギー軌道での、発射角θを求めます。線分TGは地球の中心方向を向いており、水平線はそれに垂直であることから、角GTFは2θとなります。三角形の内角の和は180度ですから、

$$\theta = \frac{90-\varphi}{2}$$

となり、θはφから自動的に決まります。ただし、実際のロケットの打ち上げの際には、まず鉛直に近い方向に打ち上げ、そこからジョジョにこの角度へと向きを変えていきます。それは、空気抵抗のある大気圏を、少しでも早く抜けるためです。

図5に、最小エネルギー軌道での発射角を示します。横軸の「射程」は、発射地点と目標地点の地表での最短距離を示しています。射程が長くなるほど発射角は低くなり、地表を周回する軌道は、発射角が0度になっています。地球の周回軌道は、地表と同心円になるからです。

テイコヴォからペンタゴンまでの場合、最小エネルギー軌道での発射角は、θ～27.3度になります。

発射速度

軌道が決まれば、その全エネルギーも決まることは、人工衛星の軌道のところ（42頁）でお話しした通りです。そして、発射地点は地上ですので、地球の重心からの距離はすなわち地球の半径であり、したがって位置エネルギーも決まっていますから、差し引きした運動エネルギー、つまり、この軌道に弾道弾を乗せるための発射エネルギーも決まります。その発射エネルギーから発射速度が求められます。その計算を附録9に示し、結果だけを書くと、最小エネルギー軌道に弾道弾を乗せるための発射速度は、

$$v=\sqrt{\frac{GM}{R}}\sqrt{\frac{2\sin\varphi}{1+\sin\varphi}}$$

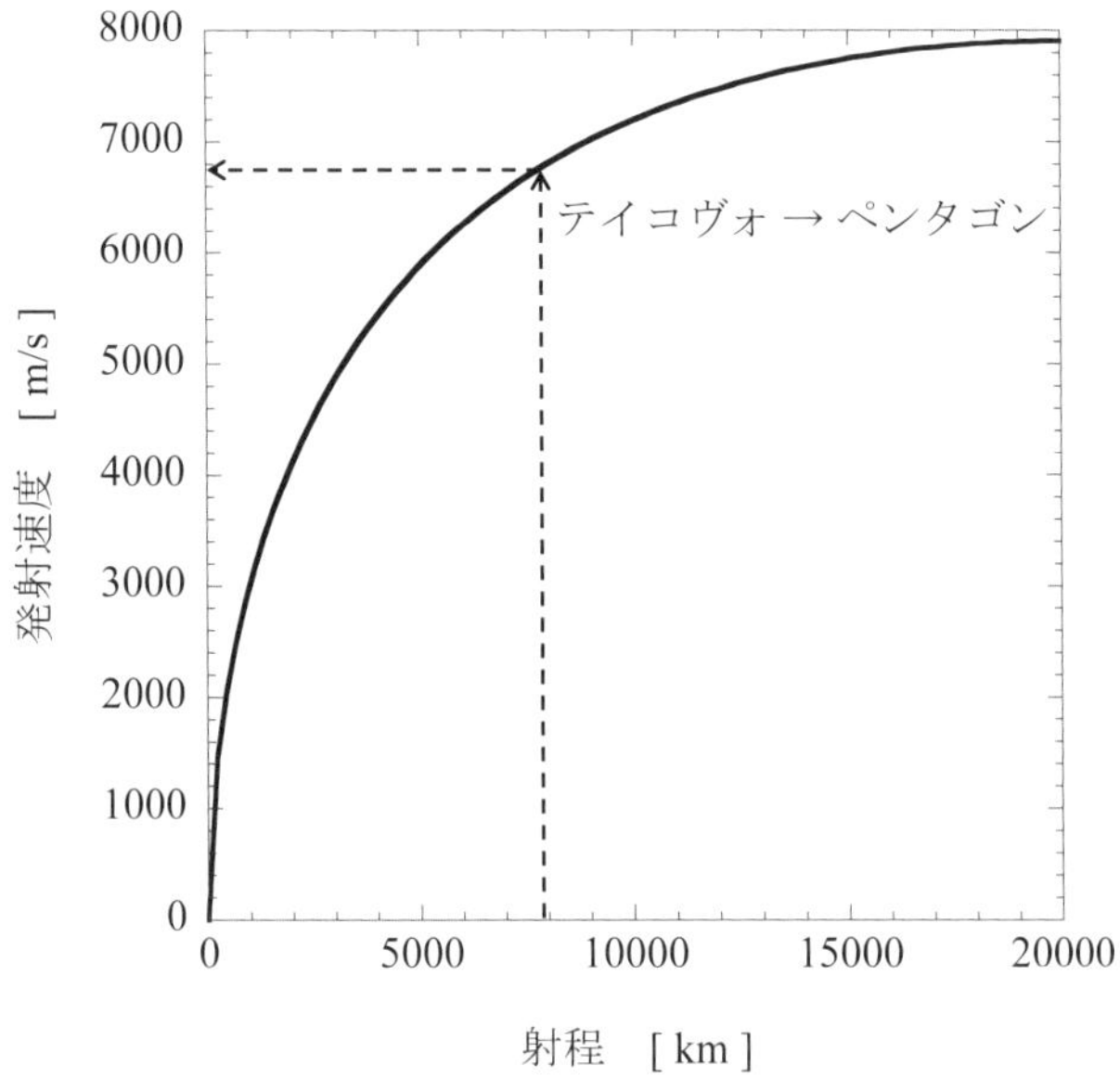

図6｜最小エネルギー軌道における発射速度

となります。この最小エネルギー軌道での発射速度と射程との関係を図6に示します。
テイコヴォからペンタゴンまでの場合、最小エネルギー軌道での発射速度は、6.77 km/s になります。

ここで注目していただきたいのは、この軌道が、図4（46頁）の線分TPの垂直二等分線（線分GF）で線対称になっているということで、つまり、TとPが対称位置にあるということです。それが意味するところは、Tでの発射速度が、Pでの落下速度になるということです。要するに、別の大陸に到達するような大陸間弾道弾は、図6に示すような、数 km/s もの超高速で目標に突入する、というわけです。地表附近での音速が 340 m/s ですから、その二〇倍ほどにもなります。これが、弾道弾が迎撃困難な超兵器である最大の理由です。

もう一度発射速度の式をごらんください。平方根が二つに分けてあります。その意味を考えてみましょう。$\varphi = 90$ の場合を考えると、この軌道はちょうど地球の表面に重なる軌道となり、つまり地球を周回する最小限度の軌道となります。そして、そのとき、後半の平方根の中身が1になり、速度は単純に、

$$v = \sqrt{\frac{GM}{R}}$$

となります。GもMもRも定数ですから、この値は決まっていて、$v \sim 7.9$ km/s となります。この

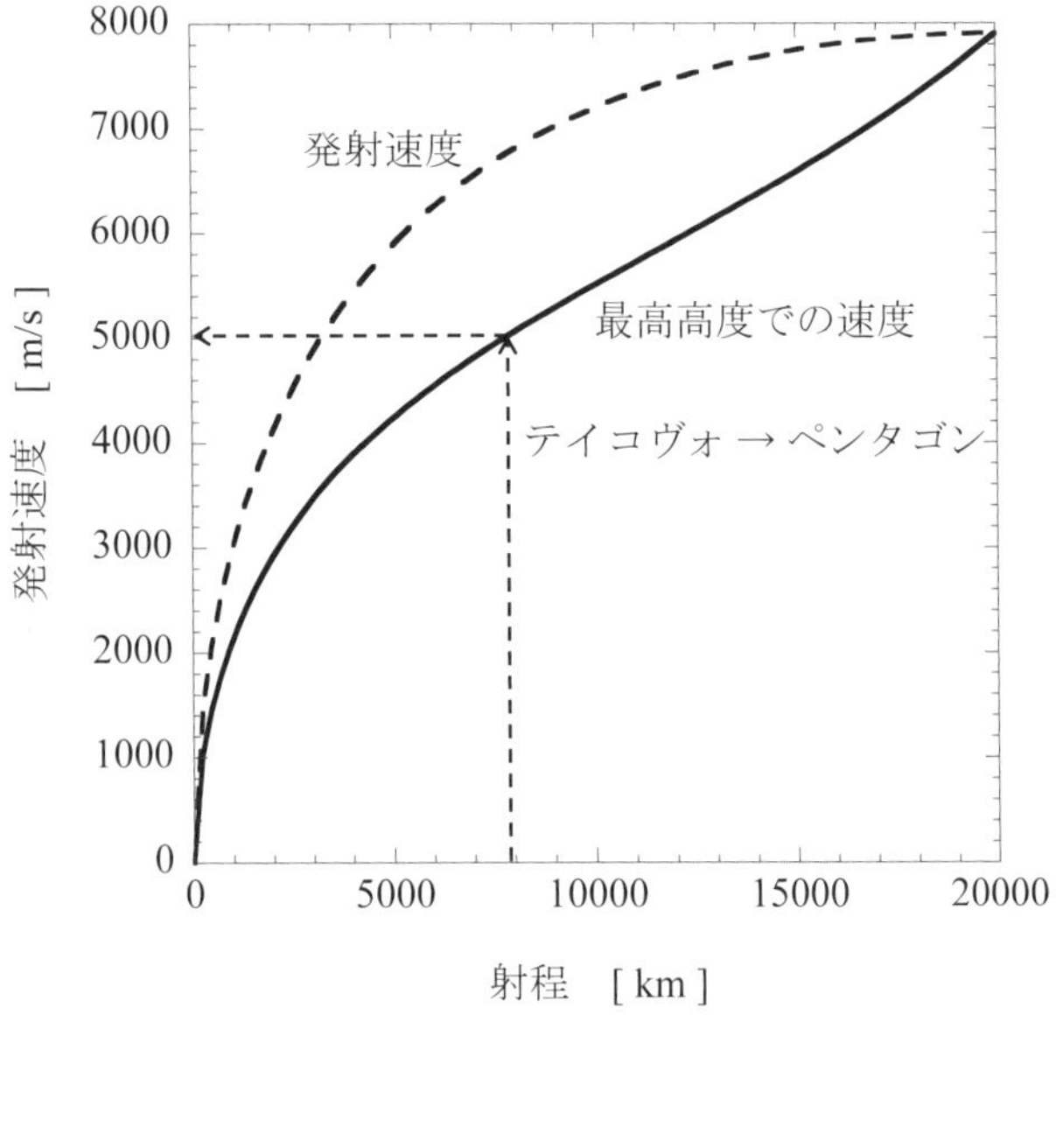

図7｜最小エネルギー軌道における発射速度と最高高度での速度

値を、「第一宇宙速度」と言います。この速度で打ち上げれば、地上に落下することなく、地球を周回する軌道に乗る、つまり地球を脱出できる最小限の速度、というわけです。そして、この速度は、打ち上げる物体自体の質量mには無関係であることがわかります。

発射地点だけでなく、もう一点、弾道弾が地球からもっとも離れる場所、すなわち最高高度の地点（図4のH）での速度も求めておきましょう。ここは、衛星の軌道で言う遠点になっています。ケプラーの第二法則（面積速度一定）から、遠点では速度がもっとも遅くなるのでしたから（41頁）、弾道弾でも、やはりここがもっとも速度が遅くなります。したがって、第5章でお話しする弾道弾防御においては、ここで迎撃すれば、最高速度となる落下の直前で迎撃するよりもずっとかんたんになります。遠点での速度は附録6で計算した通りで、その結果は41頁にも書いてありますから、これをさきほどの図6と重ねて図7に描いておきます。

テイコヴォからペンタゴンまでの場合、最小エネルギー軌道の最高高度での速度は5.03 km/sとなり、その発射速度6.77 km/sに比べて七四パーセントになっています。

最高高度

つぎに、最小エネルギー軌道における最高到達高度を求めてみましょう。ふたたび図4（46

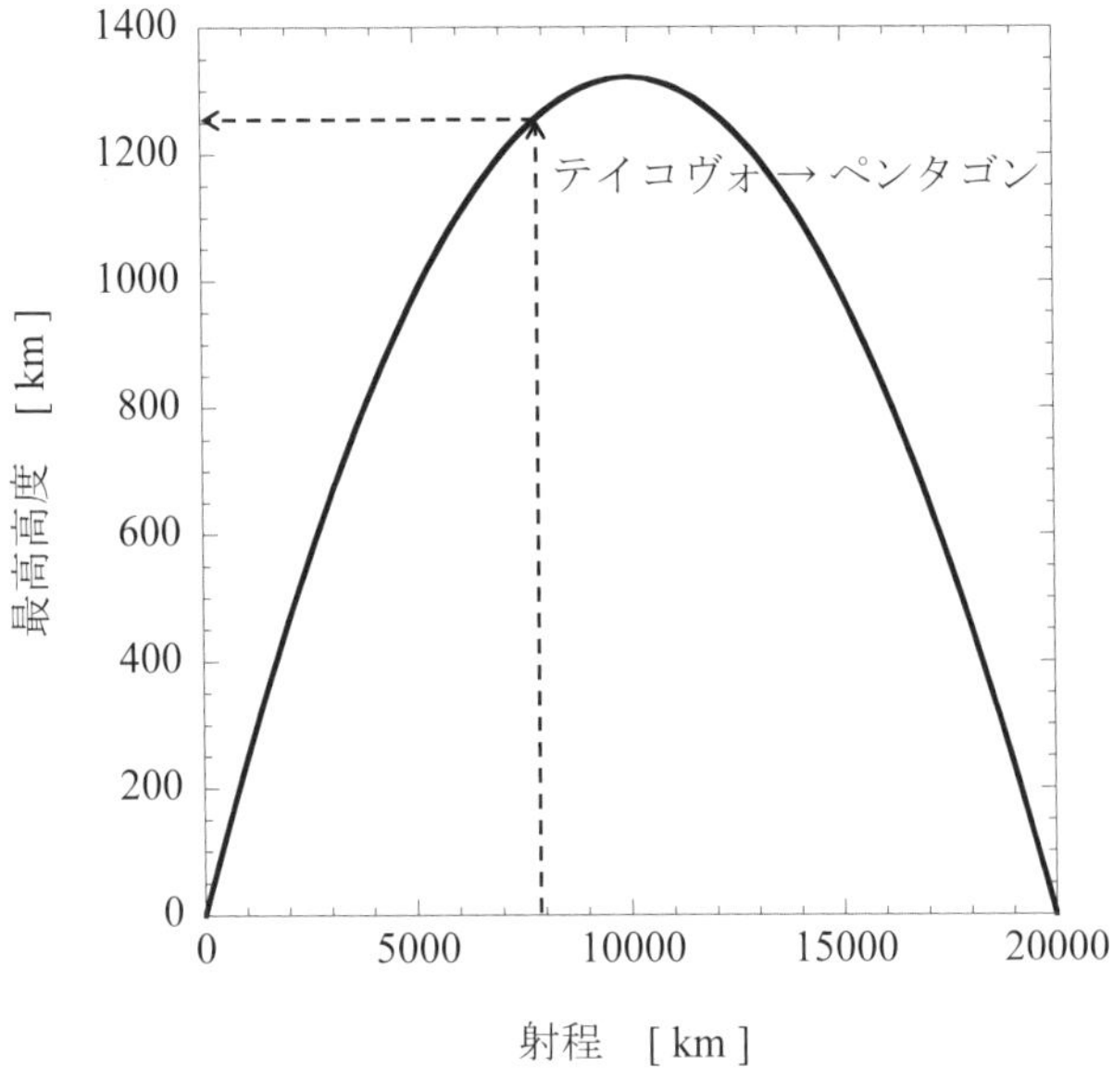

図8｜最小エネルギー軌道における最高高度

頁）をごらんください。最高点Hの地表からの高度は、Hが遠点であることから、その地球の重心からの距離GHから、地球の半径Rを引いたものになります。GH = $a + d$で、aとdはすでに48頁で求めてありますから、これに具体的な数字を入れて計算するだけです。その結果を図8に示します。

テイコヴォからペンタゴンまでの場合、最小エネルギー軌道での最高高度は、1,260 kmになります。

到達時間

そして、最小エネルギー軌道を描いて飛んだ弾道弾が、目標地点に到達する時間について考えてみましょう（図9）。軌道が決まれば、その面積速度が決まります（附録6）。そして、発射位置Tから目標位置Pまで移動する際に動径が描く扇形の面積は、算数的に求められます。その面積を面積速度で割れば、その間の移動時間が出るというわけです。計算方法は附録10に示し、計算結果を図10に示します。

テイコヴォからペンタゴンまでの場合、最小エネルギー軌道での到達時間は、1,660秒になります。つまり発射からわずか二八分間で到達することになり、ペンタゴン側はこの短時間で、発見、探知、弾道計算、到達地点の予測、反撃手段の選択と決断、反撃開始、などの対応すべてを

斜線で示した扇形の面積を、面積速度で割る

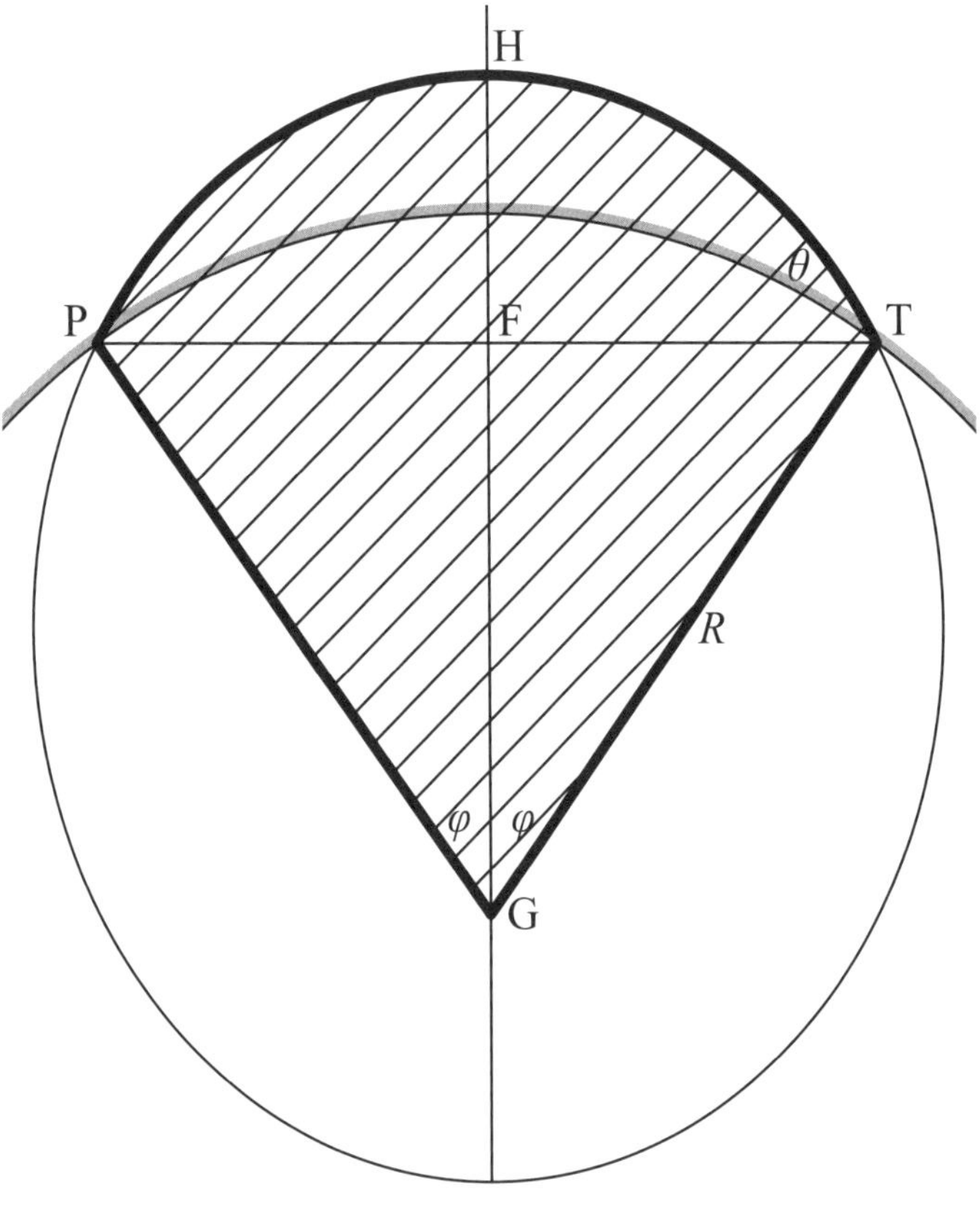

図9｜到達時間の考え方

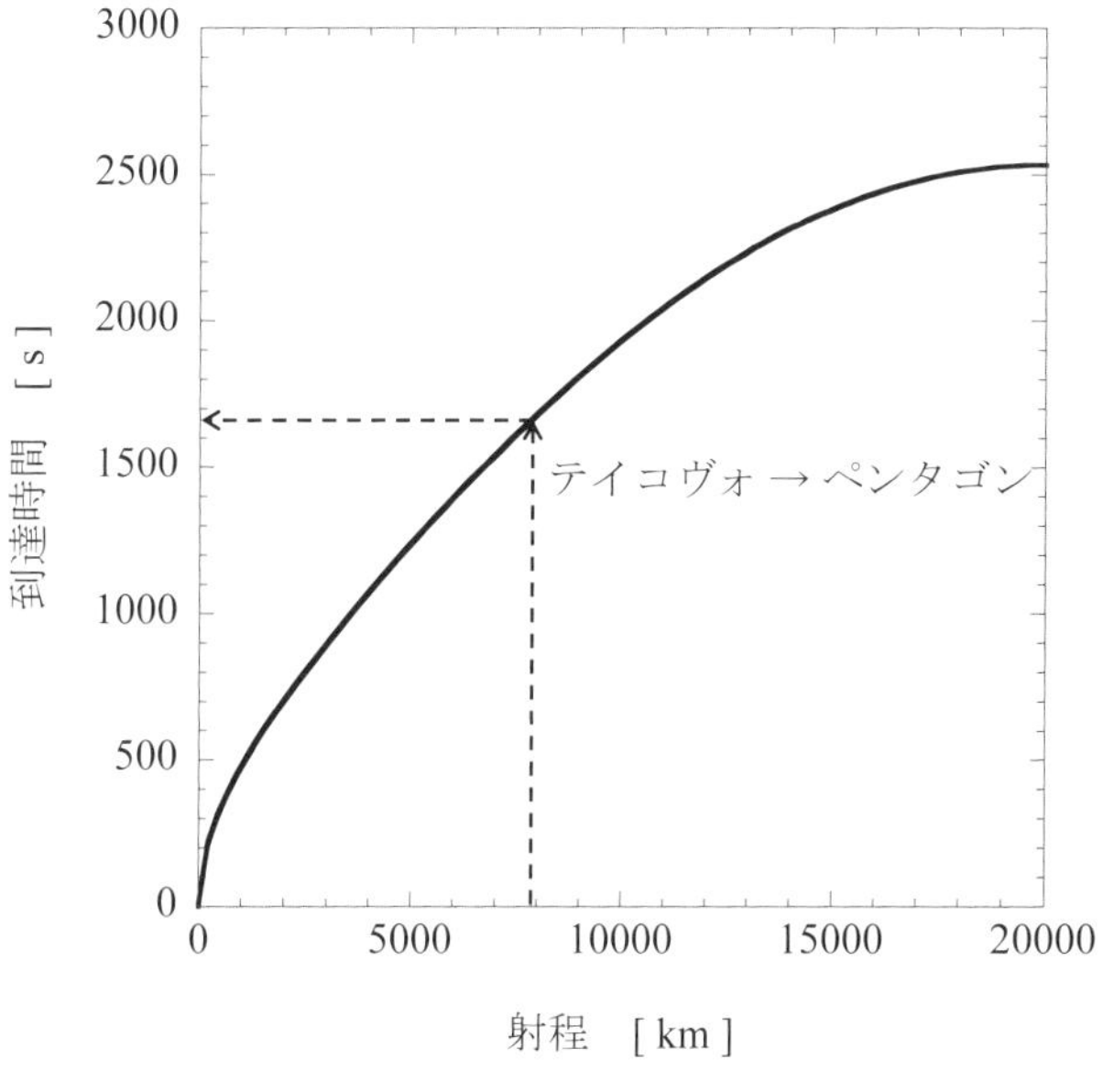

図10｜最小エネルギー軌道における到達時間

求められることになります。弾道弾が超兵器たるゆえんです。

最小エネルギーでない軌道

弾道弾を撃つ場合に、べつに最小エネルギー軌道を選ぶ必要はありません。もちろんそれを選択することで、エネルギーを最小にできる、すなわち、射程を最大に延ばせるわけですから、とても有効な使い方ではあります。しかし、いつもいつもそれで撃っていたら、相手側は軌道を読みやすくなり、対処もしやすくなってしまいます。ですから、目標地点がその弾道弾の最大射程よりも近い場合は、それとは違う軌道を使うことで、運用の幅を持たせることも可能です。このような軌道についても考えてみましょう。

最小エネルギー軌道よりも上向きに、つまり最高高度が高くなるように打ち上げた場合の軌道をロフテッド軌道（lofted trajectory）、逆に、最小エネルギー軌道よりも下向きに、つまり最高高度が低くなるように打ち上げた場合の軌道をディプレスト軌道（depressed trajectory）と言います（図11）。どちらも、最小エネルギー軌道よりも効率が悪い軌道ですから、同じ発射エネルギーの場合には、射程は最小エネルギー軌道のそれよりも短くなります。これらの軌道を使う場合の利点については、第5章でお話しすることとします。ここでは、その軌道の幾何学について見てみます。

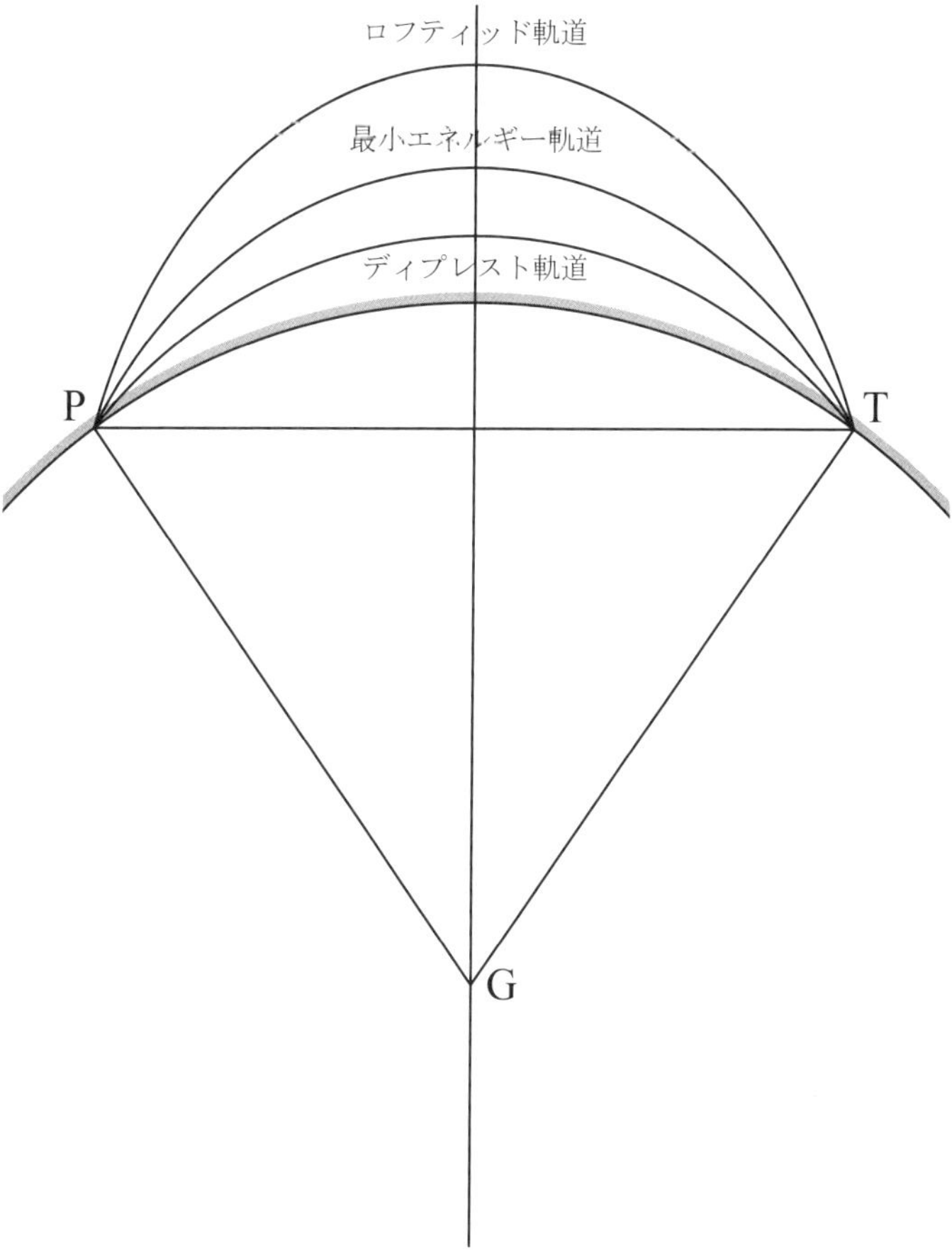

図11 ｜ ロフティッド軌道とディプレスト軌道

発射する弾道弾が同じもので、使う燃料も同じだとすると、発射のエネルギーは同じで、本章で用いている単純なモデルでは、発射の瞬間に最高速（発射速度）に達するのですから、その発射速度は、どのような軌道を描こうが同じです。そして、地球を完全な球としているこのモデルでは、地表であれば地球の重心からの距離はどこも同じですから、発射の瞬間の位置エネルギーもどこでも同じとなります。つまり、この弾道弾が持つ全エネルギーは、軌道によらず一定なのです。そのエネルギーEは、附録7で求めた通り、

$$E = -\frac{GMm}{2a}$$

という、長軸半径aとの関係があります。したがって、エネルギーEが同じであるならaも同じ、より単純に言い換えれば、同じ弾道弾であれば、どのような軌道を描こうとも、長軸半径aは同じとなるのです。

となると、ある弾道弾の発射試験が行われたときに、その飛距離と最高高度を測定できれば、そこから長軸半径を求め、その長軸半径から最小エネルギー軌道で発射した場合の射程、すなわち最大射程が計算できます。たとえば北朝鮮はその国土の狭さから、長射程の弾道弾は真上に近い方向に打ち上げてロフティッド軌道で試験することが多いのですが、その観測結果から最大射程を推測するには、このような方法を採ることができます（ただし、搭載する弾頭などが同じだ

と仮定した場合)。このモデルでは発射の瞬間に最大速度に達すると単純化されており、実際には、燃料が燃焼する間の運動や、途中の各段や弾頭の切り離し、大気圏内での空気抵抗など複雑な要素があり、それらを考慮すればより正確な計算ができますが、だいたいの最大射程はこのモデルでも推測できます。その計算の方法を附録11に書いておきます。ここでは、図12に、飛距離1,000 kmだった場合の、地表からの最高高度に対する、最小エネルギー軌道で発射した場合の射程(最大射程)の単純計算の結果を示します。このグラフだと、たとえば、最大高度が4,000 kmだったときは、最小エネルギー軌道で発射した場合の最大射程は8,700 kmていどになります。

また、図13に、ディプレスト軌道について、飛距離1,000 kmだった場合の、地表からの最高高度に対する、最小エネルギー軌道で発射した場合の射程(最大射程)の同様のモデルでの単純計算の結果を示します。

いかがでしたでしょうか。難しい物理学を理解していなくとも、おおまかな計算は、図形をもちいて比較的かんたんに理解できることがおわかりいただけたかと思います。算数をまじめに学んでおくことはとても大切でしょう。どこかの人たちみたいに「三角関数がなんの役に立つのか」などという妄言を吐いていては、弾道弾について理解する第一歩すら踏めないのです。

本章では弾道弾の軌道について見てきましたが、次章からは、その軌道に弾頭を打ち上げるロ

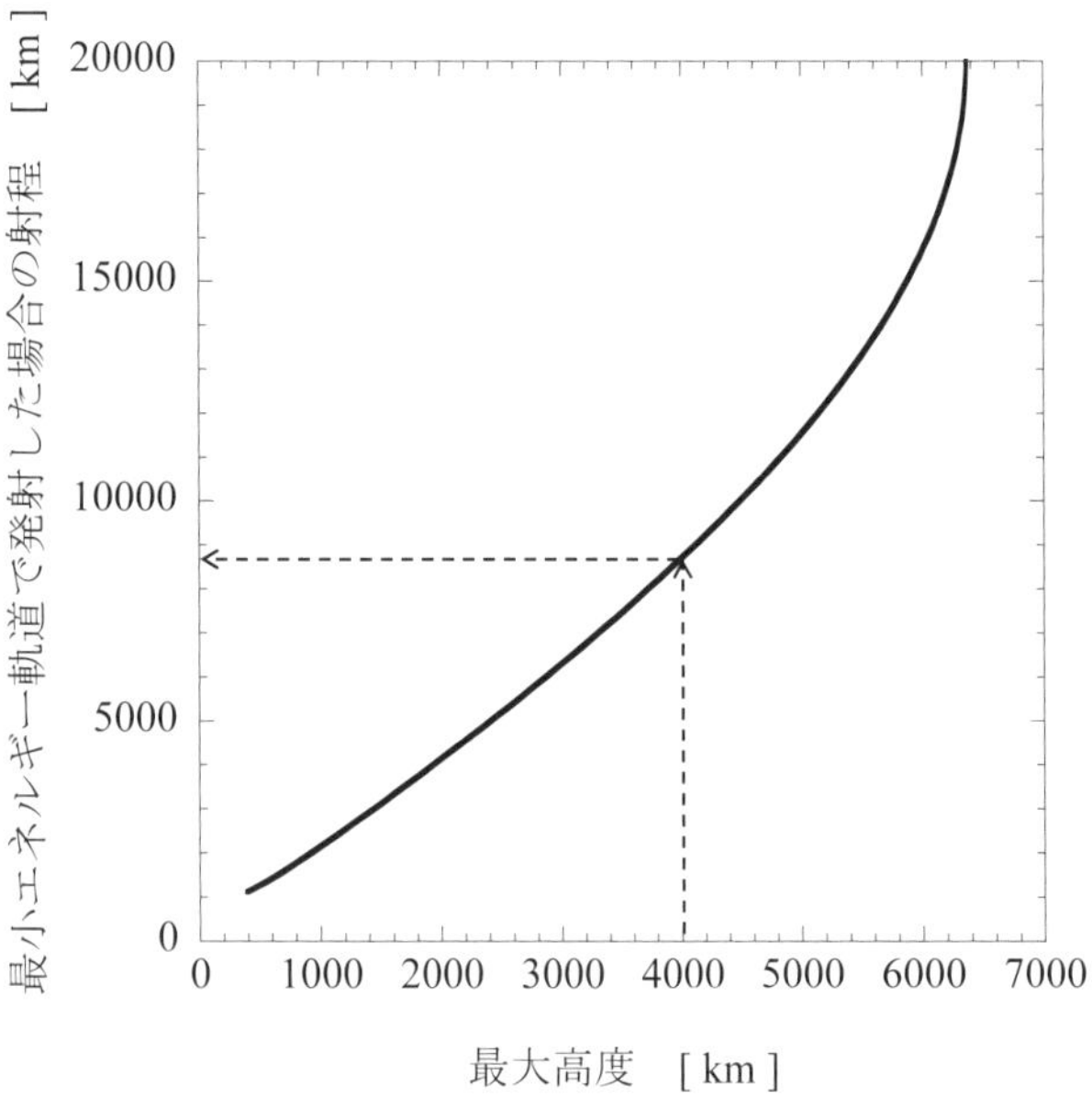

図12 ｜ 飛距離と最高高度から計算した最大射程（ロフティッド軌道）

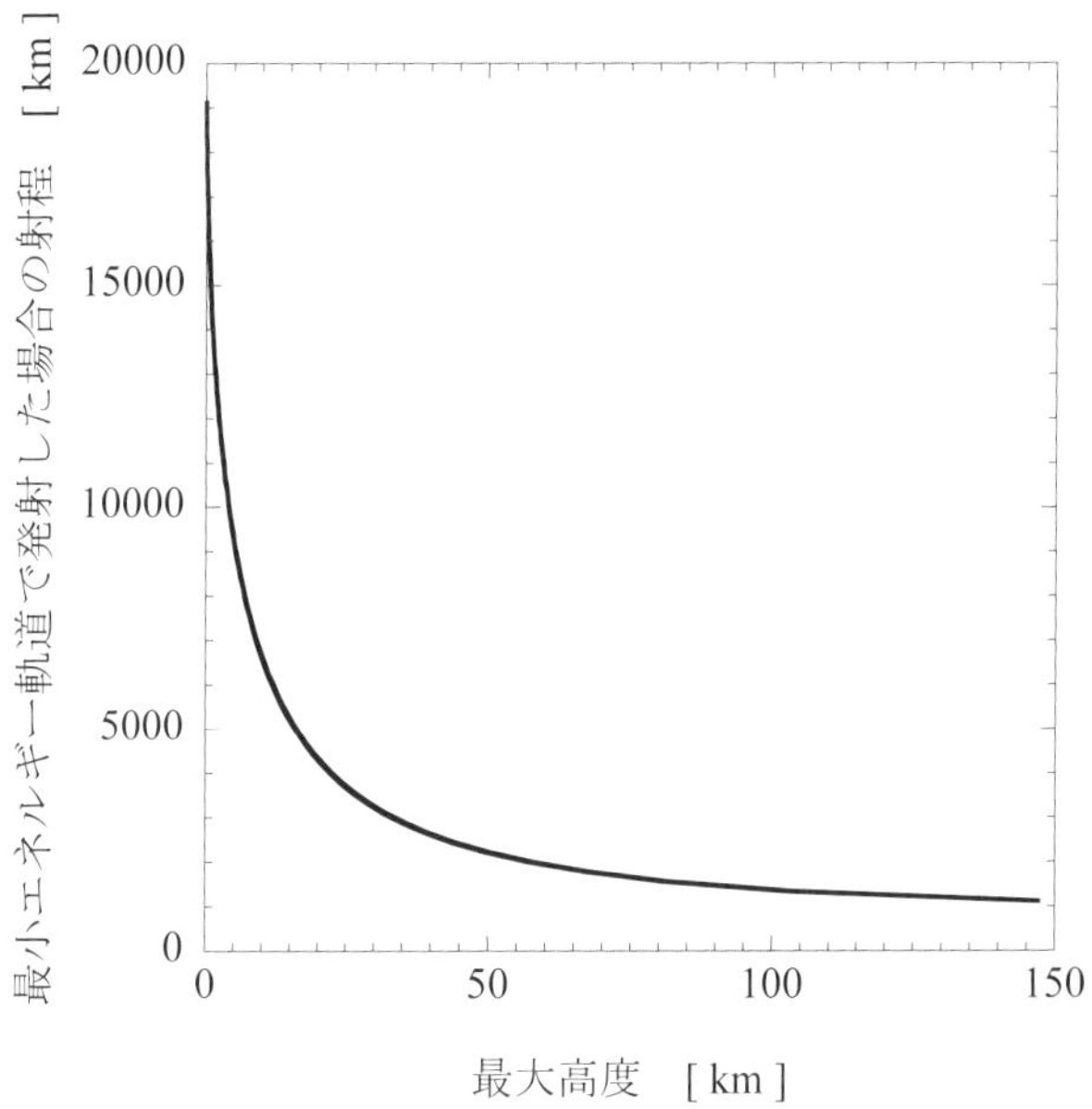

図13｜飛距離と最高高度から計算した最大射程（ディプレスト軌道）

ケットの技術について見ていきます。第3章では、どのようにして弾道弾を飛ばすのか、その推進に関する技術についてお話しします。第4章では、弾道弾の軌道の最初と最後の部分である発射と再突入に関する技術についてお話しします。

第3章

推進方法

弾道弾はどうやって前に進むのか

ある物体が前に進むためには、どうすればよいのでしょうか。推進の基本は、なんらかのものを後ろに送り出すことによって、その反動で自分自身が前に進むことです。その「送り出す」という動作を、それぞれの場所にふさわしい方法で行うことになります。たとえば車輌であれば、車輪が回転することで道路を後方に押し出します。艦艇であれば、スクリューが水を後方に押し出します。航空機であれば、吸い込んだ空気をファンで圧縮して、一部はそのまま、一部は吹き付けた燃料を燃焼させて熱膨張させ、ともに後方に噴き出します。そしてロケットは、燃焼させた燃料を後方に噴き出します。

ロケットの場合について、もう少し詳しく考えてみましょう。ここで、みなさんが中学生のときに学んだ力学の基本法則を、もう一度思い出してもらいます。それは、運動量保存則です。「外から力がかかっていない場合に、その系の運動量は保存する」というものです。実際にはロケットには重力がかかっているのですが、ここでは、その重力を無視した単純な系で考えてみましょう。式も単純ですので、附録も使わずここに書いてみます。最初静止状態にあるロケットが、質量 m の燃料を、速度 $-v$ で後方に噴射したとします。「-」がついているのは、「後ろ（進行方向と逆）」という意味です。このとき、噴射後のロケットの、質量を M、速度を V とすると、

$$0 = MV + m(-v)$$

が成り立ちます。最初静止しているわけですから運動量は0で、燃料噴射後も合計の運動量はそのまま0に保たれている、というのが運動量保存則です。この式をもう少し見やすくすると、

$$MV = mv$$

となり、したがってこの燃料噴射によって得られる速度Vは、

$$V = \frac{m}{M}v$$

となります（図14上）。

この場合は一度の噴射だけを考えましたが、実際のロケットでは、噴射は連続的で、そのたびにロケットの重量も軽くなっていきます。燃料を捨てていっているわけですから。そこでつぎに、

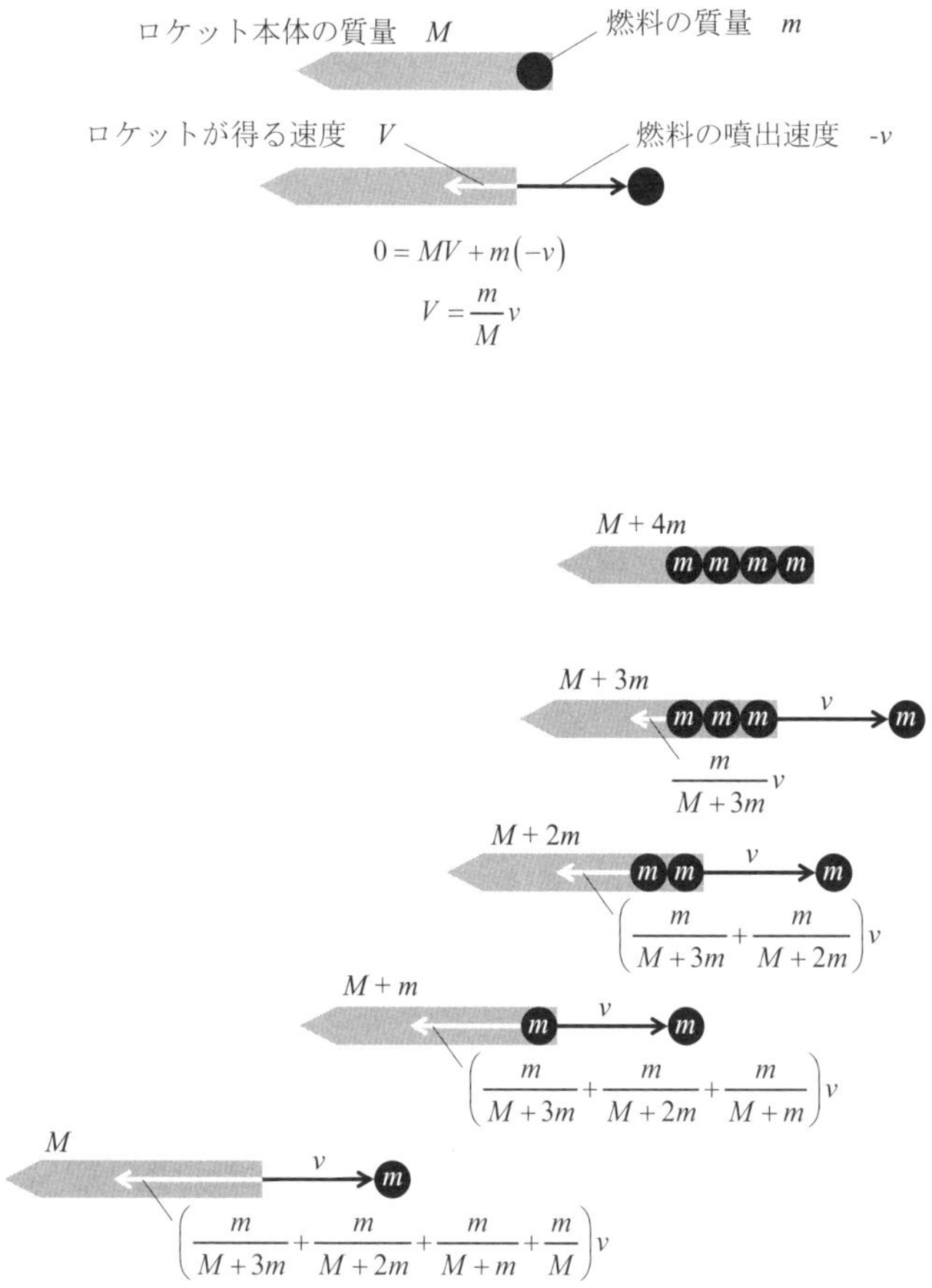
ロケット本体の質量　M
燃料の質量　m
ロケットが得る速度　V
燃料の噴出速度　-v
0 = MV + m(−v)
V = m/M v
M + 4m
M + 3m
m/(M+3m) v
M + 2m
(m/(M+3m) + m/(M+2m)) v
M + m
(m/(M+3m) + m/(M+2m) + m/(M+m)) v
M
(m/(M+3m) + m/(M+2m) + m/(M+m) + m/M) v

図14｜ロケットの推進

燃料を分割して、図14の下のように、四つの燃料をジョジョに捨てていく場合を考えてみます。燃料は四回にわたって捨てますが、その質量は同じmで、同じ速度vで噴射し、燃料を除いたロケットの質量はMとします。すると、ロケットは図14のように噴射するごとに速度が加算されていき、最終速度へと達します。

結局、これを連続的な噴射の場合に改めると、

$$V = v \cdot \ln \frac{m+M}{M}$$

となります。Vがロケットの最終速度で、vが燃料の噴出速度、mが燃料の全質量、Mが燃料以外のロケットの質量です。この式は、ロシアの物理学者であるコンスタンティン＝エドゥアルドヴィチ＝ツィオルコフスキイ（Константин Эдуардович Циолковский）の名を取って、ツィオルコフスキイの式と呼ばれています。ツィオルコフスキイはこれを一八九七年の原稿『Ракета（ロケット）』に著しました。なんと一九世紀のことで、ロシアはロシア帝国だった頃です。人類が最初に人工衛星を打ち上げるのがその六〇年後の一九五七年、最初に人類を宇宙空間に送るのが六四年後の一九六一年、最初に人類を他の天体に送るのが七二年後の一九六九年であることを考えると、とてつもない先進性を持った人物であることがわかります。

しかしこの式に具体的な数値を入れてみると、あることに気づきます。たとえば、ロケットの質量のうち、本体10t、燃料90tとして、燃料の噴出速度を3.0 km/s（後述する99頁の表3や107頁の表4の値と比べても大きめの値です）とすると、ロケットの最終速度は6.9 km/sに達しますが、これは第2章（53頁）でお話しした「第一宇宙速度」よりも小さく、このままでは「落ちてこない」ロケットとすることができません。弾道弾としてはともかく、ツィオルコフスキイはじめ宇宙開発をめざす人たちの目的は宇宙空間に人類を送ることですから、これは問題です。

ところが、ツィオルコフスキイは、それに対する解決案も考え出しました。たとえばこのロケットを、全体としては同じものながら、本体5t、燃料45tの、二つの部分に分け、一つめの部分が燃料を出し尽くしたら、それを切り捨ててしまう、としたらどうでしょうか（図15）。すると、最初の部分（第一段）によって1.8 km/sの速度にしか達しませんが、次の部分（第二段）によってさらに6.9 km/sの速度が加算されますから、合わせて8.7 km/sの速度となり、第一宇宙速度を超えることができます。これは要するに「空になった燃料タンクは単なる無駄な重量物なので、それを切り捨ててしまう」という案ですが、それによって、同じ総重量、同じ燃料総重量、同じ噴出速度ながら、ずっと大きな最終速度を得られるというわけです。これを多段式ロケットと言います。ツィオルコフスキイは、一九〇三年に『Научное обозрение（科学レヴュー）』誌に掲載された彼の論文『Исследование мировых пространств реактивными приборами（反動推進装置による宇宙空間の研究）』の中で、この多段式ロケットや、さきほどのツィオルコフスキイの

$$V = v \cdot \ln \frac{m + M}{M}$$

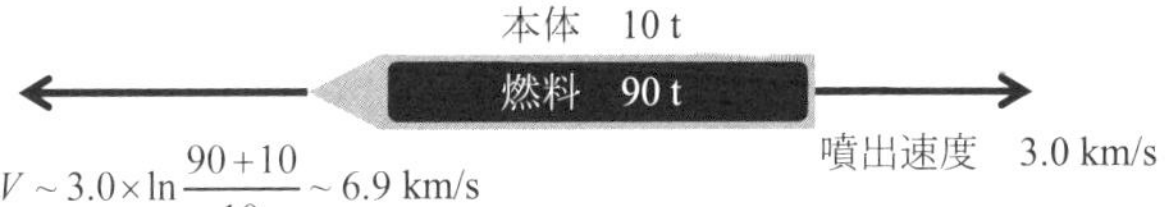

$$V \sim 3.0 \times \ln \frac{90 + 10}{10} \sim 6.9\ \mathrm{km/s}$$

$$V \sim 3.0 \times \ln \frac{45 + 5 + 45 + 5}{5 + 45 + 5} \sim 1.8\ \mathrm{km/s}$$

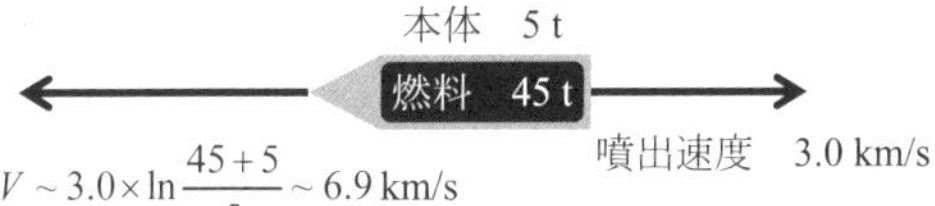

$$V \sim 3.0 \times \ln \frac{45 + 5}{5} \sim 6.9\ \mathrm{km/s}$$

$$1.8 + 6.9 \sim 8.7\ \mathrm{km/s}$$

図15｜多段式ロケット

式を発表しています。この論文には、ほかにも、燃料には液体水素、酸化剤には液体酸素を用いるのがよいことも書かれていて、その先進性がうかがえます。後述（92頁）するように、現在でも最大のエネルギーを発生させる燃料と酸化剤の組み合わせはそれだからです（ただし、宇宙開発用であって、弾道弾用の燃料と酸化剤ではありません）。

ところが、この論文は、当時ほとんどまったくと言っていいほど評価されませんでした。掲載誌が一九〇三年には廃刊になってしまうほどのマイナー誌（創刊が一八九四年なので、一〇年に満たない）だったこともありますが、そののちに書き改めたものが一九一一年から翌一九一二年にかけて『Вестник воздухоплавания（航空学会報）』に掲載されたときも、あまり評価されませんでした。

ツィオルコフスキイはポーランド系ロシア人で、子供の頃にかかった病気の後遺症でほとんど耳が聴こえない難聴者でした。高等中学校を中退しており、そのため大学にも進学できませんでした。その代わりに十代後半をマスクヴァ（モスクワ）で過ごし、図書館に通い詰めて独学で物理学と数学を勉強しました。一九歳で家族のもとに戻り、二三歳のときに小学校の算数の教師となりました。以降、彼は、定年退職するまで教師でした。教師として働く傍ら、ロケット以外に気球や飛行船の研究も行いました。彼は風洞を手づくりし、空気力学の実験をさかんに行い、その実験結果を論文にまとめて、当時の航空学の最高権威であるジュコフスキイに送りました。

ニコライ＝エゴロヴィチ＝ジュコフスキイ（Николай Егорович Жуковский）は、「ロシア航空の父」と呼ばれた偉大な物理学者で、マスクヴァ大学で数学博士号を取得し、マスクヴァ大学の教授を務めたエリートです。「ジュコフスキイの定理」など、航空学で数々の業績を挙げ、さらには、現在世界最大の流体力学研究所である中央航空流体力学研究所（Центральный АэроГидродинамический Институт、ЦАГИ）の創立者でもあります。同研究所は、ソヴィエト連邦の航空機の基本空力設計を決めるというきわめて重要な地位を占めましたが、現在のその正式名称は「H. E. ジュコフスキイ教授名称中央航空流体力学研究所（Центральный аэрогидродинамический институт имени профессора Н. Е. Жуковского）」です。それほどに偉大な航空学者です。

ところが、ジュコフスキイはツィオルコフスキイの論文と実験結果を黙殺しました。完全に抹殺したわけではなく、しばらくは発表しないことという条件をつけてアカデミーに送っていたのです。その理由は、同年代の物理学者チジェフスキイ（Чижевский）によると、大学の教育も受けていない、学位も持ってない、単なる小学校教師であるツィオルコフスキイが、かんたんな数式と手製の風洞を使って、国内最高権威である自分（ジュコフスキイ）以上の成果を出していることを、世に知られるわけにはいかなかった、ということなのだそうです。

このような状況ですから、ちゃんと発表された前述のロケットに関する論文も、アカデミズムの世界からはまったく相手にされなかったのでした。ただ、僕的には、空気力学のほうはともかく、ロケットの論文のほうは、あまりに時代を先取りしすぎて、その価値を理解できる人が少なかったから、というのも一因ではないかと思います。なにせ、前述の論文が発表された一九〇三年というのは、ライト兄弟が人類初の航空機の動力飛行に成功した年ですから、その時代にロケットがどうの宇宙がどうの言われても、多くの人には理解しがたかったのではないでしょうか。ツィオルコフスキイは晩年にアカデミーの会員に選出され、受勲もしますが、それはロケットに関する研究ではなく、むしろ飛行船の研究が評価されてのことだったと言われています。それよりずっとのちに、第二次世界大戦が終結し、各国が本格的にロケットを開発し始めたときに、ツィオルコフスキイの偉大さが再発見されることになるのです。コロリョフとブラウンをソ米の「ロケットの父」と呼ぶならば、ツィオルコフスキイは「ロケットの祖父」と呼んでもよいのではないでしょうか。

さて、話をもとに戻して、このツィオルコフスキイの式をもう一度よく見てみましょう。これは実に単純な形をしています。ロケットが得る最終的な速度Vは、燃料の噴出速度vと、ロケット本体に対する燃料の割合$(m+M)/M$の対数との積になっています。これからわかる単純明快な結論は、弾道弾を速く（すなわち遠くまで）飛ばすには、

- いかにして燃料の噴出速度を上げるか
- いかにしてロケット全体に対する燃料の割合を増やすか

という二点が決め手になってくる、ということです。この二点を常に頭の中に入れながら、以下、弾道弾の推進を担う構造について考えていきましょう。

弾道弾の構造

弾道弾の各部分について細かく考える前に、その名称とおおまかな役割についてまとめておきます。

図16には、二段式の弾道弾の概略図を描いてあります。

各段（stage）ごとに、燃料／酸化剤と、それを噴出させるノズルがあります。第一段（first stage）と第二段（second stage）の間には段間部（intermediate stage）があり、第一段と第二段をつなげています。第一段の噴射が終われば、すみやかに第一段と段間部を切り離し、その直後に第二段の噴射を開始します。

弾道弾の先端に、弾頭（warhead）があります。これこそが弾道弾が運ぶべき「兵器」そのものです。弾道弾の場合は弾頭ですが、ロケット一般ではペイロード（payload）と呼ばれます。pay、つまり支払いを受ける（対価を得る）、load（荷物）というのがその語源で、要するにそのロケットの積載物のことです。ロケットは、これを運ぶためにあります。ロケット以外でも、航

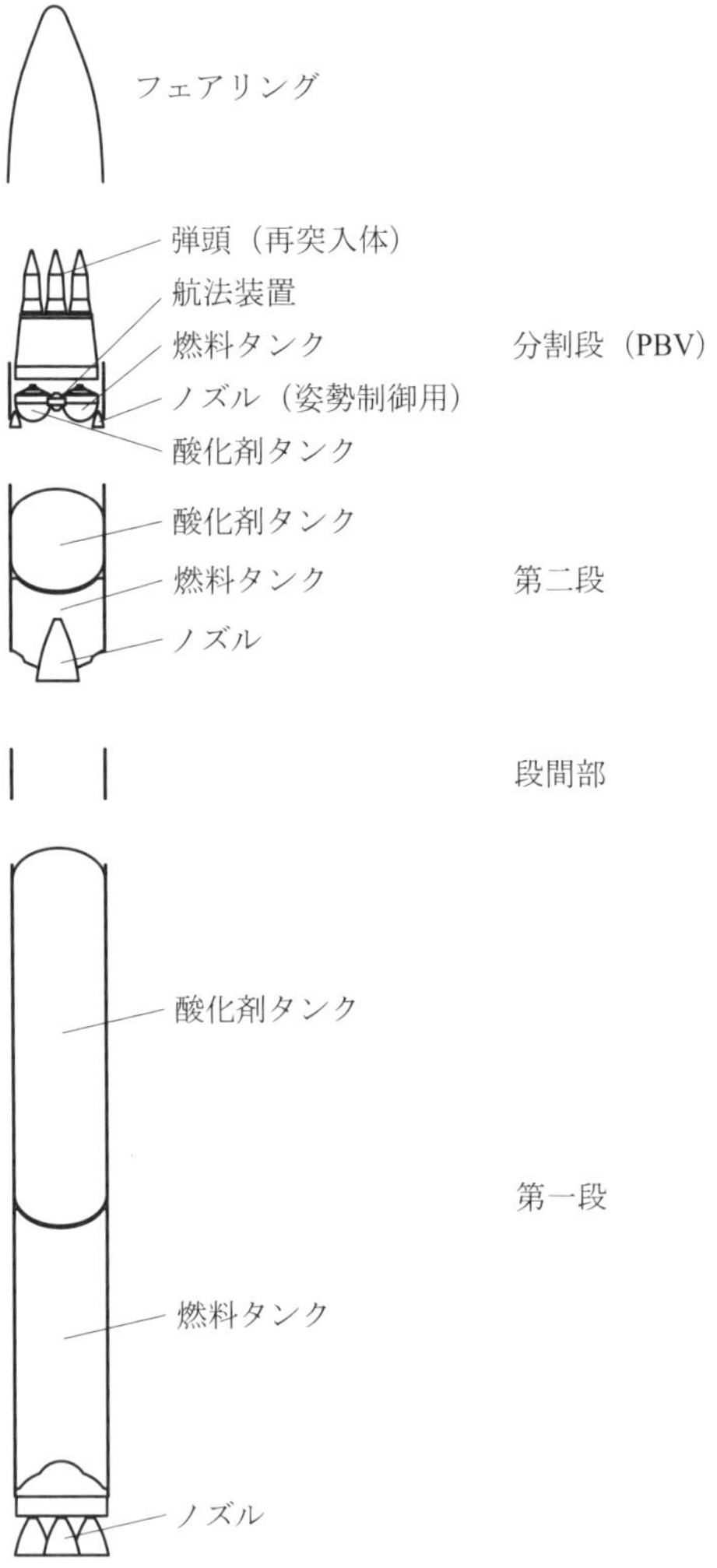
フェアリング
弾頭（再突入体）
航法装置
燃料タンク
ノズル（姿勢制御用）
酸化剤タンク
分割段（PBV）
酸化剤タンク
燃料タンク
ノズル
第二段
段間部
酸化剤タンク
第一段
燃料タンク
ノズル

図16｜弾道弾の構造

空機も積載物のことをペイロードと呼びますが、車輛や艦船ではペイロードとは呼びません。このペイロードの重量を投射重量と呼び、どれだけの距離（弾道弾であれば射程、宇宙開発ロケットであれば軌道の位置）にどれだけの投射重量のペイロードを運べるかが、そのロケットの性能を示す重要な指標となります。また、同じロケットであれば、当然ながら投射重量が減れば射程は伸びます。投射重量が減るということは、ツィオルコフスキイの式で「燃料以外の質量」が減るということを意味し、そのため最終速度は上がり、第2章でお話ししたように、速度が上がればより長い射程の軌道に乗せられるからです（図6、52頁）。たとえば、アメリカ合衆国の潜水艦発射式弾道弾UGM-133は、W88核弾頭を最大八発搭載できますが、八発すべて搭載したときの射程が七六〇〇キロメーターなのに対して、これを半分の四発にすると、射程は一一五〇〇キロメーターまで伸びます（公称値ではなく、外部の研究者による計算値）。

短射程の弾道弾では、弾頭は本体に固定されたまま、本体ごと目標まで飛行しますが、長射程の弾道弾では、本体の燃料が尽きたときに弾頭を切り離します。弾頭が複数の場合には、それらを分割段に搭載し、まとめてフェアリング（fairing）で覆います。弾頭部分の詳細については第4章末でお話しします。弾頭近くには、本章末でお話しする航法装置や計算機などの「頭脳」が設置されています。

推進についての諸量

ここからロケットの推進について考えていきますが、その前に、その性能を表わすいくつかの物理量を頭に入れておきましょう。詳細は附録12に示し、重要な結果の式だけ、この本文に抜き出します。

図16のロケットでは、燃料が燃焼し、燃焼ガスとなってノズルから噴き出しますが、この噴き出しの速度vが重要なのはさきほどお話しした通りです。そしてその速度でどれだけの燃料を噴き出すことができるかが、ロケットの推進力にかかってきます。運動量保存則から求めたツィオルコフスキイの式には推進力は顕わには出てきませんでしたが、最初に地上にある弾道弾を打ち上げようと思うと、この推進力はとても大事になってきます。地球の重力を振り切って弾道弾を上に持ち上げなければならないからです。この推力Fは、燃焼ガスの噴き出しの速度と、単位時間あたりに噴き出す量（燃焼ガスの質量）を掛け合わせたものになります。

また、弾道弾を打ち上げ始めるとき、場所は地上（または海面上）であり、周囲は大気に囲まれていますから、その大気に押されるため、燃焼ガスは自由に噴き出すことができません。何もない宇宙空間とは違うのです。

以上のことから、ロケットを打ち上げる力、推力Fは、

$$F = \dot{m}v_e + (p_e - p_a)S_e$$

と表わすことができます。$\dot{m}$ は単位時間あたりに噴き出す燃焼ガスの質量（つまり燃料／酸化剤の流量）、v_e はノズル出口での燃焼ガスの速度、p_e はノズル出口での燃焼ガスの圧力、p_a は周囲の大気圧、S_e はノズル出口の面積です。また、この推力を燃料／酸化剤の流量 $\dot{m}$ で割った値、

$$v_{eff} \equiv \frac{F}{\dot{m}}$$

を定義すると、推力 F はこの流量 $\dot{m}$ と v_{eff} の積で表現できます。

$$F = \dot{m}v_{eff}$$

この v_{eff} を有効排気速度（effective exhaust velocity）と呼びます。そしてこの v_{eff} は、燃料の燃焼効

率を表わす特性排気速度v_cと、推力係数C_fの積となります。

$$v_{eff}=C_f v_c$$

特性排気速度（characteristic exhaust velocity）は、燃料と酸化剤の組み合わせと、燃焼室の形状（燃焼の効率）によって決まる値です。それゆえ、次節以降の燃料の話に大きな関係があります。

推力係数（thrust coefficient）は、ノズルの特性によって決まります。これは本章後半のノズルに関する節でお話しします。

つまり、この式は、ロケットにとって重要な性能である推力（あるいは有効排気速度）が、燃料と酸化剤の性能を表わす部分と、ノズルの性能を表わす部分とを、掛け合わせることで求められることを表わしています。

そして、この有効排気速度を重力加速度gで割ったものを、比推力（specific impulse）I_{sp}と呼びます（正確な定義は附録12参照）。

$$I_{sp}=\frac{v_{eff}}{g}$$

単位については、速度がm/s、重力加速度がm/s^2なので、比推力はs、秒となります。この比推力は、燃料／酸化剤の単位流量あたり、どれだけ推力を維持していられるか、を表わしており、ロケットのエンジンの性能を評価する値として広く使われます。

このことを頭に入れたうえで、特性排気速度を決める燃料／酸化剤と、推力係数を決めるノズルについて、順に見ていきましょう。

液体燃料と固体燃料の比較

燃料はある意味弾道弾にとっての肝です。これを噴出させることによって飛ぶわけですから。そして、ツィオルコフスキイの式（71頁）でも明らかなように、全質量のうちの燃料の割合を大きくすればするほど、弾道弾を高速にできます。実際、弾道弾の中身は質量で言えば九割方燃料です。まずはその大部分を占める燃料について見てみましょう。

燃料を後方に噴出させるには、なんらかのエネルギーが必要です。世の中には様々なエネルギーが存在しますが、弾道弾の場合は一種類に限られています。それは化学反応の際に出るエネルギーです。ある化学反応が起きるときに、反応前の状態よりも反応後の状態のほうが安定している、別の言い方をすれば化学結合に必要なエネルギーの総量が少なくてすむ場合には、その差額分のエネルギーが放出されます。これが反応熱と呼ばれるもので、これを、燃料を噴出させるエネルギーとして利用するのです。

弾道弾の弾頭として利用される核兵器の場合は、物理学的なエネルギー、原子核の結合エネルギーの差額が使われますが（拙著『核兵器』（明幸堂）参照！）、それを搭載して目的地まで運搬する弾道弾本体には、化学的なエネルギー、原子の結合エネルギーの差額が使われます。同じ質量で比べれば、原子核の結合エネルギーのほうが、原子の結合エネルギーよりもはるかに大きく、だからこそ弾道弾の先端にちょこっと載っている小さな核兵器が、目標地点の周囲を焼き尽くすほどの強大な破壊力を持っているわけなのですが、いっぽうで、後者のほうがはるかに取り扱いやすく、エネルギーを取り出す装置もかんたんで、燃料も安価であるために、運搬手段としてはこちらのほうがはるかに適しています。要は、適した材料を適した場所に使う、ということなのです。

化学反応でもとくに大きなエネルギーを放出するものが、燃焼と呼ばれる現象です。そもそも燃焼とは酸化反応のうち「激しく」反応するもののことですから、当然と言えば当然です。そして、この反応は世のエンジンと呼ばれるもののほとんどで利用されています。車輌のレシプロエンジンでも、艦艇や航空機のガスタービンエンジンでも、燃料を燃焼させる化学反応で動いています。なにせ「燃」料ですからね。

燃焼が酸化反応の一種であるなら、当然ながら酸素ないしは酸化剤が必要となってきますが、車輌も艦艇も航空機も、地球上、言い換えれば大気圏内で使用することが前提ですので、酸素は周囲に豊富にあり、それを利用すれば、あとは燃料だけ積んでおけばよいことになります。地球上でありながら大気を利用できない潜水艦は、燃焼反応を諦めて原子核の結合エネルギーを利用した原子炉をエンジンとして採用しています。

では、本書の主役である弾道弾はどうでしょうか。第2章ですでに見たように、その軌道のうち、大気圏内を飛行するのはごくわずかで、ほとんどは大気圏外を飛行します。したがって、大気の利用はできず、しかし燃焼反応を利用するのであれば、あらかじめ燃料とともに酸化剤も積んでおかねばならないことになります。

この燃料と酸化剤を合わせて、推進剤（propellant）もしくは推進薬と言います。これまでに見てきたように、単に燃焼によってエネルギーを発生させるだけでなく、そのエネルギーによって自身が後方に飛び出すことで、弾道弾本体を前方に推進させるからです。

燃料には大きく分けて液体のものと固体のものとがあります。燃料が液体の場合は酸化剤も液体、燃料が固体の場合は酸化剤も固体です。液体の燃料は、たとえばみなさんが乗っている自動車の燃料もペトロール（petrol）という液体ですから、燃料としてイメージしやすいでしょう。固体燃料については、たとえば、みなさんが料亭などで和食を食べる際に、ひとり用の鍋などを目の前で温めるのに使う固形燃料のようなものをイメージしていただくとよいかも知れません

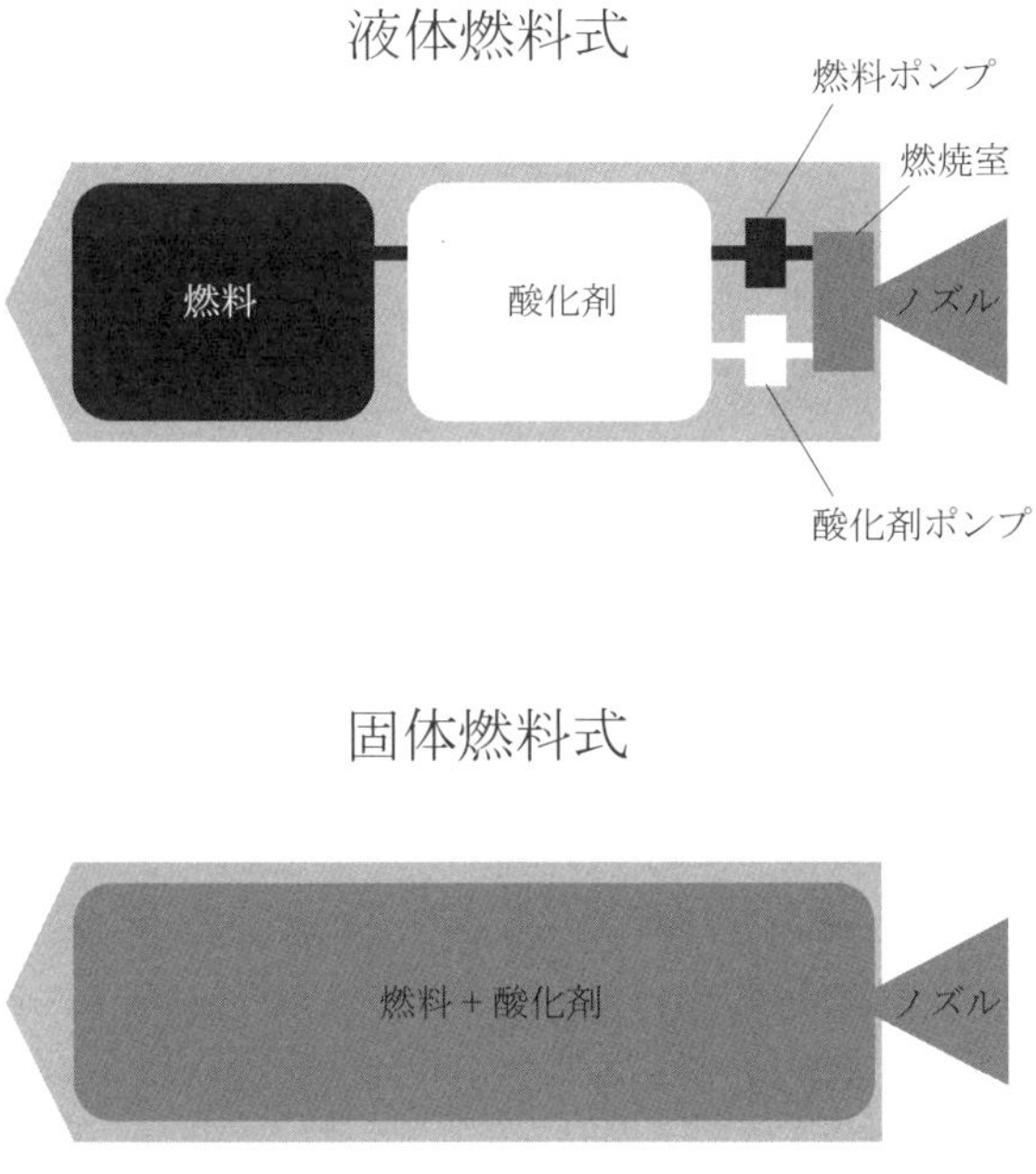

図17 ｜ 液体燃料式と固体燃料式の弾道弾の概念図

（ただしこれは燃料だけで酸化剤は入っていません）。あの固形燃料（固体燃料）は、仲居さんがいったん火を点けると、あとは燃え尽きるまでなるようにしかならないわけで、途中で火力を調整したり、いったん止めてまた再度点火したりするのはとても困難です。いっぽう、自動車のほうは、スロットルの調整で、燃料を燃やす量を自在に制御できます。そうでないとみなさんも運転できないでしょう。

図17に、液体燃料式と固体燃料式の弾道弾の概念図を示します。ここでは、本節で取り扱う推進剤とノズルの部分だけを描いてあります。

液体燃料式の場合は、燃料と酸化剤が別々のタンクに入れてあって、それらをポンプで吸い上げ、燃焼室で混合して点火し、ノズルで噴出させます。このとき、ポンプで吸い出す量を調整したり、途中で吸い出すのを止めたり、再開したり、そういったことは自在にできます。

固体燃料式の場合は、あらかじめ燃料と酸化剤を混ぜて固めておいた推進剤に直接点火するので、さきほどの固形燃料のように、いったん点火すると、あとは燃えるにまかせるだけです。ポンプのような、制御ができる機構はありません。

このように、火力の制御という点では、液体燃料のほうが圧倒的に有利です。

もう一点、液体燃料が有利な点があります。それは、単位質量あたりの燃焼エネルギーです。これが大きいほうが、自身がノズルから飛び出すときに、大きな速度を持ちます。この速度の大

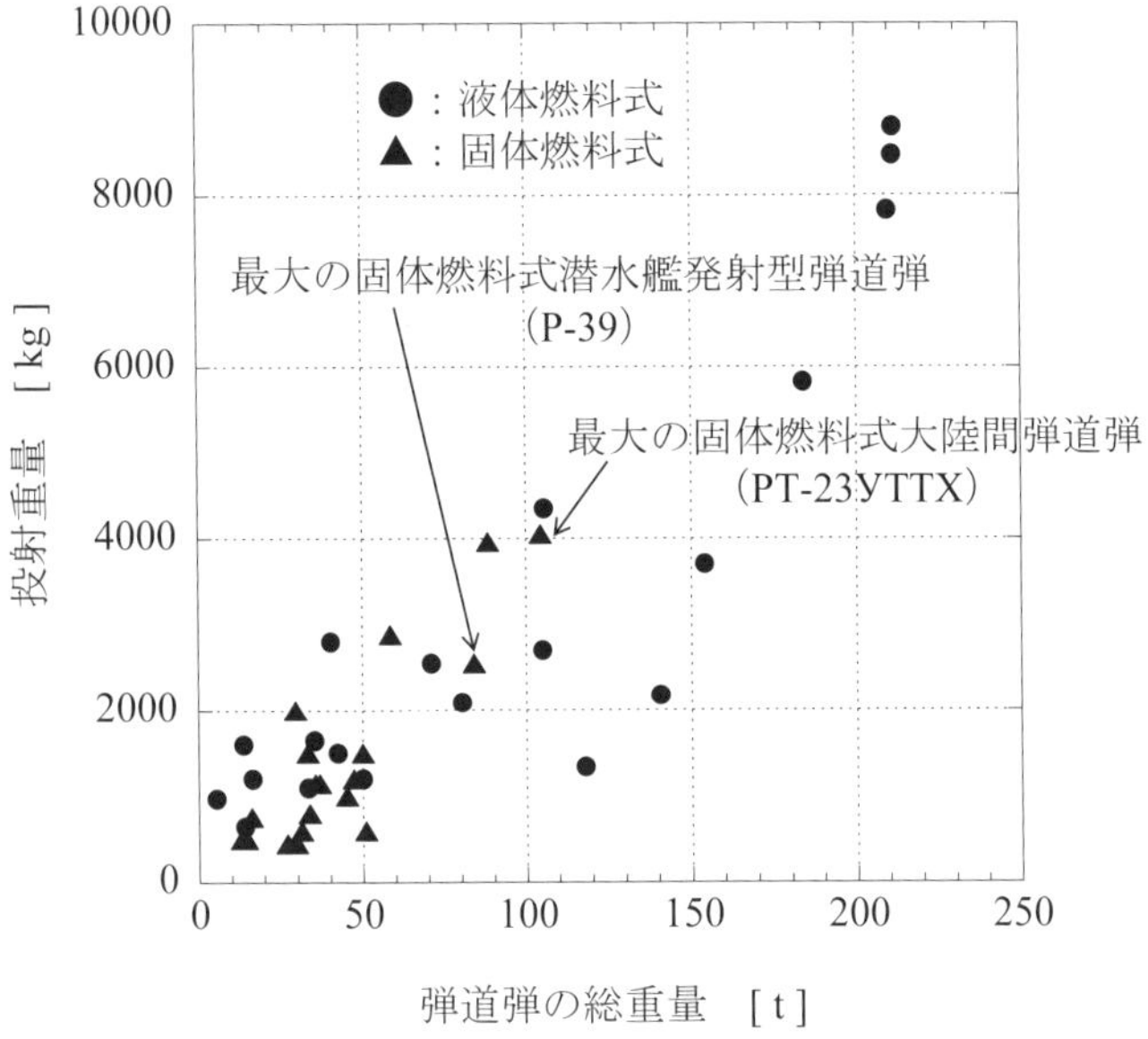

図18｜これまでに実戦配備された弾道弾の総重量と投射重量

きさが、弾道弾本体が得る速度を決めることは、前述のツィオルコフスキイの式（71頁）で見た通りです。液体燃料式の場合は、アルコールから始まり、灯油、ヒドラジン、水素と、燃えるものは広く利用できることから、燃焼エネルギーの大きなものを選ぶことができます。固体燃料式の場合は、固体であるという条件がつくために、実際に使われるものは、燃焼エネルギーが液体燃料のそれよりも一般的に小さくなっています。とくに大型の弾道弾には、その燃焼の仕方と合わせて（あとでお話しします）、液体燃料式のほうが有利です。図18に、これまでに実戦配備されたソヴィエト連邦／ロシア連邦とアメリカ合衆国の弾道弾の総重量と投射重量をプロットしてみましたが、固体燃料式の弾道弾は、最大のものでも100tていどです。

前述の比推力（82頁）が、水素／酸素を使ったH-IIAロケットの第一段（LE-7Aエンジン）で四四〇秒、非対称ジメチルヒドラジン／四酸化二窒素を使ったP-36M2大陸間弾道弾の第一段（РД-274エンジン）で三一九秒、固体推進剤（成分は後述）を使ったUGM-133潜水艦発射式弾道弾の第一段で二八七秒です。比推力でも液体燃料のほうに分があります。

このように燃焼性能の面では優れた液体燃料式ですが、たった一点、固体燃料式にかなわないことがあります。しかも弾道弾にとってきわめて重要な点が。それは、保存・保守性です。固体燃料式の弾道弾は、いったん製造してサイロや潜水艦の発射筒に装填したら、そのままずっと

「いつでも発射できる状態」で待機できます。液体燃料式の弾道弾は、初期の頃のものは発射直前に燃料や酸化剤を充填しなければならないもので、実用性にかなり問題がありました。現代のものはもちろんそんなことはなく、燃料を充填したままで発射態勢にありますが、それでも数年ごとに燃料を入れ換えています。また、あとでお話しするように、その推進剤は非常に危険で取扱注意のものが多く、待機中でもそれなりに気を遣います。

第2章でお話ししたように、弾道弾は露米間を三〇分で飛行します。つまり、相手が発射して三〇分後にはこちらは火の海になるので、そのあとでは反撃しようがありませんから、三〇分以内にこちら側の弾道弾を発射し、反撃しなければなりません。そのためには、事が起こってから準備をしていてはまったく手遅れで、最高司令官（大統領や書記長）からの指令さえ来れば即座に発射できるような、常時発射態勢を維持しなければなりません。このような即応状態を、冷戦期にはソヴィエト連邦とアメリカ合衆国はずっと維持し続けていましたし、現在でも、ロシア連邦とアメリカ合衆国だけは、それを維持し続けています。二〇一七年二月の段階で、ロシア国防相セルゲイ＝クジュゲトヴィチ＝ショイグ（Сергей Кужугетович Шойгу）は、ロシア国会に対して、大陸間弾道弾の九六パーセントが即応状態にあることを報告しています。この二箇国は、他の国とは格が違うのです。

そのような事情から、アメリカ合衆国は、大陸間弾道弾と潜水艦発射式弾道弾のすべてを、固体燃料式にしてしまいました。とくに潜水艦発射式の場合は、本国から遠く離れた海の中で、何箇月間もずっと発射態勢を維持するので、できるだけメインテナンスの手間が少ないほうが望ましいからです。アメリカ合衆国では、潜水艦発射式弾道弾は、初めて実戦配備されたUGM-27から、現用のUGM-133に至るまで、すべて固体燃料式です。また、大陸間弾道弾も、一九六〇年代に開発されたLGM-25Cを最後に、以降は液体燃料式を開発していません。

いっぽう、ソヴィエト連邦では、液体燃料式の長所も踏まえ、両方の方式の弾道弾を併用していました。ロシア連邦の現用の弾道弾でも、大陸間弾道弾は、サイロ発射式で大型のものは液体燃料式、移動発射式で小型のものは固体燃料式と棲み分け、潜水艦発射式弾道弾も液体燃料式と固体燃料式を併用する、という運用をしています。ですから、一部のよくわかっていない人が主張するように液体燃料式が即応性に欠けるわけでは、まったくありません。ちなみに、ロシア連邦の現役の液体燃料式大陸間弾道弾のP-36M2の場合は、発射指令が出てから発射されるまでの時間はたったの六二秒です。サイロについては、第4章でお話しします。

もうひとつ、固体燃料式が優れている点があります。それは、構造の単純さです。本章の以降の節で見ていくように、液体燃料式の弾道弾の推進装置はとても複雑で、それに比べると固体燃料式のほうはずいぶん単純です（技術的に容易という意味ではありません）。機械というものは、ある割合で必ず壊れるもので、壊れにくい、あるいは信頼性が高いものをつくる最善の方法とは、部品点数を減らすことです。部品が多ければ多いほど、それぞれの部品が壊れる確率が積み重なって、全体的に壊れる確率が高くなるからです。そして、同じ部品でも、動かない部品よりも動く部品のほうが壊れる確率が高くなるものなのですが、液体燃料式の推進装置はポンプという可動部分を持ち、しかもこれは後述するように過酷な状態で動きます。そういった可動部品の少ない固体燃料式のほうが、信頼性は高いのです。

液体推進剤

それでは、具体的に、液体燃料とその酸化剤にはどのようなものがあるのかを見てみましょう。単純に単位質量あたりの燃焼エネルギーで言えば、水素と酸素の組み合わせが最高です。ところがこれらは、大気圧での沸点が、それぞれ、マイナス二五三℃、マイナス一八三℃と、低温です。気体として積むと高圧で圧縮しても大した量が積めないうえにタンクの壁が打ち上げられないほどに厚く重くなりますので、液化して積むことになるのですが、そうなると、この極低温にしないといけません。タンクには断熱処理をしますが、それでも長期間保管できませんので、発射直前に充填することになります。これでは、さきほどお話しした即応性の点からは、まったく不適切です。ただし、即応性を要求されない宇宙開発用のロケットの燃料としては、今でも最高の燃料として使われています。たとえば日本を代表するH-IIロケットには水素と酸素が使われ、名称の「H」は、水素を意味します。

人類史上初めて実戦使用された弾道弾であるV2には、燃料としてアルコールが使われていました（エタノール七五パーセントに、水二五パーセントを混合したもの）。酸化剤には酸素（液体酸素）が使われました。

人類初の大陸間弾道弾であるP-7は、燃料にケロシン、酸化剤に酸素を使っていました。ケロシンとは、石油を分留して得られる成分のひとつで、灯油やジェット燃料の原料となります。ペトロール（ガソリン）の原料となるナフサより重く、軽油よりも軽い、その間にある石油の成分です。余談ですが、日本人の中には軽油がガソリンよりも軽いと思い込んでいる人が結構多いのですが（だからセルフスタンドで入れ間違えたりする）、ガソリンや灯油のほうが軽いです。「軽」油というのは、さらに重い成分である重油よりは軽い、という意味です。

P-7は、酸化剤に酸素を使っているために、発射直前に充填する必要があるので即応性に欠け、しかもサイロ（第4章154頁）ではなく発射台から発射するので、兵器としての実用性にまったく欠けるものでした。しかし、世界で初めて、ソヴィエト連邦からアメリカ合衆国本土に到達できる弾道弾を開発したという、技術的には大きな一里塚として記憶すべきものです。しかもこのP-7は、人類初の人工衛星スプートニク一号を打ち上げたり（一九五七年一〇月四日）、初めて人類を宇宙空間に送り出したり（一九六一年四月一二日）しただけではなく、今でもその派生型が宇宙開発に使われており、本書執筆時点で、宇宙ステーションに人類を送り込むことができる唯一のロケットとして活躍しています（執筆途中にSpaceX社のロケットもそれができるようになりました）。

このP-7を開発したのは第一試作設計局（Опытно-Конструкторское Бюро 1、ОКБ-1）で、そのリーダーが、ソヴィエト連邦における「ロケットの父」と呼ばれるセルゲイ＝パヴロヴィチ＝コロリョフ（Сергей Павлович Королёв）です。第1章でお話ししたように、ブラウン率いるV2の開発陣がドイツの敗戦時にアメリカ合衆国側に投降したために、ソヴィエト連邦が手に入れることができたのは、末端で働く技術者と、V2の実物だけでした。そこで、コロリョフが率いたティームは、V2を分解し、自分たちでつくり直す、リヴァースエンジニアリングからその開発を始めました。そうして最初につくった弾道弾が、V2のコピーとも言うべきP-1です。その改良型がP-2で、以降、その開発によって得られた知見をもとに、弾道弾の開発を続け、遂にアメリカ合衆国本土に届く大陸間弾道弾P-7の開発に成功したわけです。このОКБ-1は、のちに「С. П.コロリョフ名称ロケット宇宙会社『エネルギヤ』（Ракетно-космическая корпорация «Энергия» имени С. П. Королёва）」と改称し、現在でも世界の宇宙開発をリードする組織であり続けています（現在は宇宙開発専業で、弾道弾の開発は行っていません）。

そのОКБ-1が開発した短距離弾道弾に、P-11というものがあります（途中から第三八五試作設計局ОКБ-385が開発を引き継ぎました）。これは、その改良型P-17と合わせ、世界でもっとも実戦で使われた弾道弾です。僕と同年代の方なら、湾岸戦争でイラクがイスラエルに向けて発射し、それをMIM-104ペイトリオットが迎え撃ったことを憶えておられるかも知れません。当時のMIM-104は弾道弾迎撃用ミサイルではなく、ほぼ完全に迎撃に失敗しましたが。そしてまた、ソヴィエト連邦から購入したエジプトが北朝鮮に転売したP-17をもとに、北朝鮮が火星五／火星六／火星七を開発しました。北朝鮮はその開発で得た技術や弾道弾本体を、エジプト、リビア、パキスタン、シリア、イランに売り飛ばしましたから、このP-11／P-17が世に拡散した弾道弾の母と言っても過言ではありません。ちなみに、北大西洋条約機構（North Atlantic Treaty Organization、NATO）では、P-11／P-17を合わせて「スカッド（Scud）」というコードで呼んでいます。

このP-11では、燃料にケロシン、酸化剤に硝酸を使っています。ここで初めて、燃料と酸化剤の両方が常温で液体のものが使われるようになりました。長期保存可能な、即応態勢に適した推進剤の登場です。そして、改良型のP-17では、燃料が非対称ジメチルヒドラジン（Unsymmetrical DiMethylHydrazine、UDMH）、酸化剤が赤煙硝酸（Red Fuming Nitric Acid、RFNA）となりました。

非対称ジメチルヒドラジンは、ヒドラジンの誘導体です。ヒドラジン（hydrazine）とは、毒性のある無色の液体で、アンモニアを塩素や次亜塩素酸塩で酸化してつくります。化学式はN_2H_4ですから、アンモニアと同様、窒素と水素の化合物です。毒性だけでなく腐食性も強く、それに触れる燃料タンクや配管などの材質にはとくに気を遣う必要があります。このヒドラジンの水素二つ分をメチル基に置き換えたものが非対称ジメチルヒドラジンで、化学式は$NH_2N(CH_3)_2$となります。非対称ジメチルヒドラジンも毒性を持ちますが、ヒドラジンよりも安定しているのが特徴です。大気圧下では、ヒドラジンが、融点一℃、沸点一一三℃なのに対し、非対称ジメチルヒドラジンは、融点マイナス五八℃、沸点六三℃と、人類の生活圏での温度領域で液体として安定しています。現在の液体燃料式弾道弾の主流で、非対称ジメチルヒドラジンとヒドラジンを五〇パーセントずつ混合するか、もしくは非対称ジメチルヒドラジンのみで使用します。

赤煙硝酸は、硝酸に四酸化二窒素（dinitrogen tetroxide）を溶かしたもので、この三つのどれもが強力な酸化力を持ちます。硝酸と反応しない金属のほうが珍しいくらいです。塩酸と硝酸の混合物は、金や白金ですら溶かします。このため、タンクや配管には耐性のあるステンレス鋼などの材料が使われます。さらに、硝酸の中にフッ素イオンを少量（一パーセント以下）添加すると、その金属表面にフッ化物の層を形成し、硝酸による腐食を大幅に低減できます。テフロンコーティングのようですね。これを抑制赤煙硝酸（Inhibited Red Fuming Nitric Acid〟IRFNA）と呼びます。また、四酸化二窒素は、単独でも酸化剤として広く使われています。

ソヴィエト連邦の液体燃料式大陸間弾道弾には、一九六〇年代に開発されたP-36とYP-100以降、燃料には非対称ジメチルヒドラジン、酸化剤には四酸化二窒素が使われ、現在でも、ロシア連邦の液体燃料式の大陸間弾道弾と潜水艦発射式弾道弾には、これらが使われています。この二つは、混合しただけで点火せずとも燃焼します。これを自己着火性推進剤（hypergolic propellant）と呼びます。そのため、単独での毒性や腐食性に加えて、この点でも取り扱いに注意が必要です。ロシア連邦で現用の大陸間弾道弾であるP-36M2では、タンクを兼ねた本体の構造材に、軽量ながらも耐食性が高いアルミニウム・マグネシウム合金が使われています。何度かお話ししている通り、推進剤以外の部分の重量を削減することは、推進性能に直接効いてきます。P-36M2で使われているアルミニウム・マグネシウム合金は、AMr6と呼ばれるもので、アルミニウム九一・一～九三・六八パーセント、マグネシウム五・八～六・八パーセント、マンガン〇・五～〇・八パーセント、チタン〇・〇二～〇・一パーセントなどがその成分です。

表2に、主な液体燃料と酸化剤をまとめておきます。「密度」は、水素と酸素はそれぞれの沸点でのもの、それ以外は二〇℃でのものです。また、表3に、その燃料と酸化剤を組み合わせたときに得られる燃焼の性能をまとめておきます。この場合の条件は、ある質量比（表3では、酸化剤／燃料）について、燃焼室の圧力を六・八九メガパスカルとし、燃焼ガスがそこから大気圧まで理想的な膨張をした場合です。

また、液体燃料式の弾道弾をサイロに装填する際には、推進剤のタンクを空にした状態で本体をサイロに装填し、そのあとで推進剤を充填します。燃料を充填した弾道弾はとても重く、それを運搬時の横向き（水平方向）から装填時の縦向き（鉛直方向）へと九〇度回転させ、さらに弾道弾の全長数十メーター分をぎりぎりの寸法のサイロ内に降ろしていくわけですから、これは大変な作業です。この作業を少しでも安全に行うには、軽いに越したことはありません。ですから、大型の弾道弾ほど、最初から推進剤が詰まっている固体式よりも、あとで推進剤を充填できる液

名称	化学式	分子量	密度 [g/cm^3]	融点 [℃]	沸点 [℃]
燃料					
水素	H_2	2.0	0.07	-259	-253
エタノール	C_2H_5OH	46.1	0.79	-11	78
RP-1（ケロシン）	$CH_{1.97}$	165 ~ 195	0.8 ~ 0.82	-44 ~ -53	172 ~ 264
ヒドラジン	N_2H_4	32.1	1.01	1.4	113
非対称ジメチルヒドラジン（UDMH）	$(CH_3)_2N(NH_2)_2$	60.1	0.79	-58	63
酸化剤					
酸素	O_2	32.0	1.14	-219	-183
赤煙硝酸	$HNO_3 + N_2O_4$	55.9	1.57	-49	66
四酸化二窒素	N_2O_4	92.0	1.44	-12	21

木村逸郎『ロケット工学』より引用

表2｜主な液体推進剤

燃料	酸化剤	質量比	燃焼ガス 温度 [℃]	燃焼ガス 分子量	特性 排気速度 [m/s]	推力 係数	比推力 [s]
水素	酸素	4.02	2,724	10.0	2,432	1.578	391
エタノール	酸素	1.73	3,116	24.1	1,708	1.648	287
RP-1	酸素	2.40	3,371	22.8	1,814	1.620	300
RP-1	赤煙硝酸	4.80	2,957	25.8	1,609	1.636	268
ヒドラジン	赤煙硝酸	1.54	2,816	21.1	1,728	1.608	283
ヒドラジン	四酸化二窒素	1.34	2,977	20.9	1,782	1.610	292
UDMH	四酸化二窒素	2.61	3,140	23.6	1,723	1.624	285

木村逸郎『ロケット工学』より引用

表3｜主な液体推進剤の組み合わせ

図19 | 燃料充填車輛15T96(上)と酸化剤充填車輛15T95(下)

体式のほうが、サイロ内装填の面では有利です。図19に、サイロ内の弾道弾に推進剤を充填する、燃料充填車輌と酸化剤充填車輌を示します。なお、繰り返しますが、推進剤は充填した状態で数年間発射態勢を維持するのであって、有事になってから充填するわけではありません。

固体推進剤

みなさんは、子供の頃、花火で遊んだことはありますでしょうか。花火には線香花火のようなしんみりするものから、打ち上げ花火のような派手なものまであります。そのひとつに、ロケット花火というものがあったのを憶えておられますでしょうか。円筒型で棒がついていて、その棒を地面に刺して、円筒の後端に点火すると、派手に飛んでいく花火です。実は、あれこそが、ロケットの原点なのです。

一一世紀に、宋で「火箭」という、矢に推進剤を取りつけて飛行させる兵器が開発されました。これがロケットの祖先だと言われています。これはまさにロケット花火そのままの形をしていますが、この「矢」の部分、ロケット花火で言う棒の部分は、単に発射時に固定する役割だけでなく、飛行時に本体を安定させる役割も果たしました。この火箭は、多数を収納して一度の点火で連続発射する発射筒も開発され、これはまさに現代の多連装ロケット発射機の祖先とも言うべきものでした。このように、戦術兵器としての固体燃料式ロケットは、火砲よりも古い歴史を持つ兵器でした。その戦術ロケットに推進剤として伝統的に使われてきたのが、黒色火薬でした。黒色火薬（black powder）とは、木炭（一五パーセントていど）と硫黄（一〇パーセントていど）と硝酸カリウム（七〇パーセントていど）の混合物で、木炭が燃料、硝酸カリウムが酸化剤の役割を果たします。木炭が含まれていることから外観が黒く、この名前の由来となっています。黒色火薬は、人類が開発した最初の火薬で、その改良型の褐色火薬とともに、無煙火薬が登場するまで、幅広い用途に使われていました。火箭の推進剤というのは、そのごく一例にすぎません。

ちなみに、火薬（low explosive）と爆薬（high explosive）の違いは、その燃焼の形態によるもので、前者が爆燃（deflagration）なのに対して、後者が爆轟（detonation）であることです。では、爆燃と爆轟とで何が違うのかと言うと、その燃焼速度が違います。爆燃の燃焼速度が音速を超えないのに対して、爆轟は音速を超えます。

一九世紀末になると、トリニトロトルエン（trinitrotoluene、TNT）や無煙火薬が発明され、黒色火薬にとって代わりますが、この無煙火薬というのが、ニトロセルロース、ニトログリセリン、ニトログアジンの三つを混合したものです。無煙火薬のうち、ニトロセルロースだけのものをシングルベース、ニトロセルロースとニトログリセリンを混合したものをダブルベース、三つを混合したものをトリプルベースと呼びます。このうち、ダブルベース火薬が、ロケットの推進剤として使われています。ニトログリセリンは常温で液体ですので（融点一四℃、沸点六〇℃）、ニトログリセリンの中にニトロセルロースを溶かすようにして混合します。典型的な推進剤では、ニトロセルロース五二パーセント、ニトログリセリン四三パーセント、その他五パーセント、といったところです。

第二次世界大戦後、ソヴィエト連邦とアメリカ合衆国による冷戦が始まり、弾道弾の開発が本格的になると、推進剤に関しても新たなものが開発されました。液体推進剤に関しては前節の通りですが、固体推進剤に力を入れていたアメリカ合衆国が、弾道弾用に開発したのが、コンポジット推進剤です。これは、アルミニウムを燃料とし、これに酸化剤を加え、それらをバインダーと呼ばれる物質で固めたものです。アルミニウムも酸化剤も粒状ですので、このままでは成形できません。そこでそれらの接着剤としての役割を果たすのがバインダーです。バインダーも燃焼し、燃料としても働きます。日本ではなぜか金属は「燃えないゴミ」扱いにされていますが、実際には金属はとてもよく燃えます。しかし燃えやすくしてやる工夫も重要で、具体的にその工夫とは、塊ではなく細かい粒子に砕いてやることです。アルミニウムと酸化剤をいかに細かく砕き、バインダーの中に溶かし込んでやるかが、ロケットの性能に大きくかかわってきます。一九七〇年代に開発されながら今でもアメリカ合衆国の大陸間弾道弾のすべてを占めるLGM-30の第一段には、このコンポジット推進剤が使われていますが、その成分は、燃料としてアルミニウムが一六・〇パーセント、酸化剤として過塩素酸アンモニウム（ammonium perchlorate、NH_4ClO_4）が七〇・〇パーセント、バインダーとしてポリブタジエンアクリル酸アクリロニトリルが一一・七八パーセントとエポキシ硬化剤が二・二二パーセント、です。また、アルミニウムは燃焼すると酸化アルミニウムとなりますが、これは融点が高いためにノズルから出た段階では固体となっており、これが燃焼ガス中で乱反射を起こして輝くために、アルミニウムを推進剤として含んだ弾道弾の噴炎は明るく輝いているのが特徴です。

その後、コンポジット推進剤とダブルベース推進剤を組み合わせたものが開発されました。コンポジット推進剤のバインダーとして、ダブルベース火薬を使うものです。これをコンポジットモディファイドダブルベース（Composite Modified Double Base、CMDB）と呼びます。典型例としては、アルミニウム二一・一パーセント、過塩素酸アンモニウム二〇・四パーセント、ニトロセルロース二一・九パーセント、ニトログリセリン二九・〇パーセント、トリアセチン五・一パーセント、安定剤二・五パーセント、です。

固体燃料式の弾道弾として常に世界をリードし続けていたのは、アメリカ合衆国の潜水艦発射式弾道弾です。最初期の弾道弾 UGM-27 の最終型 UGM-27C にコンポジット推進剤が採用されたのを皮切りに、UGM-96 ではクロスリンクトダブルベース（cross-linked double base）と呼ばれる推進剤 XLDB-70 が採用されました。これは、七〇パーセントを占める粒子状の推進剤を、ポリグリコールアジペート（polyglycol adipate）、ニトロセルロース、ニトログリセリン、ヘキサジイソシアネートのバインダーで固めたものです。粒子状の推進剤の成分は、アルミニウム、過塩素酸アンモニウムに加え、爆薬であるシクロテトラメチレンテトラニトラミン（cyclotetramethylenetetranitramine、HMX、$(CH_2)_4(NNO_2)_4$）が含まれ、いっそう性能が高められました。HMXは高性能爆薬として広く使われています。推進剤にHMXを含めると性能は上がるのですが、爆薬ですので、その製造工程で取り扱いに注意が必要です。ちなみに本来の化学名とまったく異なるHMXという略称の由来は、High Melting Explosive（高融点爆薬）、High-velocity Military Explosive（高速軍用爆薬）、His Majesty's Explosive（陛下の爆薬！）と、諸説あります。

そして、アメリカ合衆国最新（と言っても一九九〇年に就役）であり現在世界最強の潜水艦発射式弾道弾であるUGM-133には、バインダーのポリグリコールアジペートの代わりに、ポリエチレングリコール（polyethylene glycol）が使われています。その改良により粒子状の推進剤の割合を七五パーセントまで高められ、いっそう性能が向上しました。この推進剤はNEPE-75という製品名がつけられています。NEPEとは、硝酸エステル可塑化ポリエーテル（Nitrate Ester plasticized PolyEther）のことです。ポリエチレングリコールはポリエーテルの一種だからです。合衆国特許として公開されているNEPE-75の一例では、アルミニウム一八・〇〇パーセント、過塩素酸アンモニウム一五・〇〇パーセント、HMX四二・〇〇パーセントで粒子状推進剤が合計七五・〇〇パーセント、バインダーとして、ポリエチレングリコール六・一八パーセント、ニトログリセリン一七・二四パーセント、ニトロセルロース〇・一八パーセント、2-ニトロジフェニルアミン〇・一七パーセント、N-メチル-4-ニトロアニリン〇・六二パーセント、そして残りはヘキサメチレンジイソシアネートをベースとした樹脂です。爆薬であるHMXが四二パーセントも含まれているとは驚きですね。ちなみに、この例では、粒子の大きさ（直径）は、アルミニウムが三四マイクロメーター、過塩素酸アンモニウムが二〇マイクロメーターと七〇マイクロメーターの混合、HMXが四マイクロメーターと一一マイクロメーターの混合となっています。この粒子の大きさは、燃焼速度、ひいては推進性能に関係します。

いっぽう、ソヴィエト連邦においては、一九八七年に就役した鉄道発射式大陸間弾道弾PT-23YTTX（第4章、176頁で詳しくお話しします）に、燃料としてアルミニウムの代わりに水素化アルミニウム（aluminum hydride、AlH_3）、酸化剤として過塩素酸アンモニウムの代わりにジニトラミン酸アンモニウム（アンモニウムジニトラミド、ammonium dinitramide、$NH_4N(NO_2)_2$）が採用されました。水素が燃料としては高性能ながら常温で気体であるために弾道弾では使われないことはすでにお話しした通りですが、アルミニウムとの化合物である水素化アルミニウムとすることで、常温で固体の燃料となります。単位質量あたりの燃焼熱は、水素はアルミニウムの四・六倍もあります（ただし、単体での比較）。それに、燃焼後、それぞれ、水、酸化アルミニウムとなりますが、その分子量は大きく異なり、分子量が小さい燃焼ガスのほうが推進性能が高くなることから（後述、124頁）、その面でも、水素化アルミニウムは有利です。また、ジニトラミン酸アンモニウムは過塩素酸アンモニウムに比べて燃焼ガスの分子量が小さくなることから、こちらも推進性能の向上に役立ちます。ただし、過塩素酸アンモニウムよりも不安定で取り扱い注意な物質です。また、アメリカ合衆国と同様、HMXも配合しています。HMXはロシアではオクトーゲン（Октоген）と呼びます。

名称	化学式	分子量	密度 [g/cm3]	融点 [℃]
アルミニウム	Al	27.0	2.70	660
水素化アルミニウム	AlH_3	30.0	1.49	150
HMX	$(CH_2)_4(NNO_2)_4$	296.2	1.91	275
過塩素酸アンモニウム	NH_4ClO_4	117.5	1.95	
ジニトラミン酸アンモニウム	$NH_4N(NO_2)_2$	124.1	1.81	93
ニトロセルロース	$(C_6H_9(NO_2)O_5)_n$ $(C_6H_8(NO_2)_2O_5)_n$ $(C_6H_7(NO_2)_3O_5)_n$			160 ～170
ニトログリセリン	$C_3H_5(ONO_2)_3$	227.1	1.6	14
ポリグリコールアジペート			1.19	
ポリエチレングリコール	$H\text{-}(OCH_2CH_2)_n\text{-}OH$		1.13	

『化学便覧　応用化学編』などより引用

表4｜主な固体推進剤の物性

	燃焼ガス温度 [℃]	燃焼室圧力 [MPa]	燃焼速度 [mm/s]	特性排気速度 [m/s]	比推力 [s]
ダブルベース 1	2,681	8	17.5	1,437	234
ダブルベース 2	2,727	8	15.5	1,465	239
コンポジット 1	3,178	5	5.6	1,567	253
コンポジット 2	3,408	5	5.9	1,583	256
コンポジット 3	3,471	4	5.9	1,592	251

『航空宇宙工学便覧』より引用

ダブルベース1：ニトロセルロース 51%、ニトログリセリン 10%

ダブルベース2：ニトロセルロース 35%、ニトログリセリン 55%

コンポジット1：アルミニウム 16%、過塩素酸アンモニウム 68%

コンポジット2：アルミニウム 18%、過塩素酸アンモニウム 68%

コンポジット3：アルミニウム 18%、過塩素酸アンモニウム 62%、HMX 8%

表5｜固体推進剤の特性の例

表4に、固体推進剤に使われる主な化学物質の物性を、表5に、ある配合の固体推進剤の特性を、それぞれまとめておきます。ダブルベース推進剤とコンポジット推進剤では、燃焼室圧力の条件が異なるものの、燃焼速度がずいぶん違うことがわかります。また、コンポジット推進剤のほうが特性排気速度が大きく、比推力も大きいこともわかります。あとで表6（116頁）に示す現行の弾道弾では、前述のようにHMXの配合比を増やすなどの改良を行っているので、この表5のものより、比推力が大幅に大きくなっています。

ロケットモーター

つぎに、固体推進剤の燃焼の仕方を見ていきましょう。これまでお話ししてきた通り、固体燃料式の場合は、あらかじめ燃料と酸化剤が混ぜられて固められているので、それをロケットの本体の中に詰め、燃料（燃焼ガス）の噴出口にノズルをつけるだけです。固体燃料式の場合は、弾頭などのペイロード以外のロケット本体をロケットモーター（rocket motor）と呼び、この本体の外皮部分をモーターケース（motor case）と呼びます。また、充填された固体推進剤をグレイン（grain）と呼びます。グレインとはもともと粒状の物体を指す言葉です。この推進剤に点火すると、あとは順次推進剤が燃焼して噴射していくだけなのですが、ここでその推進剤の形に注目してみましょう。

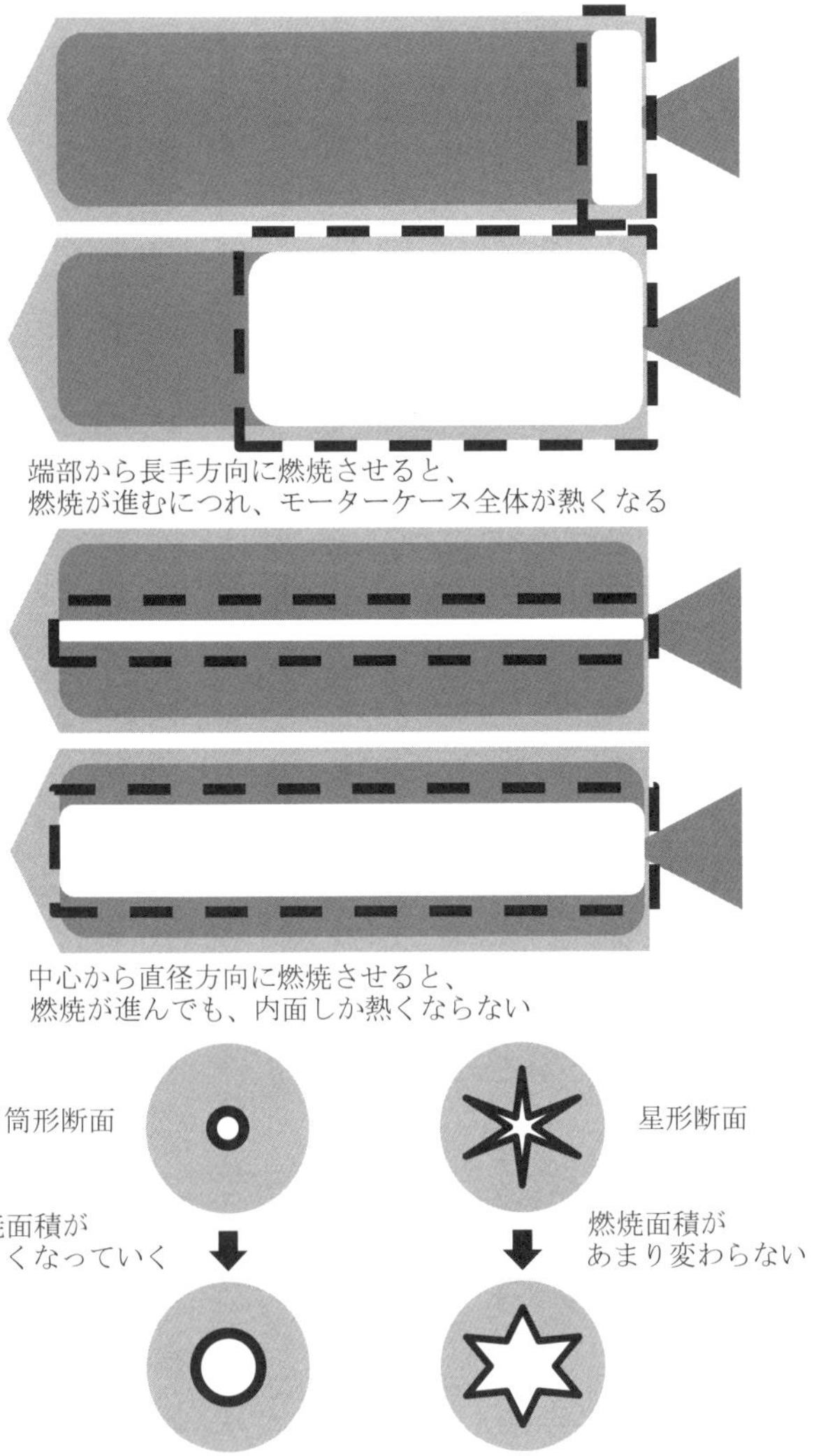
端部から長手方向に燃焼させると、
中心から直径方向に燃焼させると、
円筒形断面
燃焼面積が
あまり変わらない
大きくなっていく

図20｜固体推進剤の燃焼の仕方

図20上のように、もっとも単純な形、単に円柱状に推進剤を固め、そのノズル側に点火した場合、表面から順次燃焼していき、推進剤は短くなっていきます。燃焼が起きている表面は、時間がたつにつれ、ノズルから遠くなっていきます。すると、燃焼面からノズルに達する前に、空になったモーターケース部分を熱してしまいます。しかもその傾向は燃焼が進むにつれて増していきますから、モーターケースは加熱されるいっぽうで、やがて強度を失い、そして溶けてしまいます。モーターケースをノズル並みの耐熱構造でつくるとなると、ロケット本体の重量も価格も大幅に増え、効率の悪いロケットになってしまいます。ロケットの肝は、推進剤に対して本体の重量が軽いことだからです。

そこで、図20中のように、円柱状ではなく円筒状に推進剤を成形し、その内面に点火してみることを考えます。燃焼面は、さきほどのロケットの長手方向ではなく、直径方向に進んでいきます。これなら、燃焼ガスからモーターケースに伝わる熱はさきほどよりも大幅に削減されます。燃焼の最終段階ではかなり熱くなりますが。

しかし、この方法にもひとつ問題があります。それは、ロケットモーターの断面形状が図20下の左のように単純な円筒形だと、燃焼が進むにつれ、燃焼面の面積が広くなっていくことです。これが意味するのは、燃焼とともに火力、つまり出力が大きくなっていくということです。もともとそのように設計されたロケットであればいいのですが、なりゆきで出力が大きくなっていくのでは、出力を制御できたことになりません。そこで、内面の断面形状を、複雑な、たとえば図

20下の右のような星形にすると、燃焼が進んでも燃焼面の面積を一定にすることができます。燃焼とともに燃焼面が外側に広がってはいきますが、その分、複雑な形状がジョジョに単純な形状に近づいていきますので、その両者の面積増減の効果のバランスを取れば、燃焼面の面積を一定に保つことも可能です。また、これを応用すれば、時間とともに燃焼面の面積、つまり出力に、望みの変化をつけることも可能です。「燃えるにまかせるだけ」だと言っていた固体燃料式のロケットの出力を制御することができるのです。

推進の性能に関して重要な値である推進剤の流量 $\dot{m}$（81頁）は、

$$\dot{m} = S_g v_r \rho$$

と表わすことができます。S_g が燃焼面の面積、v_r が燃焼速度と言われるもので、この円筒形の推進剤の場合は、半径方向に燃えていく長さの時間変化率になります。ρ は推進剤の密度です。このうち、面積 S_g はこの推進剤の形状で制御します。v_r のほうは、推進剤の成分と粒子の大きさ、燃焼室（モーターケース内）の圧力で決まります。燃料や酸化剤の粒子が細かいほど燃焼速度は大きくなります。とくに酸化剤の粒子の寸法が大きく効いてきます。また、圧力が高いほど燃焼速度は大きくなります。

さて、この固体推進剤の「詰め方」について考えてみましょう。液体推進剤の場合は、タンクに入ればタンクの形になり、それこそが液体の特徴です。固体推進剤の場合は、固める段階で目的の形に成形しなければなりません。だからこそこのような形を利用した出力調整ができるわけですが。より複雑な形状で微妙な出力調整を行おうとすればするほど、設計通りに成形するには技術が必要とされるようになってきます。しかも、ここが重要なのですが、ロケットはとても長細い形をしています。何メーターや何十メーターにわたって正確にこの複雑な断面形状に成形するのは、高い技術が必要です。製造業に携わっている方や、自作の模型づくりをされた方であれば、正確に同じ断面形状で長細いものをつくるのがいかに難しいかはよくごぞんじでしょう。しかも、それをたくさんつくらなければなりません。一基一基の出来具合が違うと、同じ製品なのに性能が違うことになってしまいます。

そこで、そのような難しさを少しでも緩める方法があります。それは、ロケットモーターを、輪切り状態でつくって、あとでつなげる方法です。短いものであれば、同じ断面形状のものをたくさんつくることは比較的かんたんだからです。これを応用すると、長手方向に断面形状が違う（したがって燃焼の仕方が違う）ロケットモーターをつくることも比較的かんたんにできます。

しかし、この方法を採る場合は、とても気をつけないといけないことがあります。それは、その「輪切り」の接合です。ものというのは、やはり一体成型でつくったほうが強度が高く、あとでつなげた部分は強度的に劣ってしまいます。熔接でつなげると強いのですが、推進剤の詰まったロケットモーターを熔接することはできません。一九八六年一月二八日にアメリカ合衆国で起きた、スペースシャトル・チャレンジャーの空中分解事故は、まさにこの構造をしていた固体燃料式のロケットブースターが、打ち上げの際にその接合部が外れ、その隙間から燃焼ガスが漏れたことが原因でした。このようなことが起こらないようにするためにも、接合する場合にはきわめて慎重に行わなければなりません。

推進剤は、詰めただけでは固定されず落ちてきます。そこで、推進剤とモーターケースは接着して固定することになります。また、推進剤の熱がモーターケースに伝わりにくくするために、推進剤とモーターケースの間に断熱材を入れます。この断熱材と接着剤を兼ねたものを使う場合もあります。具体的には、ネオプレンゴム、ブチルゴム、エチレンプロピレンジエンゴム（Ethylene Propylene Diene Monomer rubber、EPDM）などが使われます。ブチルゴムは自己融着性があり、強力な両面テープとして一般に出回っています。僕はオーディオに凝っていたときに吸音材として使っていましたが、いったんくっつくと、絶対に剥がれないほどに強力です。EPDMは、一般的なOリングの材料として広く使われています。Oリングとしては、耐薬品性能はバイトンのほうが上なのですが、耐放射線性能はEPDMのほうが上なので、僕が勤務する実験施設のように放射線を扱う場所では、EPDMを使います。

モーターケースの素材についてもかんたんに触れておきましょう。大きく分けると金属と繊維強化プラスティック（Fiber-Reinforced Plastic、FRP）とがあります。FRPは繊維を樹脂で固めたもので、重量に対する強度がとても高いのですが、この樹脂の部分が熱に弱いため、一般には百数十℃の温度までしか耐えられません。その点、金属は数百℃、耐熱合金では千℃を超える熱にも耐えられます。ところが、固体燃料式の弾道弾では、軽量化のために、このFRPを使ったモーターケースが主流になっています。ツィオルコフスキイの式（71頁）でも明らかなように、推進剤以外の部分の重量を減らすことは、弾道弾の性能に直接かかわってくるからです。モーターケースにFRPを使う場合は、熱の流入を減らすため、断熱材の層を厚くします。

この繊維の部分によって強度が大きく変わりますが、一般に使われるのは、グラス繊維、アラミド繊維、炭素繊維で、この順に強くなっていきます。アラミド繊維でもっとも有名なのはデュポン（Du Pont）社が開発したケヴラー（Kevlar、商標名）で、パラフェニレンジアミンとテレフタル酸クロリドの重合によって製造されます。高強度・高耐熱・高耐薬品のきわめて優れた繊維です。歩兵のヘルメットにも使われているのでごぞんじの方も多いでしょう。炭素繊維はアクリル繊維やピッチ（石油や木材から精製される樹脂）を炭化させてつくった繊維で、ケヴラーを超える強度を持ちます。こちらもさまざまな分野で高性能材料の代名詞となっているので、よくごぞんじかと思います。

この素材の進化の典型例を、アメリカ合衆国の潜水艦発射式弾道弾のモーターケースの素材の変遷に見ることができます。最初のUGM-27Aでは全段が鋼でしたが、UGM-27Bでは第一段が鋼で第二段がグラス繊維（強化プラスティック、以下同）、UGM-27CとUGM-73では全段がグラス繊維、UGM-96では全段がケヴラー、UGM-133では第一段と第二段が炭素繊維で第三段がケ

段	重量 全体 [kg]	重量 推進剤 [kg]	質量流量 [kg/s]	燃焼室内圧力 [MPa]	推力 海面上 [kN]	推力 真空中 [kN]	比推力 海面上 [s]	比推力 真空中 [s]	稼働時間 [s]
UGM-133A									
1	37,918	35,505	564	11.3		1,585		287	63
2	16,103	14,885	323	9.5		947		299	64
3	3,432	3,153	70	7.2		210		306	45
LGM-118									
1	48,985	45,357	804		2,224		282		57
2	27,667	24,492	404			1,223		309	61
3	7,710	7,075	98			289		300	72
LGM-30G									
1	30,000				935				
2	7,032	6,237				268		288	66
3	3,300	2,800				153			60
PT-23УTTX									
1	53,700	49,100		9.8	2,746	3,040			
2	25,000	22,350				1,471			
3	15,000	13,430				431			
PT-2ПM2									
1	28,600	25,600	430			890		210	60
2	13,000	11,500	180			490		280	64
3	6,000	5,000	89			250		280	56

Ракетная техника (https://missilery.info/) などより引用

表6 | ロケットモーターの諸元

ヴラー、と進化していっています。

ソヴィエト連邦でもモーターケースに繊維強化プラスティックを使うようになり、前述のРТ-23УТТХ（106頁）では、アラミド繊維の一種であるCBM（Синтетический Высокопрочный Материал）有機繊維が使われています。これは、ジアミンとカルボン酸ハロゲン化物を低温の溶液中で重縮合させることにより製造される繊維で、ケヴラーよりも強度が高いとされています。

表6に、現行ならびにその同世代の弾道弾のロケットモーターの諸元をまとめておきます。表5（108頁）の例よりも比推力が大きく改善されていることがわかります。また、注目していただきたいのは稼働時間で、どの段のロケットモーターもだいたい一分ていどしかありません。一般に固体ロケットモーターは燃焼が速い（燃焼時間が短い）のですが、三段式のものでも全段合計わずか三分で加速が完了し、あとは重力にしたがって楕円軌道を描くのみです。大陸間弾道弾の全飛行時間が三〇分ほど（57頁）だということを考えると、第2章で、全軌道のうち推力がかかるのはほんの一部（43頁）と言った意味がおわかりになるでしょう。

ロケットエンジン

次に、液体燃料式の推進装置について見てみましょう。固体燃料式の弾道弾の場合は、燃焼室が推進剤の内側にあるために、推進剤からノズルまでをまとめてロケットモーターと呼んでいますが、液体燃料式の場合は、タンクから推進剤を吸い出して別の場所で燃焼させるために、タンクとは切り離された形でエンジンが存在します。通常、ノズルとそれに直結した燃焼室、そこに推進剤を供給するポンプ、そしてそれらを結ぶ配管などの機器が一体化された状態で「ロケットエンジン」として取り扱われます。

図21に、ロケットエンジンのカットモデルの画像を載せておきます。釣鐘の形をした大きなものがノズルで、その上にくびれた部分でつながった空間があります。これが燃焼室です。燃焼室の頂部に小さなパイプのようなものがいっぱい並んでいますが、これが燃料と酸化剤を噴射する噴射器です。その噴射器につながる配管の先に、羽根車が上下についた機械が見えますが、これが、タンクから燃料と酸化剤を吸い出して噴射器に送り出すポンプです。このモデルではポンプ（と配管）は一基しかありませんが、実際のロケットエンジンでは、燃料用と酸化剤用にそれぞれ一基ずつ、計二基のポンプがあります。

液体燃料式の場合、燃料と酸化剤の供給には、大きく分けて二つの方法があります。ひとつはタンクにガスで加圧して送り出す方法です。もうひとつは図21のようにポンプでタンクから吸い出す方法です。前者はポンプを使わないので単純な構造にできますが、ガスボンベを別に積まなければなりません。弾道弾ではポンプを使った方法が採られますので、以下では、それに絞って説明しましょう。

図21｜ロケットエンジンのカットモデル

ポンプには、通常、図21のようなターボポンプ（turbo pump）が使われます。みなさんの車のエンジンは自然吸気エンジンでしょうか、ターボエンジンでしょうか。僕の車のエンジンはターボエンジンです。このターボエンジンでは、過給機（ターボチャージャー）という空気を供給する装置がついています。この装置は、両側に羽根車がついたものが軸でつながっていて、片方の羽根車に車の排気を流すと、その羽根車が回転し、軸を介して反対側の羽根車も同時に回転します。それを使って空気を圧縮し、より多くの空気をエンジンの燃焼室に送り込むことで、出力を上げる仕組みになっています。ロケットエンジンのターボポンプも同じ仕組みで、片方の羽根車（図21では上の羽根車）が空気の代わりに燃料と酸化剤を供給します。それでは、それを駆動するもう片方の羽根車（図21では下の羽根車）を、どうやって回転させるのでしょうか。

それを回転させるには、やはり燃焼ガスを噴きつけることになるのですが、その噴きつけ方にはいくつかの方法（おもに五つ）があります。ここでは、ソヴィエト連邦／ロシア連邦の液体燃料式弾道弾で採用されている二段燃焼式と呼ばれる方法をご紹介しましょう（アメリカ合衆国の弾道弾はすべて固体燃料式のため）。図22にその概念図を示します。

この方式の特徴は、主たる燃焼室の前に、予燃焼器（プリバーナー、preburner）があることです。酸化剤のすべてと燃料の一部はここを通り、予燃焼器で燃焼します。一部というのは、タービンを回すための燃焼エネルギーが発生するていどの量です。その燃焼ガスでタービンを回します。この段階では、燃料が少ないので、酸化剤は一部しか反応せず、大部分は未反応のままにな

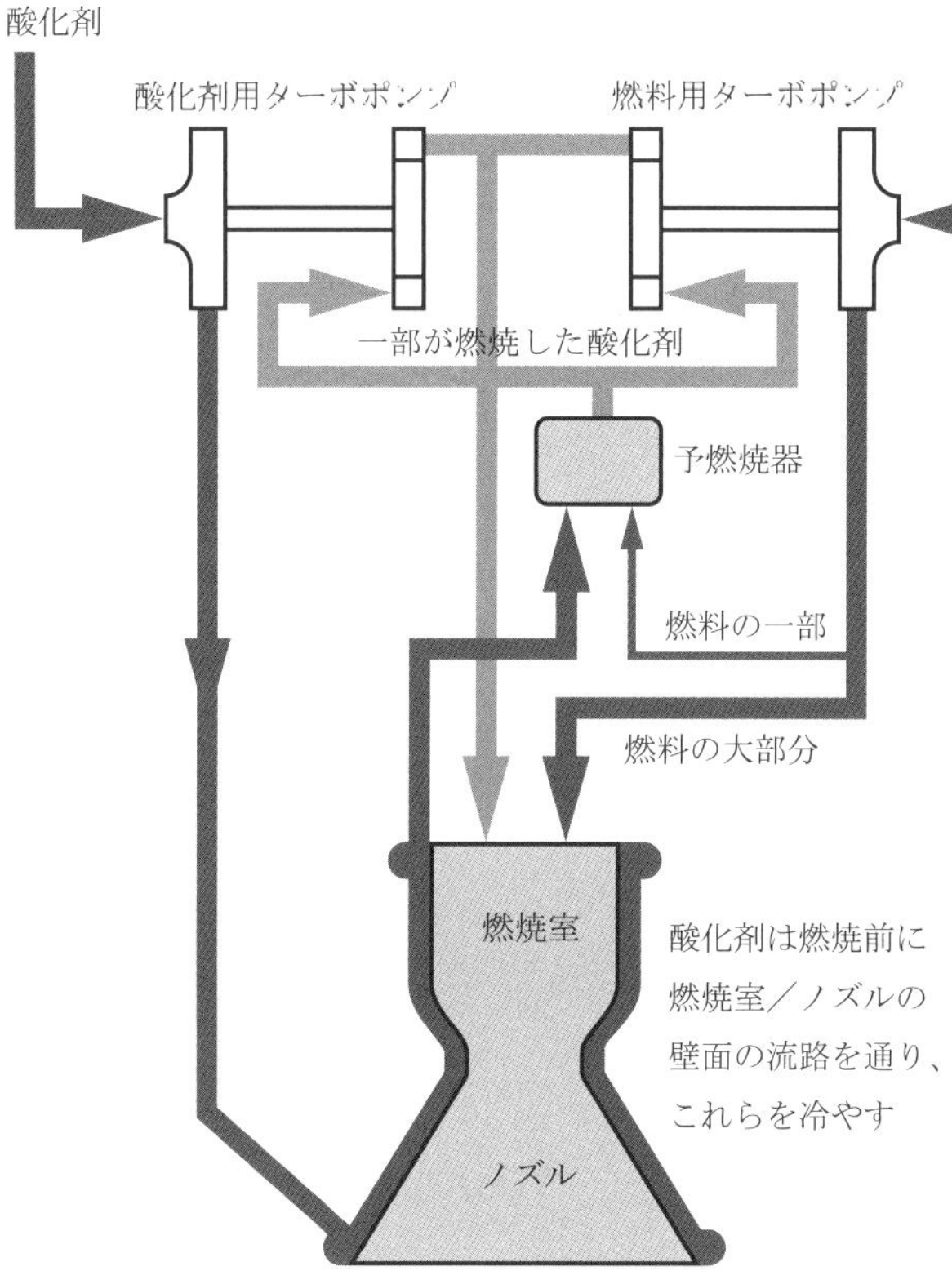

図22 ｜ロケットエンジンの概念図（二段燃焼式）

ります。そのあと、主たる燃焼室にて、残りの燃料が追加され、燃料と酸化剤は完全燃焼し、ノズルに噴き出します。こうすることで、燃焼エネルギーを無駄にすることなくタービンを回すことができます。ソヴィエト連邦／ロシア連邦では、このような方式になっていますが、欧米の二段燃焼式ロケットエンジン（宇宙開発用）では、これとは逆に、予燃焼器で燃料のすべてと酸化剤の一部を燃焼させ、主たる燃焼室で残りの酸化剤を混合する方法を採っています。

そして、注目していただきたいのは、予燃焼器に入る前に、酸化剤は、燃焼室とノズルの外側を通っていることです。ふたたび図21をごらんいただくと、このカットモデルにはちゃんとそれが再現されており、燃焼室とノズルの壁面が二重構造になっていて、間に穴のようなものが並んでいます。カットモデルなので穴のように見えますが、これは流路の断面であって、酸化剤は、予燃焼器に入る前に、この壁の中の流路を通ります。なぜこうしているのかというと、燃焼ガスによって高温に晒される燃焼室とノズルを、酸化剤によって冷却しているからです。燃焼ガスは、表3（99頁）と表5（108頁）で示した通り、三〇〇〇℃にもなります。この高温ガスに晒されるわけですから、冷却しないと強度が落ち、そして溶けてしまいます。そのための冷却構造なのです。

いっぽう、この仕組みを酸化剤の側から見れば、ノズルから熱エネルギーを与えられることになりますが、そのエネルギーを持ったまま予燃焼器や燃焼室に入り、最終的には燃焼ガスのエネルギーに加算される形になります。つまり単に燃焼室やノズルを冷却しているだけでなく、熱エネルギーをうまく回収して燃焼のエネルギーに加算しているわけで、効率的なエネルギーの使い方と言えます。この方法を、再生冷却と呼びます。燃料が液体だからこそできる冷却方法です。ただし、図21のモデルでは（おそらく断面形状をわかりやすくするため）横向きに流路がありますが、通常のロケットエンジンでは、燃焼室からノズル出口に向かって、縦向きの流路となっています。

こういう構造をつくるには二つの方法があります。ひとつは、流路そのものである細い配管をたくさん合わせて接合し、燃焼室やノズルの形にする方法です。もうひとつは、厚い材料で燃焼室やノズルをつくったあと、その外側から機械加工によって溝を彫り、そのあとで外板を形成する方法です。後者の場合、燃焼ガスを効率よく冷却できるように、溝を彫った内側の部品は熱伝導率が高い銅合金でつくられていることが多いです。前者はまさにその配管の集合体が見え、後者はなめらかな表面をしていますので、外観でわかります。ソヴィエト連邦の液体燃料式弾道弾では、そのロケットモーターは、かつては前者の方法でつくられていましたが、現行のものは後者の方法でつくられています。博物館で展示されている大陸間弾道弾 P-36M2（ロシア連邦では現役）のノズルの内側を覗いてみたところ、熱的により厳しい上半分（燃焼室に近い側）は、銅独特の色をしていました。

ふたたび図22をごらんください。噴射器が細かい配管の集合体となっているのは、燃料と酸化剤をきっちりと混合して完全に近い形で燃焼させるためです。また、噴射器は少し角度をつけて、噴射されたところですぐに燃料と酸化剤が衝突するように工夫されていたりもします。燃料と酸化剤の組み合わせが一般的な非対称ジメチルヒドラジンと四酸化二窒素の場合は、前述の通り自己着火性推進剤ですので（96頁）、点火装置もなく、混合しただけで自然に着火します。燃料と酸化剤の反応により、この燃焼室はとても高い圧力となりますが、この圧力を高めることで、燃焼ガスの排気速度、ひいては推力を上げることができます。表3（99頁）では、燃焼室圧力を六・八九メガパスカルとした場合の理論計算値を示しましたが、現用の弾道弾のロケットエンジンの燃焼室の圧力はもっと高く、たとえばP-36M2のロケットエンジンРД-274では、二二・六メガパスカルにも達します。大気圧が〇・一メガパスカルですので、大気圧の二二六倍です。

固体燃料式のロケットモーターで、推進剤の配合が性能を決めていたように、液体燃料式のロケットエンジンの場合も、燃料と酸化剤の配合比は重要です。普通に考えると、化学反応を起こす分子数の比は決まっているので、それに合わせれば過不足なく完全燃焼が起き、最高の効率が得られるはずです。単にエネルギーを取り出すことだけを考えればそれは正しいです。しかし、ロケットの場合はそれだけではなく、燃焼したあとの燃焼ガスが、ロケットを推進させる「推進剤」として働く、ということも考慮しなければなりません。つまり、不完全燃焼で燃え残った燃料や酸化剤やその熱分解物質も、推進剤として機能するのです。推進剤として考えた場合、ツィオルコフスキイの式のところ（71頁）でも、推進に関する諸量のところ（80頁）でもお話ししたように、それが噴き出す速度、排気速度（噴出速度）が重要になってきます。そして、同じエネルギーの場合、質量が小さいほうが速度は大きくなります。そういった意味では、燃焼ガスは、軽い、つまり分子量が小さいほうが望ましいのです。一番極端な例は水素で、水素はあらゆる気体の中でもっとも軽いのですが、燃焼して水（水蒸気）となると分子量は九倍になってしまいます。ですから、燃料多め、酸化剤少なめで、水素が不完全燃料で残ったほうが、推進剤としての性能は高くなります。しかし、あまり残してしまう（燃焼分を減らしてしまう）と、燃焼エネルギーが取り出せません。そこで、その両方の効果の兼ね合いで、最適な配合比が決まります。弾道弾の推進剤として使われる非対称ジメチルヒドラジンと四酸化二窒素に関しても、また、前述の固体推進剤（106頁）に関しても同じで、いかに分子量の小さな燃焼ガスにするか、と、いかに燃焼のエネルギーを多く取り出すか、との兼ね合いで、最適解を見つけます。また、推進剤の反応はきわめて複雑で、化学反応式通りではない、実に多様な反応を起こします。そしてその反応の仕方は燃焼の条件によって変わってきます。そのため、実際の燃焼試験も行って最適解を見つけることになります。

また、液体燃料式のロケットエンジンの特徴として、複数のノズルを束ねることもできます。固体燃料式のロケットモーターの場合は、ロケット本体内部が燃焼室になっているので、それに対応したノズルも一つだけのものが多いのですが（複数取りつけているものもあります）、液体燃料式の場合は、燃焼室とノズルのセットを複数取りつけることが可能です。その場合、ポンプは一つにして、そこから複数のノズルへと推進剤を供給する場合が多いです。おもしろい例として、一九六〇年代にソヴィエト連邦で開発されたP-36の第一段では、一つのポンプに二つの燃焼室・ノズルがセットになったものが一つのロケットエンジン（РД-250）で、それを三セット束ねていました（束ねたものの型式はРД-251）。つまり三つのポンプと六つの燃焼室・ノズルがあったことになります。その改良型のP-36Mでは、一つのポンプと四つの燃焼室・ノズルがセットになったもの（РД-264）を、一セットだけ搭載していました。このように複数の燃焼室とノズルを束ねることで、大きな推力を発揮できます。

表7に、ロシア連邦で現役の液体燃料式大陸間弾道弾であるP-36M2とУР-100Н УТТХのロケットエンジンの推進性能についてまとめておきます（アメリカ合衆国には液体燃料式の弾道弾がないため）。P-36M2はP-36Mの改良型ですが、ロケットエンジンは同じく一つのポンプと四つの燃焼室・ノズルがセットになったものを一セットだけ搭載しています（ただしエンジンはРД-274へと進化しています）。P-36M2は弾道弾史上最強、したがって人類最強の兵器ですが、ほかの大陸間弾道弾を固体燃料式に置き換えていったため、ロシア連邦の大陸間弾道弾としてはほぼ唯一の液体燃焼式です（УР-100Н УТТХは本書執筆時点で退役が進み配備数が少数のため）。このP-36M2も、代替として開発中の新型の大陸間弾道弾（PC-28）に置き換えられる予定ですが、こちらも同じ大きさの液体燃料式で、ロシア連邦では、この二〇〇トンクラスの液体燃料式重大陸間弾道弾の装備を維持し続けるようです。

表7を見ると、稼働時間は固体ロケットモーター（表6、116頁）のそれよりも長めですが、そ

段	型式	重量 推進剤	質量 流量	推力 海面上	推力 真空中	比推力 海面上	比推力 真空中	稼働 時間
		[kg]	[kg/s]	[kN]		[s]		[s]
P-36M2								
1	РД-274	150,200	1,583	4,595	4,951	296	319	95
2	РД-0255	37,600	261		836		327	144
УР-100Н УТТХ								
1	РД-0234	81,700	669	1,870	2,070	285	310	121
2	РД-0235	14,000	76		240		320	183

Ракетная техника (https://missilery.info/) および
Military Russia (http://militaryrussia.ru/) より引用

表7 | 液体燃料式大陸間弾道弾のロケットエンジンの諸元

れでも全段合わせて四～五分ほどであり、やはりロケットとして加速している時間は全行程（三〇分ていど）の一部であることがわかります。

ノズル

推進性能できわめて重要な排気速度の要素である特性排気速度と推力係数（82頁）のうち、前者を決める推進剤とその燃焼についてお話ししました。次は、後者を決めるノズルについてお話ししましょう。

いまいちど、ロケットエンジンのノズルを見てみましょう（図21、119頁）。燃料と酸化剤が混合され燃焼する燃焼室から、いったんくびれた部分を通って、そのあと、釣鐘型にすそ広がりな形になっています。このくびれた部分をスロート（throat）と言います。なぜこのような形になっているのでしょうか。それは、この中を通る燃焼ガスの動きに関係があり、それが最適の条件で、言い換えれば、最高の速度で噴き出すように設計されているからです。何度も繰り返しますが、燃焼ガスの噴き出し速度は、推進性能に直結したとても重要な値だからです。

燃焼室で燃焼したガスは、出口がノズル側にしかないので、そちら側に流れていくことになります。ということは、一本の管の中を流れる流体（気体）の運動を考え、管の断面積を変えることで流速がどう変わるのかを計算し、ノズル出口に向かって速度が上がっていくような断面積の変化にする必要があります。

そこでまず頭に浮かぶのが、管の出口が一箇所であるなら、どの断面でも流体の流量は同じとなり、であれば、断面積を小さくしていけばいくほど速度が上がっていく、という考えです。狭いところほど速く通過しなければ、同じ量の流体を流せないからです。これを、提唱者であるイタリアの物理学者であるジョヴァンニ＝バッティスタ＝ヴェントゥーリ（Giovanni Battista Venturi）にちなんで、ヴェンチュリー効果と呼びます（ヴェンチュリーは英語風の読み方）。これは圧力によって体積がほとんど変化しない液体や、気体でも音速以下の通常の状態では正しく、この原理はあらゆるところで利用されています。

ところが、気体が超音速の領域に入ったとき、これとはまったく異なる現象が起きます。図23は、横軸に気体の速度を、縦軸に燃焼室やノズルなどの流路の断面積を取ったグラフです。気体の速度は音速に対する比、マッハ数で示しています。断面積は、もっとも狭いところ、つまりスロート部の断面積に対する比で示しています。このグラフからわかるように、音速以下（マッハ一以下）では断面積が小さくなるほど速度が上がり、音速を超える（マッハ一以上）と断面積が大きくなるほど速度が上がることを表わしています。なぜこのようになるのか、の計算は、附録13に書いておきますので、そちらをごらんください。また、図の「比熱比」についても、附録13をごらんください。

これに合わせてノズルを設計すると、最初、燃焼ガスが音速に達するまではノズルの面積を

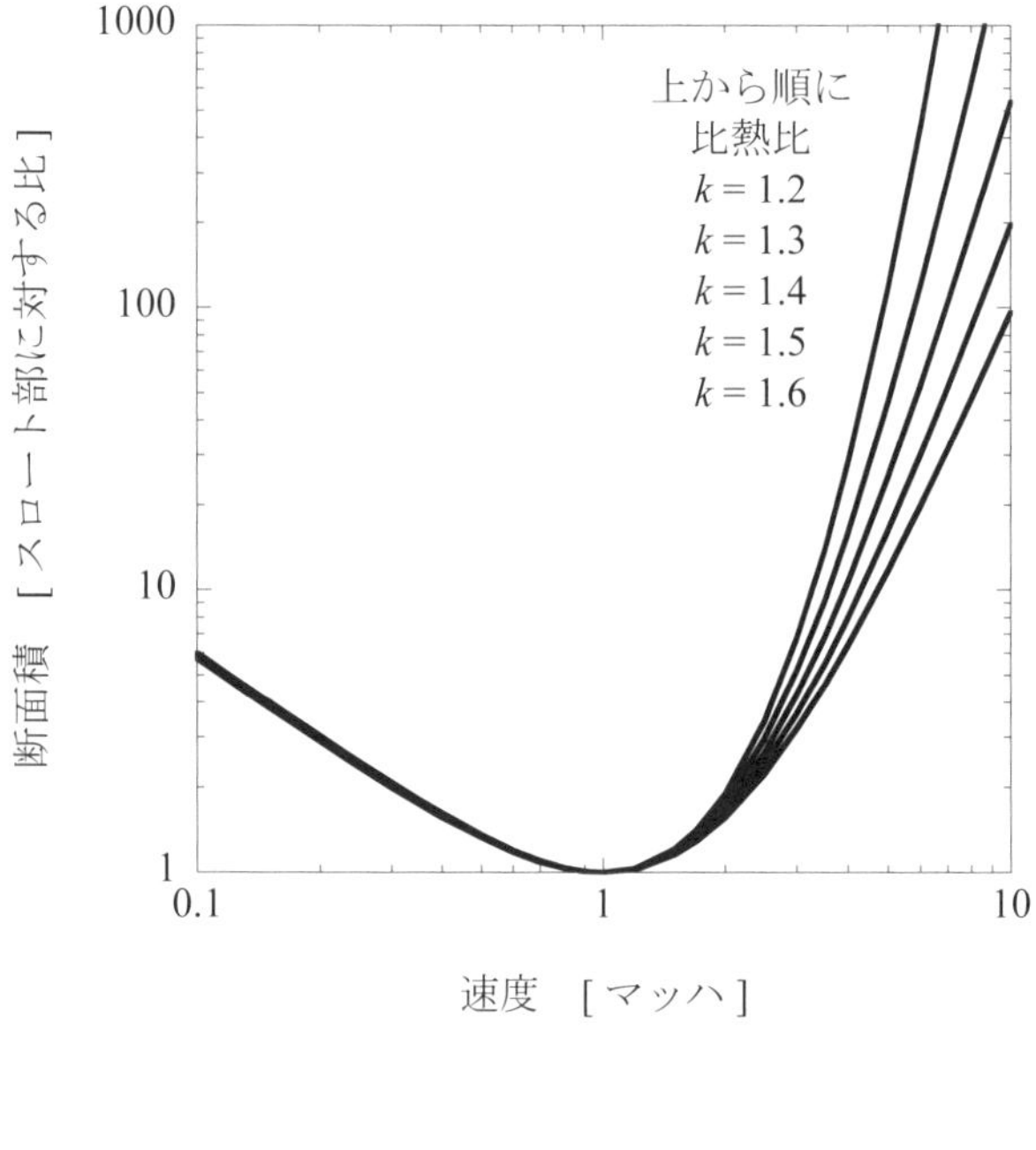

図23｜ノズル断面積と速度の関係

絞っていき、もっとも絞ったスロート部で燃焼ガスが音速に達したあとは、ノズルを広げていくようにしてやれば、燃焼ガスの速度を効果的に高められることがわかります。このようなノズルを、提唱者であるスヴァリエ（スウェーデン）の工学者であるカール＝グスタヴ＝パトゥリック＝デ＝ラヴァル（Karl Gustaf Patrik de Laval）にちなんで、ラヴァル・ノズル（Laval nozzle）と呼びます。なお、釣鐘型、つまり単純な円錐よりも出口がややすぼまった形になっているのは、燃焼ガスが噴出する向きをできるだけ真後ろに向けるため（横方向の速度成分を減らすため）で、こうすることで推力が向上します。

ちなみに、ラヴァルはさまざまな発明をした有名な工学者ですが、とくに有名なのは彼が設立したアルファ・ラヴァル（Alfa Laval AB）という会社で、現在でも、世界最高の熱交換器のメイカーです。僕が勤務する実験施設の冷却水の熱交換器も、そのほとんどすべてが同社製です。

固体燃料式弾道弾のノズルも基本的には同じで、スロート部でいったん絞ってから、出口に向かってすそ広がりになっています。ただしその広がる形は釣鐘型ではなく、単純な円錐型をしているものが多いです。固体燃料式の場合は、燃料のアルミニウムが燃焼して生成した酸化アルミニウムが、融点が高いために、スロート部で液体だったものがノズルの中でジョジョに固体になっていきますので、噴射するものが気体と固体の混合物となり、附録13での計算そのままではないためです。

そして重要なことは、液体燃料式のように、推進剤を流して冷却することができない点です。推進剤が固体なのですから当然です。ですから、液体燃料式の場合とはまったく異なった冷却方式が採られることになります。それは、アブレイション冷却と呼ばれるものです。アブレイション（ablation）とは、高温となった物質（固体）が気化してなくなっていく現象です。固体であった物質が気化する際には、大量の気化熱（潜熱）を消費するため、それによって冷却を行おう、というものです。ノズルが自分の身を少しずつ気化させながら、自身を冷やすのです。この方法は、当然ながらノズルがどんどん削られていきますので、長時間は持たず、また、再利用不可能となります。固体燃料式弾道弾のロケットモーターの稼働時間は一分ほどだということをお話ししましたが（116頁の表6と117頁）、そのたった一分だけ持てばいいのです。この方法は、まさに、弾道弾のノズル向きの方法だと言えるでしょう。しかし、それでも、もっとも高温となるスロート部（二〇〇〇℃にもなります）は、高温に耐えられる素材でつくる必要があります。スロート部で絞るのが排気速度を上げる肝ですので、ここの形状を死守しなければなりません。そのため、スロート部は高温に耐える炭素繊維強化炭素複合材料（carbon fiber reinforced-carbon matrix-composite）でつくり、それより下流のすそ広がりのノズル部分はアブレイションを起こすよう、モーターケースの素材としても登場した（115頁）炭素繊維強化プラスティックでつくります。この場合、プラスティックの部分が気化していき、炭素繊維の部分が炭化して残るようになります。

炭素繊維強化炭素複合材料は、炭素繊維強化プラスティックを不活性ガス中で高温（二〇〇〇〜三〇〇〇℃）処理することで、炭素繊維の部分とプラスティックの部分の両方を黒鉛（グラファイト、graphite）化させてつくります。非常に高い温度まで耐えることができるだけでなく、耐疲労性・耐腐食性にも優れた材料です。とくにスロート部には、この中でも、三次元炭素繊維強化炭素複合材料と呼ばれるものが使われています。通常の繊維強化材は、繊維で織った布を貼り合わせ、そこに樹脂を浸み込ませて固めますが、これだと、布の方向は強くても、それを重ねた方向は繊維が通っていないので強くありません。そこで、これらの布を、重ねた方向にも繊維を通して、言わば「縫い合わせる」ことで、その方向にも強い構造とするのが、「三次元」の意味です。こうしてできたものを同じく高温でグラファイト化させて全方向に強度を持つ三次元炭素繊維強化炭素複合材料をつくります。

ちなみに、僕が携わっている実験施設では、ターゲットに陽子ビームを撃ち込んでニュートリノという素粒子をつくり出していますが、このターゲットも高温に晒される（冷却していますが八〇〇℃になります）ため、グラファイトでつくっています。グラファイトは熱に強い反面、その高温状態で雰囲気中に酸素があると酸化が進んでしまいますので、冷却剤（ヘリウムを使っています）の中の酸素濃度は常に監視して低く保っています。

では、ノズルの場合はどうでしょうか。我々のターゲットは冷却容器に入れてヘリウム雰囲気下に保つことができますが、ノズルはそのように守ることはできず、絶えず燃焼ガスに晒された状態になっています。ここで酸素がたくさんあれば悲劇が起こるのですが――幸いなことに、その面ではよい環境にあります。燃料と酸化剤の配合について触れました（124頁）が、そこでは、化学反応ちょうどの割合ではなく、燃焼ガスの分子量なども考慮して配合を決める、という話をしました。そのため、たいていの場合、液体燃料式でも、固体燃料式でも、燃料が多め、酸化剤少なめ、になっています。つまり、燃焼ガスでは、酸素不足になっているのです。これはグラファイトの酸化を考慮してそうなったわけではないのですが、偶然にも、よい方向になっているということです。

また、固体燃料式ロケットモーターのノズルは、再生冷却式のノズルのように複雑な配管を組み込んでいない利点もあり、折り畳み式にすることもできます。この方式は、第二段以上のノズルに使われ、発射状態のロケットモーターの長さを短くできます。下段が切り離され、自身のロケットモーターに点火する際に、ノズルを伸ばします。

誘導

本章の最後に、弾道弾を目標へと向かう軌道に正しく乗せるための方法について、かんたんに見てみましょう。

第2章でもお話しした通り、弾道弾とは砲弾などと同じく基本的には「撃ちっ放し」の兵器で、最初の打ち上げの角度や速度で軌道が決まり、あとは重力に引かれてその軌道を辿るのみです。ところが、近年では砲弾にも誘導砲弾が使われる場合があり、標的近くで軌道を修正することで、より正確に着弾させることができます。弾道弾に関しては、一〇〇〇〇キロメーターもの距離を飛行しながら一〇〇メーター単位の着弾精度を要求するのですから、これは十万分の一の精度であり、最初の打ち上げ状態だけですべてが決まる完全な「撃ちっ放し」では達成困難な精度です。また、これはロケットであって砲弾ではないので、これまた第2章でお話しした通り、実際の打ち上げでは、鉛直方向に打ち上げて加速し大気圏を抜けてから楕円軌道に乗せるという複雑な運動をするわけです。途中で進路変更しなければならず、加えて、ジョジョに加速すること、各段の切り離しがあること、弾頭部の切り離しがあること、などの要素もありますから、途中の進路の制御は絶対に必要となってきます。

まず、ミサイルが「誘導弾」や「guided missile」と呼ばれるゆえんである、誘導の原理について考えてみましょう。

みなさんが、見知らぬ土地を訪れるときに、地図を見ながら行くことを考えてみます。そのときみなさんが地図で確認すべきことは三つあります。

a. 自分は今どこにいるのか

b. 目的地はどこにあるのか

c. どのような道を通ればそこに辿り着くのか

の三つです。誘導の原理も同じで、現在の自分の位置を把握し、目標との位置関係を求め、その間の移動ルートを決定します。ルートから外れている場合には、その差を縮めるべく、なんらかの方法で姿勢を変えて軌道を修正します。これを繰り返すことで、無事、目標に着弾することができます。

たとえば、対戦車ミサイルなどの短射程のミサイルの場合には、発射母機とミサイルとを有線でつないで指令を送る方法があります。この場合は、母機のほうでa. b. c. すべての判断を行い、ミサイルには、姿勢制御の信号だけを送ればよいことになります。

対空ミサイルは、赤外線で誘導するものと電波で誘導するものとに大別されますが、後者の場合は、目標に電波を照射し、その反射波をミサイル自身に組み込まれたアンテナで受信することで、自分（ミサイル）と目標との位置関係を把握します（a. b.）。その際、電波を発信するのが、ミサイル自身の場合をアクティヴ・レーダー・ホーミング、発射母機の場合をセミ・アクティヴ・レーダー・ホーミングと呼びます。c. はミサイル内蔵の計算機で行います。空対空ミサイルはこの方式で誘導しますが、地対空ミサイルや艦対空ミサイルの場合は、a. b. c. すべてを発射母機（母艦）が行い、姿勢制御の信号だけをミサイルに送る方法もあり、これを指令誘導と呼びます。

対艦ミサイルのうち、水平線を超える射程距離を持つものでは、発射母艦から目標が見えず、また、発射してからしばらくはミサイル本体からも目標が見えないので、途中で、中間誘導というものをはさんでやる必要があります。これには、発射母艦とは異なる位置（目標が見渡せる位置）にいる航空機や人工衛星が用いられ、目標の位置（b.）をミサイルに知らせます。最終的にミサイルが自分で目標を見渡せるところまで来たら、アクティヴ・レーダー・ホーミングにより、自分で目標位置を確認します。

対地巡航ミサイルの場合は、目標が動かないので、地図を読んでいくことで目標まで到達できます。地図に目標位置（b.）と辿るべきルート（c.）が描いてあります（設定してあります）。あらかじめ入力された地形と、自分の眼下に広がる地形とを照合したり、TJIOHACCやGPS（143頁）を用いたりして自分の位置（a.）を把握すれば、あとは設定されたルートからのずれを計算して、適宜それを修正していくだけです。

そして、本書で扱う弾道弾はというと、他のどのような兵器よりも桁違いに長い射程距離で地球の裏側まで到達するうえに、一〇〇〇キロメーターを超える高度、マッハ二〇もの速度と、どれも「並みの兵器」が使うような誘導方式は適していません。そこで、これらとはまったく違った、慣性誘導という方法が採られます。

弾道弾の航法

慣性誘導（inertial guidance）という言葉は、実は僕はあまりよい名前だとは思っていません。まず、誘導という言葉の本来の意味から言えば、これは誘導しているわけではありません。弾道弾本体が外部からの情報なしに自分で判断して飛行する、自律飛行です。また、「慣性」という言葉もよく注意して使わねばなりません。世の中には「慣性の法則を使っているから」などとわざわざ書いてあるものまで見かけますが、慣性の法則で言う「慣性」とは、ある物体が外力を受けないときにその運動状態が変わらないという性質のことで、弾道弾の行程の中では、そのような状態はまったくありません。弾道弾は常に外力を受けており、まさにその外力を測定することで自分の位置を計算するのがこの「慣性」航法なのです。慣性航法で言う「慣性」とは、弾道弾に搭載された機器が受ける慣性力（inertial force）のことを指していると考えたほうが、このあとの文章が読みやすくなります。

弾道弾における進路の制御は、一般に、三つの段階に分かれています。それは、「航法（navigation）」、「誘導（guidance）」、「制御（control）」、です。航法というのがさきほどの a. にあたるもので、自分の位置を把握することです。誘導というのが c. にあたるもので、ただし他者から導かれるのではなく、航法で得た a. の情報と、自分の計算機上に載っている「地図」上の b. の情報から、どのような道程でそこに行けばよいのか、そのためにはどのように姿勢を変えていけばよいのか、を自分で判断することです。制御は、その判断にしたがって、実際に姿勢を変えることです。

ここで重要な航法、自分の位置を知るために弾道弾が用いる慣性航法では、慣性力を利用します。慣性力は、慣性の法則が「成り立っていない」観測者に働く見かけ上の力です。慣性の法則が「成り立っていない」というのは、加速度がかかっている状態のことで、弾道弾は常にこの加速度がかかっており、それを慣性力という形で計測するのが、この慣性航法の仕組みです。

では、加速度を計測してどうするのでしょうか。加速度とは、速度の変化率、つまり速度の微分です。いっぽう、速度とは、位置の変化率、つまり位置の微分です。ですから、位置の微分が速度となり、その速度をもう一度微分すると加速度が得られます。ということは、逆に計算すると、加速度を積分すると速度になり、その速度を積分すると位置になる、ということです。これが、慣性航法の原理です。加速度センサーで自分の加速度を測定し、そこから積分を通じて現在位置を割り出すのです。ただし、加速度センサーは、重力加速度だけは測定できません。その理由は、重力は常にかかっており、加速度センサーの電源を入れて動作させる前からかかっていることから、それ込みの値しか出てこないからです。そのため、実際の計算では、加速度センサーが計測した加速度に、計算機側で重力加速度を足してやって、それから積分を行うことになります。また、重力加速度は、地表上ではどこでもほとんど同じですが、弾道弾は地表から大きく離れるために、その値は刻々と変わります。そのため、重力加速度は、現在の位置から逆に計算

（正確には、位置と重力加速度の対応があらかじめプログラミングされている）し、その値を積分の計算に使います。

位置以外に、もうひとつ、重要な情報が必要です。それは、自分の向きです。みなさんも、車が停車しているとき、ナヴィの画面で、位置は正しく表示されているのに、進行方向がおかしな方向を向いている、なんてことを体験したりはしませんか。そう、航法では、「自分がどっちを向いているか」も重要なのです。その自分の向きを計測するのが、ジャイロスコープ（gyroscope）です。かつては弾道弾でも機械式のジャイロが使われていましたが、冷戦後期からはリング・レーザー・ジャイロスコープ（ring laser gyroscope）が使われるようになり、今ではこちらが主流です。リング・レーザー・ジャイロスコープは、鏡を使って多角形の光の通路を構成し、そこに、左回りと右回りのレーザーを飛ばして、両者の干渉を観測する装置です。これを取りつけた場所が回転すると、左回りと右回りとで光路差が生じて、干渉縞が動くので、それを計測することで回転速度（角速度）を求めるのです。

この加速度センサーと角速度センサーを三台ずつ（三次元に対応して）設置した台を、弾道弾の制御部に取りつけます。そして、その取りつけ方も工夫が必要です。というのも、センサー自体がどちらを向いているのかがわからなくなると、わけがわからないよ、ということになるからです。そこで、このセンサーが設置された台を、ジンバルに載せるのです。ジンバル（gimbal）とは、ある軸を中心に回転する台のことです。これを三軸分組み合わせると、三次元的に自由に回転する台ができあがります。カメラを趣味にしている方は、カメラを載せる台でこの機構を利用しているものを持っておられるかも知れません。アマゾンで「ジンバル」とぐぐると、それればかりがヒットします。あるいは、車のドリンクホルダーに使われているものを、みなさんはお持ちかも知れません。あれは、飲み物がこぼれないように、常に水平を保つために、この機構を使っているのです。そして、このセンサー台も、ジンバルに載せることで、常に水平を保つようにします。ただし、弾道弾の場合は、さらに一軸追加して、四軸のジンバルに載せます。これは、場合によってはジンバルのうち二軸が同一平面上にたまたまそろってしまう現象（ジンバル・ロック）が発生したときのための保険です。このような、センサーをジンバルに載せて安定させる方式を、ステーブル・プラットフォーム（stable platform）方式と呼びます。冷戦後半になり、このジンバル方式よりもさらに高度な安定方法が開発されました。それは、加速度センサーと角速度センサーを入れたベリリウム製の球殻を、フルオロカーボンを満たした外側の球殻の中に浮かべる方法です。これだと機械的な機構なしで自由な方向に回転できます。これはアメリカ合衆国の大陸間弾道弾 LGM-118 に搭載された AIRS（Advanced Inertial Reference Sphere）と呼ばれる慣性計測ユニットで採用された方法です。

いっぽう、近年では、宇宙開発用のロケットの航法装置で、これらのセンサーを本体にがっちり固定する、ストラップダウン（strapdown）方式が主流になってきました。これだとジンバルのような機械的な機構が必要でない反面、センサーが常に激しく回転するので、その回転位置を常に求めて計算に組み込んで補正していかねばなりません。近年は計算機の能力が飛躍的に上がり、複雑な計算もたやすくなったために、この方式が採られるようになりました。戦略用の弾道弾は、冷戦期に開発されたものが今でも多数現役ですので、ステーブル・プラットフォーム方式が主流となっています。

こうして加速度センサーと角速度センサーを安定した台に載せたものを、慣性計測ユニット(Inertial Measurement Unit、IMU)と呼びます。

慣性航法は、外部からの誘導なしに自己完結しているため、外部からの妨害も受けにくいという利点があります。いっぽう、問題点は、加速度センサーの精度が最終位置を大きく左右することです。加速度センサーの値を足していくわけですから、小さな誤差であっても、それを一〇〇〇〇キロメーターもの距離分を足すと、合計の誤差は大きくなってしまうのです。それともうひとつ、みなさんが積分の計算を行うときに使った「積分定数」の問題もあります。つまり、積分に際しては「初期値」が必要で、それを開始地点として値を「積み上げていく」からです。開始時点の自分の位置だけは、別途入力してやる必要があります。サイロから発射する場合はその場所は厳密に決まっているので問題はなく、第4章でお話しする地上の移動発射方式もあるていどは自分の位置を把握できますが、問題は潜水艦発射式弾道弾です。現在はГЛОНАССやGPS(後述)によって地球上のどの場所でも(海の上でも)正確な自分の位置が把握できますが、それがなかった冷戦時代でも、弾道弾には高い着弾精度が求められました。そこで慣性航法につけ加えられたのが、天測航法（celestial navigation）です。これは、はるか昔から海洋航海で使われてきた方法で、天体の位置を観測して自分の現在位置を計算する方法です。天体の運動はすなわち地球の自転によるもので、ある時刻、ある場所における天体の位置というものは、非常に正確に決まっています。そこで、その天体の位置を測定することで、逆に自分の位置を求めるのです。この方法により、潜水艦発射式弾道弾でも自分の発射位置を知ったり、あるいは飛行の途中でも、慣性航法によって計算した自分の位置を、さらに正確に修正したりできます。

そして、二一世紀の現代では、ГЛОНАСС や GPS といった、高精度に自分の位置を計測するシステムがあります。近年の弾道弾も、当然のようにこれを利用しています。ГЛОНАСС とはロシア連邦が運用する全地球航法衛星システム（ГЛОбальная НАвигационная Спутниковая Система）のことで、GPS とはアメリカ合衆国が運用する全地球測位システム（Global Positioning System）のことです。その原理は同じで、地球上をカヴァーする複数の人工衛星が、それぞれ、常時、時刻と自分の位置情報を送信しているので、それを受信して解析することで受信者の位置を計算するものです。受信した信号の時刻（すなわち発信した時刻）と、受信した時刻の差から、その衛星からの距離が計算できます。受信者側の三次元的な位置と、時間、合わせて四次元分の座標を計算するには、四つの衛星からの距離が必要です。したがって、地球上のどの場所でもこのシステムを利用できるようにするには、どの場所からも常に四つの衛星が見えているよう、多数の航法衛星を飛ばしておく必要があります。ГЛОНАСС では二四基の、GPS では三〇基の、それぞれ航法衛星が稼働するようにしています。

慣性航法を基本として、天測航法と航法衛星システムによる補正を行うことで、弾道弾は地球の裏側にマッハ二〇で突入しても、正確な位置に着弾できるのです。弾道弾の着弾性能を表わす値に、平均誤差半径（Circular Error Probable、CEP）というものがあります（ロシア語では Круговое Вероятное Отклонение、КВО）。同じ弾道弾を同じ目標に対してなんども撃ち込んだとしても、寸分も違わずに同じ位置に着弾するわけではありません。そこは人間がつくったもの、着弾位置にはばらつきがあります。このとき、着弾する弾頭の位置を記録しておくと、その全着弾位置のうち、狙った位置から近い順に半分の数が集まっている領域が求められます。この領域の半径を、平均誤差半径と言います。この半径が小さいほど、着弾性能、あるいは誘導性能が優れていることになります。この値が、アメリカ合衆国の UGM-133 で九〇メーター、冷戦末期に開発されたものの第二次戦略兵器削減条約（191頁）や戦略的攻撃能力削減条約（Договор о сокращении стратегических наступательных потенциалов、アメリカ合衆国側の名称は Treaty Between the United States of America and the Russian Federation on Strategic Offensive Reductions）によって破棄した LGM-118 でわずか四〇メーターです。これらの弾道弾が、全行程のうちの最初の部分だけの制御で（噴射するのはこの部分だけのため）、あとは重力にしたがって楕円軌道を描くだけであることを考えると、驚くべき精度であると言わざるをえません。

このように自分の位置（a.）を測定したあと、あらかじめプログラミングされた目標位置（b.）との差を計算し、どのような軌道を辿ればよいか（c.）を計算することが、弾道弾の制御で言うところの誘導になります。この誘導には大きく分けてふたつあります。ひとつは間接誘導と言って、途中の道程（軌道）をきっちり決めていて、それからのずれを計算し、その軌道にぴったり沿うよう、随時修正していく方法です。道に迷わぬよう、途中の目印を設け、それをいちいち確認して進む方法です。道に迷いやすい人はそのほうがよいでしょう。しかし、慣れた人は、最終目的地に向かってさえいれば、途中の目印などどうでもよくて、多少予定とは違う道程を辿っても大丈夫でしょう。これを直接誘導と言います。弾道弾の場合、現在地と、最終目的地（目標）との間の最適な軌道を、一気に計算してしまうことになります。目標までの長い道程を一気に計算するには高い計算能力が求められますので、計算機の進化に合わせて、間接誘導から直接誘導へと進化したという経緯があります。

姿勢の制御

航法と誘導ができたら、次は制御です。地図を見て、行先も行き方もわかって、そこに行くには自分の脚をどのように動かすか、ということです。弾道弾で言えば、姿勢の変え方です。それには、いくつかの方法があります。

第1章で、巡航ミサイルは無人航空機であって、それと同じように翼がついていて飛行する、ということをお話ししました。航空機や巡航ミサイルには、揚力を発生させて機体を空中に留める主翼以外に、方向を変えるための翼もついています。これを動かして大気から受ける力の向きを変えることで、姿勢を変えます。これを空力舵と言います。その名の通り、これを使うには空気があるのが前提で、大気圏内を飛行する場合に限られます。弾道弾に関しては、大気圏を突破して宇宙空間を飛行しますので、この空力舵は使えないように思えますが、打ち上げ時の、まだ大気圏内を飛行している間は、この空力舵も有効です。そのため、全行程のうちかなりの部分で大気圏内を飛行する短距離弾道弾は、空力舵を持つものが多いです。また、長射程の弾道弾はほとんどが空力舵を持ちませんが、特殊な例として、空力舵を持つものもあります。第4章（173頁）でお話しするソヴィエト連邦／ロシア連邦の移動発射式大陸間弾道弾PT-2ПМでは、第一段に四枚の安定翼と四枚の空力舵を持ちます。これらは、発射前には本体にぴったりくっつくように折り畳まれていて、発射後に花弁のように展開して稼働します。ただし、その改良型のPT-2ПМ2からは、この空力舵は廃止され、ほかの多くの弾道弾と同じ形式になりました。また、前述のPT-23УТТХ（106頁、117頁）は、打ち上げ時の機動を考えて、弾頭部のフェアリングに空力舵を備えています。

　また、これも短距離の弾道弾では、ノズルの部分にジェットヴェイン（jet vane）と呼ばれる板状のものをつけ、それの向きを変えることで噴射されるガスの向きを変え、姿勢を変えたりします。これは世界初の弾道弾であるV2ですでに用いられていた方法です。

しかし、長射程の弾道弾や宇宙開発のロケットでは、これとは違った方法で姿勢を変えます。その主な方法が、補助ロケットと推力偏向です。

図24右上をごらんください。中央の大きなノズルの周りに、小さなノズルが配置されているのがおわかりになると思います。中央のノズルが推力を生み出すメインノズルで、周囲のノズルが補助ロケットです。姿勢制御ロケットと呼ばれることもあります。英語ではスラスター(thruster)です。この補助ロケットは図のように複数設置され、それぞれの噴射量を変えることで、姿勢を変えます。液体燃料式の場合は、弁の開閉で推進剤を流したり止めたりできるので、この方法を採ることができます。補助ロケットの推進剤は、本体のものと別のものを使う場合もあり、燃焼させずに気体を噴射させるだけのものもありますが、弾道弾の場合は、本体の推進剤をそのまま使います。

いっぽう、図24右下は、何か角のようなものが生えていますが、これはロケットエンジンを支える支持フレームです。この支持フレームへのノズルの取りつけ箇所をフレキシブルな構造としたうえで、計算機からの制御信号にしたがってアクチュエイターなどでノズルを押したり引いたりしてやれば、ノズルの向きが変わります。推力を発生しているものが向きを変えるので、推力の方向も変わり、弾道弾本体も向きが変わるわけです。これを推力偏向と言います。弾道弾の推力偏向の機構は、一般にジンバル機構と呼ばれます。さきほど(140頁)お話ししたように、ジン

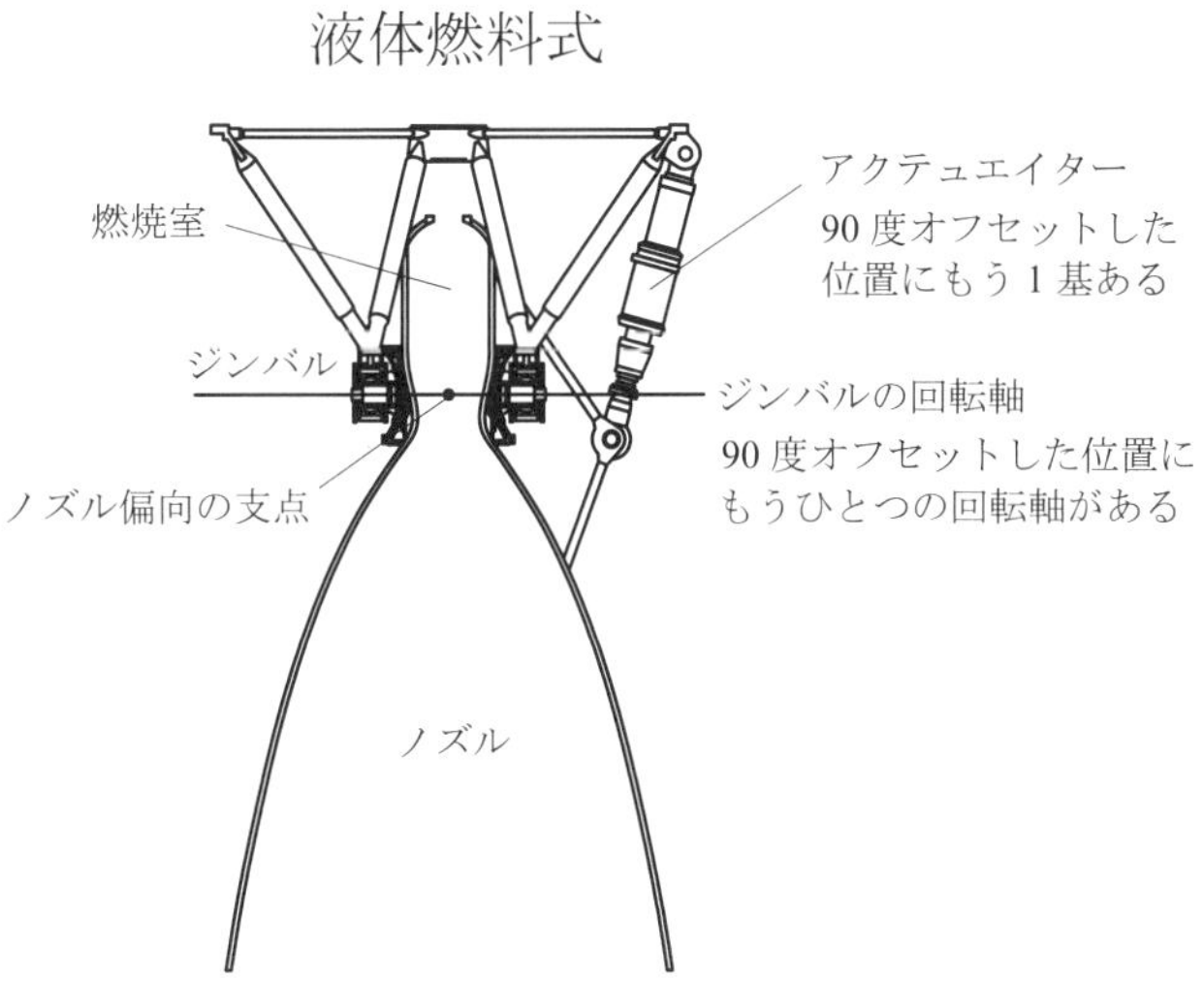
液体燃料式
燃焼室
アクチュエイター
90 度オフセットした
位置にもう 1 基ある
ジンバル
ジンバルの回転軸
90 度オフセットした位置に
もうひとつの回転軸がある
ノズル偏向の支点
ノズル

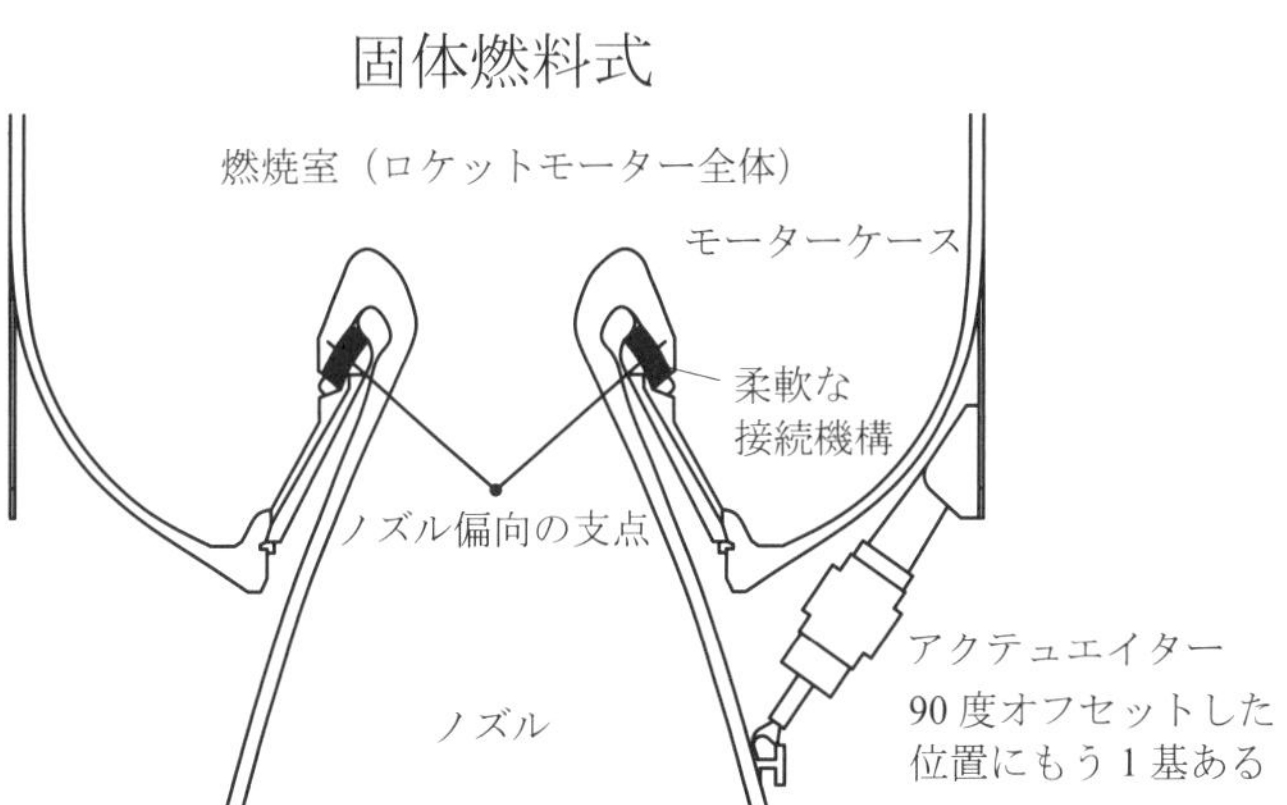
固体燃料式
燃焼室（ロケットモーター全体）
モーターケース
柔軟な
接続機構
ノズル偏向の支点
アクチュエイター
90 度オフセットした
位置にもう 1 基ある
ノズル

図24｜補助ロケットと推力偏向

バルとはある軸回りの回転台のことを指す言葉で、本来はノズルを取りつける箇所の回転機構だけを指すのですが、ロケット工学の世界では推力偏向機構全体をそう呼ぶ場合もあります。弾道弾の場合は、この超高温でかつすさまじい圧力がかかるノズルの向きを変えるので、それなりに高い技術です。しかし、固体燃料式の弾道弾の場合には、補助ロケットが使えないために、この推力偏向の技術をものにする必要があります。

また、同じ推力偏向と言っても、液体燃料式と固体燃料式とでは、その構造が違います。これまで見てきたように、液体燃料式のロケットエンジンの場合は、燃焼室とノズルが一体になっていますので、それごと向きを変えることになります（図24左上）。図に示すように、二つの回転軸を持つ、教科書通りのジンバル機構があります。二軸なので、ノズルを動かすアクチュエイターも、九〇度オフセットした位置に二つあります。

いっぽうで、固体燃料式の場合は、燃焼室がロケットモーター全体にわたっていますので、そのロケットモーター本体に対してノズルだけ向きを変えることになります（図24左下）。このため、モーターケースにノズルを取りつける箇所に、フレキシブルな可動機構を設けることになります。図は一般的な方法を示していますが、ノズルの外側に金属板とゴムを積層した柔軟な構造の部品を取りつけ、それを介してモーターケースに接続しています。ノズルを動かすアクチュエイターは、やはり、九〇度オフセットした位置に二つあります。これは本来のジンバルとはずいぶん違う構造ですが、それでもジンバル機構と呼ばれることもあります。

固体燃料式弾道弾の場合はほとんどがこの推力偏向方式を使いますが、液体燃料式弾道弾の場合は段によって使い分けることが多く、たとえばこれまでにも登場しているP-36M2では、第一段は推力偏向方式を、第二段は補助ロケット方式を、それぞれ採用しています。この弾道弾の第二段のロケットエンジンは、スペース節約のために推進剤タンクの中になかば埋め込まれるような形になっているため、推力偏向には向かないからです。また、特殊な例として、さきほどのPT-2ПМ（固体燃料式）では、固定したノズルの内部に燃焼ガスとは別のガスを噴き込むことで噴射の方向を変える推力偏向方式を採っています。しかしこれも改良型のPT-2ПМ2からは通常のノズル自体の向きを変える方式になっています。

また、どちらの方法にせよ、気をつけなければならないことがあります。それは、ノズルの向きを変えて姿勢を変える場合、ノズルは下端についており、弾道弾の重心からは遠く離れていることです。そこに横方向の力が加わると、長細い弾道弾にとっては大きなモーメントが働くことになりますので、それをよく考慮に入れて制御しなければなりません。

本章では、弾道弾の全行程のうち、推進剤を噴射して加速する推進の部分を見てきました。次章では、最初の打ち上げの部分と、最後の着弾の部分について見ていきましょう。

第4章

発射と再突入

サイロ

みなさんは北海道に行かれたことはありますでしょうか。僕は高校生の頃に初めて北海道に行きましたが、そこで、日本らしからぬ光景を目にしました。北海道はその土地の広さに加え、熱帯の日本本土とは違い冷帯に属することもあって、ヨーロッパに来たかのような風景を体感できます。その中に、煉瓦などでできた塔のような建物を目にすることもあります。あれはいったい何かと言うと、サイロという、収穫した穀物などを貯蔵しておく設備です。

弾道弾を収納し、そのまま発射装置にもなる設備も、これから採って、「サイロ（silo）」と呼ばれます。強固なコンクリート製の塔状構造が、穀物収納塔によく似ているからです。ただしこちらのサイロは、頂部が地面の高さになるよう、地下に埋め込まれています。いっぽう、ロシア語では「竪抗発射装置（Шахтная Пусковая Установка、ШПУ）」と呼びます。

図25は、サイロの頂部（上）と、その断面模型（下）です。この模型は写真のサイロと同じ戦略任務ロケット軍博物館（ウクライナ）に展示されていたものですが、模型のスケールが正しいとすると、コンクリートの壁の厚みは相当なものだとわかります。また、蓋も相当厚くなっています。その理由は、敵の先制攻撃に耐えて反撃できるようにするためで、核弾頭が直撃したサイロはさすがに使用不可能でも、近くに着弾した場合にその衝撃波には耐えられるようになっています。ロシア連邦のサイロでは、一〇メガパスカル（一〇〇気圧）以上の衝撃波に耐えられるよ

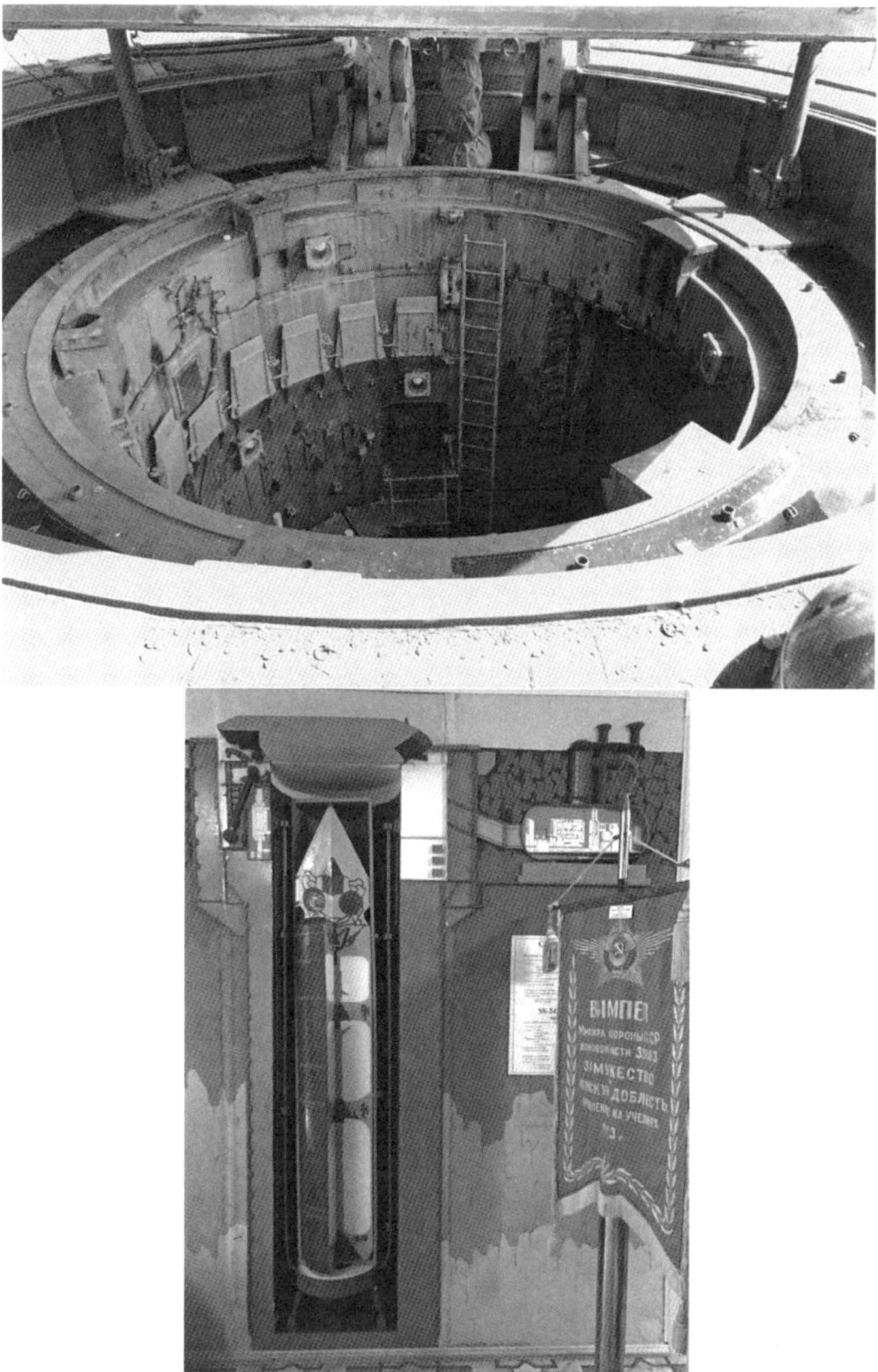

図25｜サイロとその断面模型

うになっています。

コールド・ローンチ

サイロに収納されている弾道弾を発射するとき、そのままサイロ内で点火する方法を、ホット・ローンチ（hot launch）と言います。この場合、サイロ内の機器はもろに燃焼ガスを噴きつけられるので、サイロを再利用するのであれば、その熱に耐える構造にする必要があります。アメリカ合衆国の現役の大陸間弾道弾LGM-30がこのホット・ローンチ式です。

いっぽう、それを避ける方法もあります。それは、弾道弾をガスでサイロ外に打ち上げ、そこで点火する方法です。これをコールド・ローンチ（cold launch）と言います。ソヴィエト連邦／ロシア連邦で多く採られている方式です。同国では、弾道弾を輸送発射コンテナ（Транспортно-Пусковой Контейнер、ТПК）と呼ばれる、弾道弾がぴったり収まる容器に収納し、それごとサイロに装填して、そこから発射します。そのため、ロシアでは、コールド・ローンチを迫撃砲発射（Миномётный старт）と呼びます。確かに迫撃砲のように筒から発射されます。輸送発射コンテナは、サイロの中で、上から振り子のように吊られた状態で設置されています。興味深いのは、ソヴィエト連邦／ロシア連邦ではホット・ローンチの場合でもこの輸送発射コンテナを使うことです。今やロシア連邦唯一のホット・ローンチ式大陸間弾道弾となった

図26｜大陸間弾道弾（УР-100Н УТТХ）が収納された輸送発射コンテナ15У54

УР-100Н УТТХもこの輸送発射コンテナを使います（図26）。輸送発射コンテナは、アルミニウム合金、もしくは繊維強化プラスティックでつくられます。

コールド・ローンチの場合、なんらかの形でガスを輸送発射コンテナ内に満たし、弾道弾を空中に押し出す必要があります。そのガスを発生させるのが火薬式蓄圧器（Пороховой Аккумулятор Давления、ПАД）と呼ばれるもので、名前の通り、火薬を燃焼させることでガスを発生させるものです。

図27は、大陸間弾道弾Р-36М2を底部側（ノズル側）から撮った画像ですが、ノズルの部分に銀色のカヴァーが取りつけられています（白黒画像だと白っぽく見えます）。そして、このカヴァーの底部中央に突起がついています。この突起が火薬式蓄圧器です。これをサイロに収納した輸送発射コンテナの中で点火させると、火薬の燃焼によってガスが発生し、Р-36М2をカヴァーごと押し出します。カヴァーはコンテナの中でピストンのように弾道弾本体を押し、空中に出たところでカヴァーが外れ、弾道弾本体のロケットエンジンが点火される、というわけです。カヴァーは、専用の火薬によって、本体から外されたあとに横方向に飛ぶようになっています。横に飛ばす理由は、ロケットエンジンの噴射の邪魔にならないようにするためです。このР-36М2の場合は、地上から二四メーターまで打ち上げたところでロケットエンジンに点火します。

図27｜大陸間弾道弾（P-36M2）の火薬式蓄圧器

潜水艦からの発射

潜水艦発射式弾道弾の発射にも、このコールド・ローンチが使われます。潜水艦の場合は、水中からの発射という、特殊な方式です。地上のサイロのように普通に蓋を開いて発射しようとすると、蓋を開いた段階で発射筒の中に水が入ってきて、弾道弾に点火できないからです。

そこで、一般的な潜水艦発射式弾道弾の場合には、他の船体部分と同じように水圧に耐える蓋と、その内側に発射筒に水が入らないようにする樹脂などでできたカヴァーとの二重構造になっています。アメリカ合衆国のオハイオ級潜水艦では樹脂カヴァーの厚みは六・三ミリメーターで、大きな水圧には耐えられません。そこで普段は耐圧蓋を閉じて行動し、発射する直前に樹脂カヴァーで耐えられる深度まで上昇し、耐圧蓋を開けます。オハイオ級では水面下三〇メーターほどの深度です。そして発射筒にガスを充填し、コールド・ローンチ方式で弾道弾を打ち上げます。樹脂カヴァーはガスが充填されたあとで専用の火薬によって破壊されます。すると上方向にガスの逃げ道ができるので、弾道弾はガスに包まれたまま、水面上に飛び出します。そして空中で弾道弾本体のロケットモーターに点火して、飛んでいきます。点火高度は、オハイオ級で一〇メーター以上です。弾道弾とガスがなくなったあとの発射筒には水が入ってきます。このような方法で発射することにより、水中に潜んだまま弾道弾を発射できるのです。潜水艦発射式弾道弾の隠密性を活かすには必要な技術です。

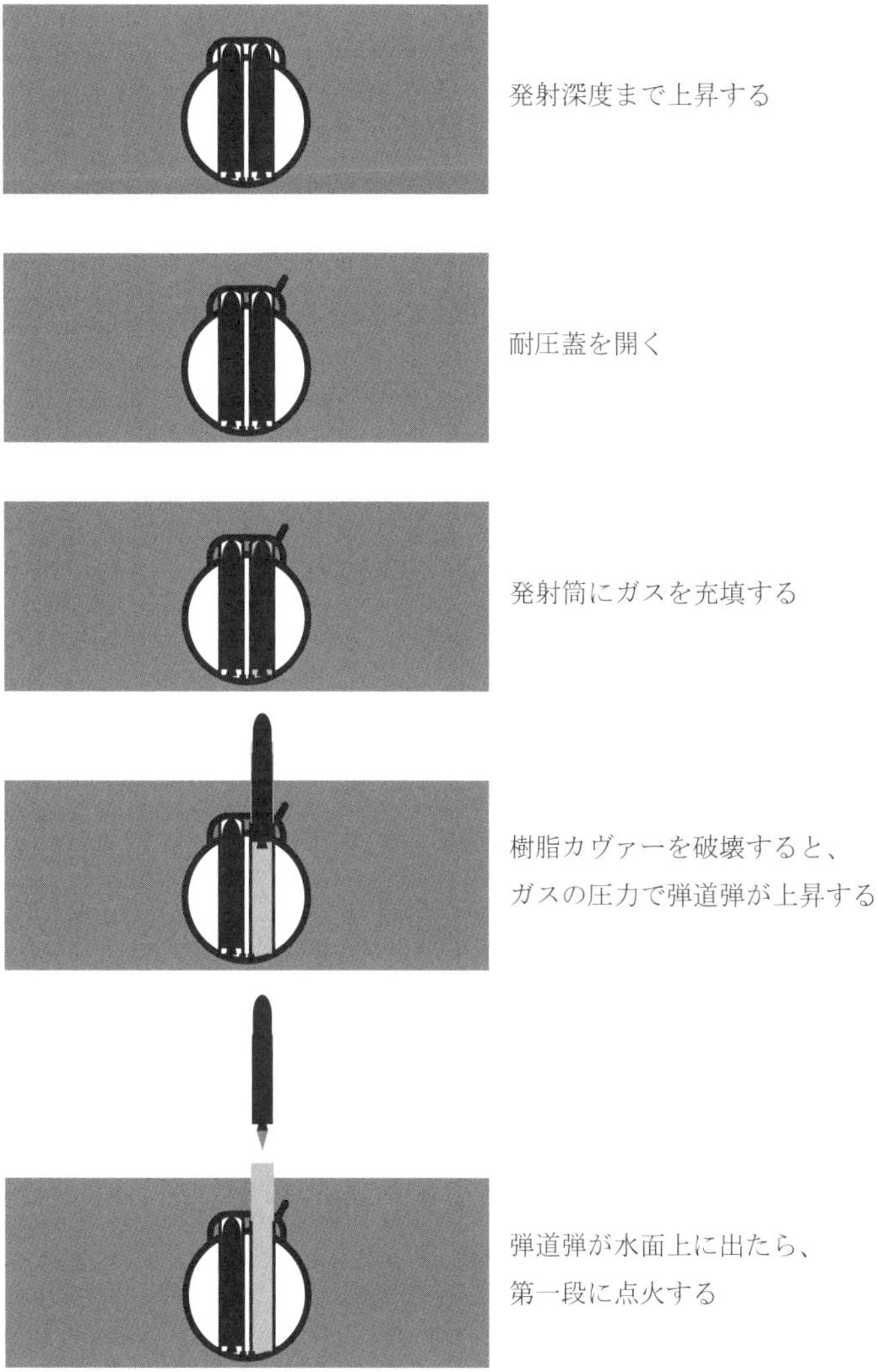
発射深度まで上昇する
耐圧蓋を開く
発射筒にガスを充填する
樹脂カヴァーを破壊すると、
ガスの圧力で弾道弾が上昇する
弾道弾が水面上に出たら、
第一段に点火する

図28｜潜水艦からの弾道弾の発射方法

充填するガスは、ガス発生装置でつくり出すのですが、ここにもちょっとした工夫があります。ガス発生装置は要するに火薬で、この燃焼ガスをこのまま発射筒内に噴きつけると、結局、発射筒内を高温に晒してしまうことになります。そこで、燃焼ガスを、水を入れたチャンバー内に導入します。そこでその水を一気に蒸発させ、発生した水蒸気と燃焼ガスの混合ガスを、発射筒内に充填するのです。こうすることで、発射筒内に入るガスの温度を下げることができます。

ソヴィエト連邦／ロシア連邦の潜水艦発射式弾道弾の発射方式は、これとは少し違っています。図29に示すように、弾道弾には、その先端部に、キャップのようなものが被せられています。このキャップのようなものを、緩衝ロケット発射システム（Амортизационную Ракетно-Стартовую Систему、АРСС）と言います。

緩衝ロケット発射システムは、これを取りつけた状態で輸送され、潜水艦の発射筒に装填され、発射されるので、さきほどの輸送発射コンテナのように見えるかも知れません。しかし、全体を覆っているわけではなく、先端部だけなので、内部にガスを満たして迫撃砲発射を行う、という風には使えません。

この緩衝ロケット発射システムを弾道弾に装着したまま発射筒に装填すると、頂部の円盤みたいなところの下、段差のあるところが、発射筒の頂部にはまって、潜水状態で耐圧蓋を開いても発射筒に水が入らないようになります。発射の際には、やはり発射筒にガスを充填して弾道弾を

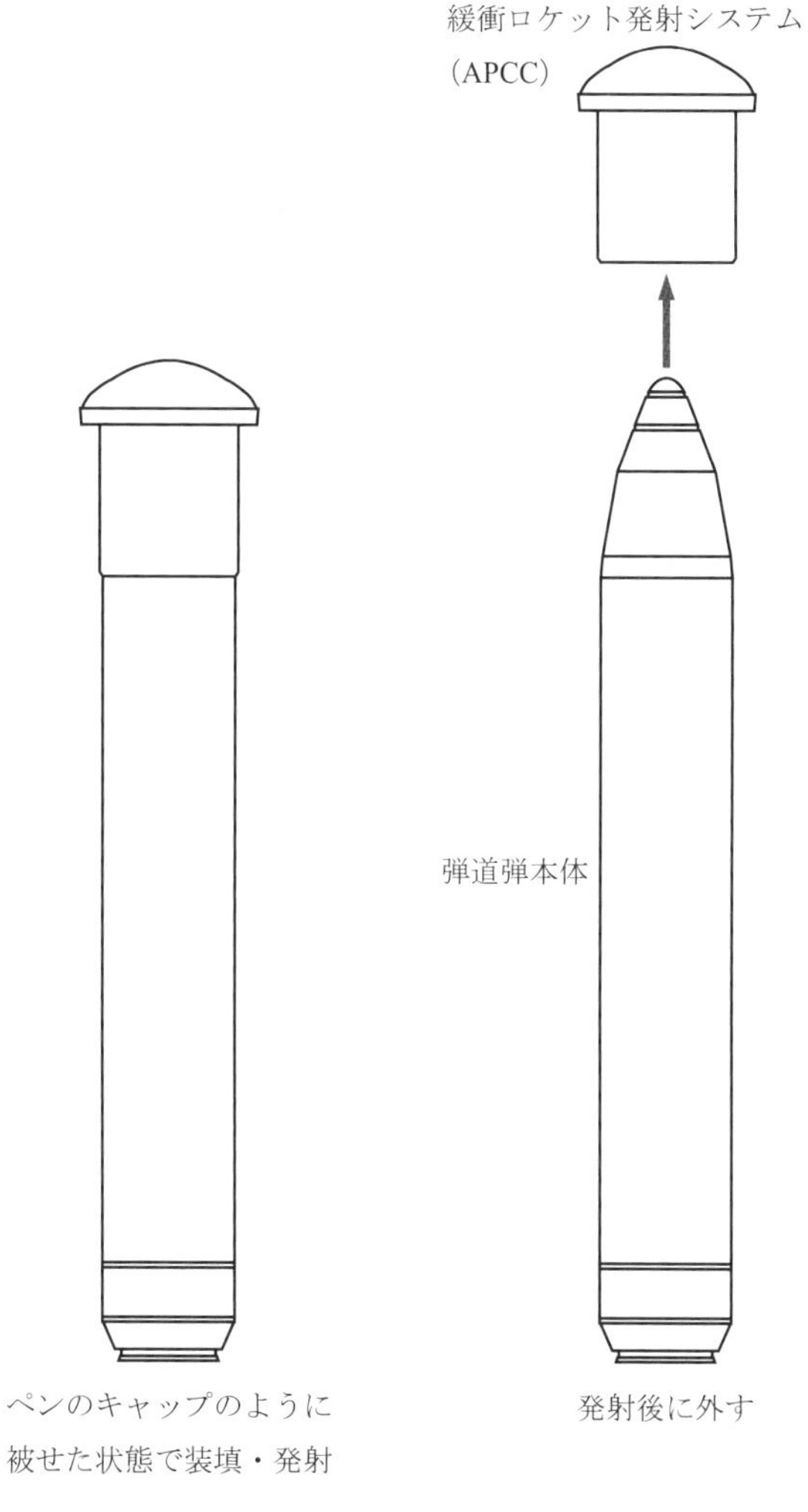

図29｜ソヴィエト連邦／ロシア連邦の潜水艦発射式弾道弾の例

水面上に打ち上げますが、上から被せてありますので、弾道弾の上に載ったまま、一緒に打ち上げられます。

ここで興味深いのは、弾道弾が、打ち上げられ点火したあと、ただちに斜め方向に姿勢変更することです。その斜め上を向いたまま、緩衝ロケット発射システムに内蔵されている固体燃料式ロケット（頂部の円盤みたいなところの下にあります）に点火し、これだけを進行方向（斜め上方向）に飛ばし、弾道弾から外します。それが充分離れたら、ふたたび姿勢変更して鉛直方向に向き、飛んでいきます。

なぜこのような複雑なことをしているのでしょうか。それは、万が一、弾道弾本体のロケットモーターが点火しなかった場合の、安全性を考慮してのことです。もし鉛直に打ち上げた場合にトラブルで点火しないとなると、弾道弾は潜水艦の上に落下してきますので、大変危険です。しかし、最初にちょっとだけでも斜めに打ち上げておくと、点火に失敗してもそこは潜水艦の真上から少しずれているので、潜水艦は安全だというわけです。実際に潜水艦の上に落下した例は僕は知りませんが、たとえば大陸間弾道弾では、さきほどのP-36M2の初めての発射試験の際に、ロケットエンジンが作動せず、落下して、サイロを破壊してしまった事故例があります（一九八六年三月二一日）。

また、この方法だと、緩衝ロケット発射システムは、潜水艦の真上でも、弾道弾の真上でもありませんので、役目を終えて落下しても安全なうえ、弾道弾の進路を邪魔することもありません。

打ち上げ後、ただちに
斜めに姿勢変更
APCCを内蔵のロケットで
打ち上げ、本体から切り離す
APCCが離れたら、
ふたたび姿勢変更して
鉛直方向に上昇する

図30｜緩衝ロケット発射システムを使った発射方法

よく考えられた方法だと言えます。

潜水艦からの発射に関しては、ほかにも気をつけなければならないことがあります。それは、潜水艦が水に浮かんでいるということです。第3章（142頁）にて、潜水艦が自分の位置を把握するのが難しいという話をしましたが、どのように技術が進化し、自分の位置が地上並みに正確に把握できるようになったとしても、この不安定な状態にいることは原理的に解消されません。つまり、弾道弾を発射する際に、その反動で船体が傾く、ということです。

潜水艦発射式弾道弾は、アメリカ合衆国のUGM-133で五九トン、ロシア連邦のP-30で三七トン、かつてソヴィエト連邦／ロシア連邦で運用されていたP-39で九〇トン（緩衝ロケット発射システム込み）もの発射重量があります。これを打ち上げるわけですから、船体側に伝わる反動も相当なものです。しかも、一発ずつ打ち上げるならともかく、弾道弾搭載潜水艦は、複数同時打ち上げ（サルヴォ、salvo）も可能なように設計するので、それを行ってなお、船体の傾きが打ち上げの際の弊害にならないようにしなければなりません。船体が大きく傾くと、まっすぐ打ち上げられないからです。そのため、弾道弾の発射筒は、船体の中央（浮力中心附近）に集められ、その前後の船体も充分大きめに取ってあります。また、弾道弾は、発射の都合上、鉛直方向に搭載しなければならず、それゆえに、船体には深さ方向の大きさも必要になってきます。そのため、弾道弾搭載型潜水艦は他の潜水艦に比べてとても大きく、たとえば五九トンのUGM-133

を二四基搭載するオハイオ級原子力弾道ミサイル潜水艦の水中排水量は一八七五〇トンで、九〇トンのP-39を二〇基搭載する九四一型戦略任務重原子力ロケット水中巡洋艦の水中排水量はなんと四八〇〇〇トンです。余談ですが、一九九七年には、九四一型のTK-13が三月に一九基の、同じく九四一型のTK-20が一二月に全弾二〇基の、それぞれ一斉発射を行っています。

潜水艦側にだけ負担をかけずに、弾道弾側でも搭載のための努力はしており、それが潜水艦発射式弾道弾の特徴的な形に顕われています。大陸間弾道弾に比べ、より寸詰まりの形をしているのです。弾道弾は大気圏を突破するまでは空気の影響を受けますので、細長い形のほうが制約も少なく設計できますが、潜水艦の船体に収めるにはその深さに合わせて設計しなければなりません。ソヴィエト連邦の最初期の潜水艦発射式弾道弾は長細く、しかもそれを搭載する潜水艦は小型でしたので、船体部分には収められず、セイルの中に搭載していました。そのため、最大でも三基しか弾道弾を積めず、あくまでも過渡期の弾道弾搭載型潜水艦でした。ソヴィエト連邦が本格的な潜水艦発射式弾道弾の戦力を整備したのは、そのつぎの世代の六六七型戦略任務原子力ロケット水中巡洋艦でアメリカ合衆国式に船体中央に弾道弾を搭載するようになって以降です。

寸詰まりの形をしていて問題なことのひとつに、先端部の空力があります。弾道弾が音速をはるかに超える速度になることはなんどもお話ししていますが、そのために、大気圏を突破するまでは、先端部で衝撃波が発生します。この衝撃波の発生の仕方が、鈍い形の先端部だと好ましくなく、余計な圧縮熱が発生して、先端部のフェアリングに大きな熱が加わります。それを緩和す

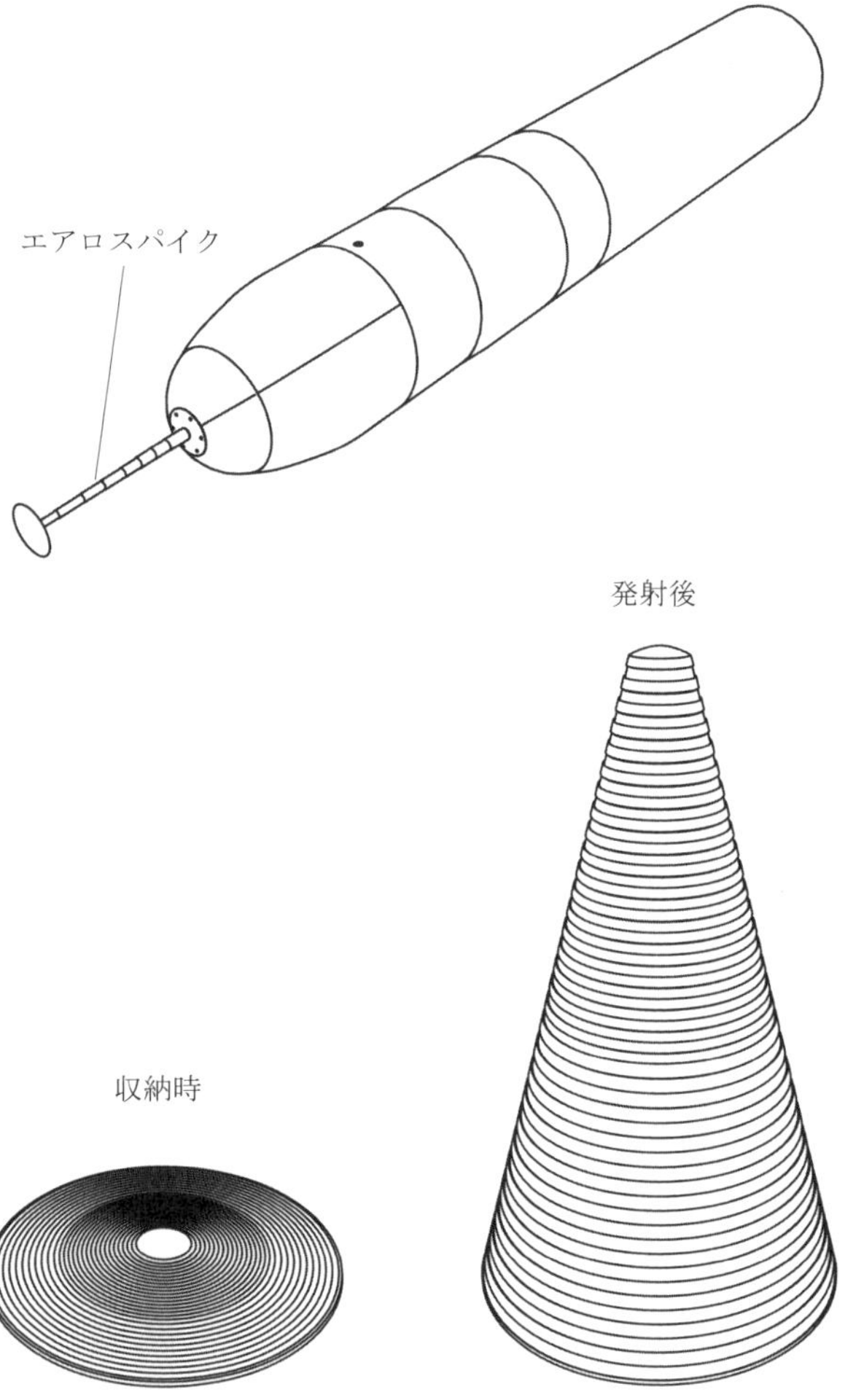

図31 ｜ エアロスパイクと伸縮式フェアリング

るために、たとえばUGM-133では、エアロスパイク（aero spike）と呼ばれる、伸縮式の棒のようなものが、先端部に取りつけられています。これは発射筒に入っているときは縮められてフェアリングの中に収納されていて、発射後に角のように上方に伸びて、その先端で衝撃波をつくり、フェアリングを守ります（図31上）。発射後に、実質的に細長く尖った弾道弾へと変身するようなものです。このエアロスパイクによって、空気抵抗が五〇パーセント削減されるそうです。いっぽう、さきほどのP-39の改良型であるP-39YTTXでは、フェアリングの先端そのものが伸縮式になっており、発射筒に収納されているときは短く、発射後は長くなるような仕組みになっています（図31下）。

車輌からの発射

ここまでに紹介した発射方式で、サイロは敵の先制攻撃にもある程度耐えるほど強固ですが位置は固定で敵側には把握されており、潜水艦はその隠密性によって生存性がきわめて高いですが潜水艦含めたシステムが高度で高価です。潜水艦ほどの隠密性とはいかなくとも、発射位置を変えられてあるていどの隠密性を確保し、かつ潜水艦よりもはるかに敷居が低い——ということで考え出されたのが、車輌に搭載して発射する方法です。まずは路上を走行する車輌から発射する方法について見てみましょう。

図32｜弾道弾輸送車輌15T284（上）と起立・装填車輌15У165（下）

もともと、弾道弾を製造する工場と配備するサイロとは離れているわけですから、その間を輸送する車輌は必要です。そして、当然ながら車輌は横長なので弾道弾は水平に寝かせた状態で輸送しますから、サイロに装填する際には、これを鉛直向きに立てる装置も必要です。図32は、大陸間弾道弾の輸送車輌（上）と起立・装填車輌（下）です。

その二つの技術があれば、あとは、車輌から発射することで、サイロなしでも発射できるようになります。つまり、発射位置まで輸送し（transport）、そこで弾道弾を鉛直に起こし（erect）、そして発射する（launch）一連の動作を、一輌の車輌で完結して行うことができれば、サイロなしで路面上のどこからでも弾道弾を発射できるシステムとなります。このような車輌を、輸送起立発射車輌（Transporter Erector Launcher、TEL）と呼びます。ロシア語では、弾道弾も含めたシステム全体で移動式地上ロケット複合体（Подвижный Грунтовый Ракетный Комплекс、ПГРК）と呼びます（ただし、狭義には、戦略弾道弾に対してのみ使われるようです）。

この輸送起立発射車輌は、短距離の弾道弾の場合は冷戦初期の頃から使われていて、その中でも、人類史上もっとも広い地域で実戦使用され、また、多くの国の弾道弾開発の基礎となった、P-11とその改良型のP-17がとくに有名です。第3章でも燃料のところで登場しましたね（94頁）。このP-11／P-17は、車輌に剥き出しで搭載され、起立したあと、ホット・ローンチで発射されます。この場合、車輌後部はロケットの燃焼ガスを浴びますので、なんらかの対策が必要です。この方式は、P-11／P-17以外の短射程の弾道弾にも広く使われています。

図33 ｜ РСД-10（上）とРТ-2ПМ（下）の輸送起立発射車輌

ソヴィエト連邦では、より長射程の弾道弾にもこの移動発射方式を適用しました。図33上は中距離弾道弾РСД-10の、図33下は大陸間弾道弾РТ-2ПМの、それぞれ輸送起立発射車輌です。РТ-2ПМは人類史上初の車輌発射式大陸間弾道弾です。どちらも、弾道弾は剥き出しではなく、輸送発射コンテナに入った状態で車輌に搭載されています。つまりこれは迫撃砲発射、コールド・ローンチなのです。この技術があったればこそ、この輸送起立発射車輌が実用化できたのです。このようにすることで、車輌はロケットの燃焼ガスを浴びません。発射までの間（発射すること自体がほとんどありません）の弾道弾の保護としても有効です。その代わり、輸送発射コンテナ分だけ重くなったものを輸送し起立させる必要があります。

たとえば北朝鮮の弾道弾では、北極星二は輸送発射コンテナ入りですが、火星一四や火星一五は剥き出しです。そのため、後者の弾道弾を発射する際には、輸送と起立までは同じ車輌が行いますが、起立後は弾道弾を地面に設置し、車輌を少し離れた場所まで退避させたあとで発射する方式を採っています。これでは、弾道弾を鉛直に立てられる場所を選ぶ必要があるうえに、発射までに時間と手間がかかるので、即応性の点では問題があります。しかし、火星一五で重量は七〇トンを超えると見られており、それを収納する輸送発射コンテナとそれを起立させるシステムが開発できなかったのかも知れません。したがって、この車輌ではTELとは呼べず、TE、止まりですね。

現在のロシア連邦では、車輌移動式の大陸間弾道弾（РТ-2ПМ、РТ-2ПМ2、РС-24）は五〇トン未満の比較的小型のもの（固体燃料式）で、二〇〇トンを超える超大型大陸間弾道弾Р-36М2（液体燃料式）はサイロ式、と棲み分けています。ちなみに、サイロ式の場合は一〇基もしくは六基で一連隊となりますが、車輌移動式の場合は九基（九輌）で一連隊となります。これらの車輌移動式の弾道弾は固体燃料式のために保存性がよく、この車輌に搭載された状態で一五年の保証期間があります（РС-24）。

ところで、図33の画像をごらんになって、何か気づかれたことはありますでしょうか。まずひとつは、車輪が接地しておらず、ジャッキアップされています。これは、ほかに移動式クレーンでもなんでも作業車ならよくやることですが、車輪にはサスペンションがついているために車体ががっちり固定されていないので、車輪を地面から切り離して車体を安定させるためです。潜水艦の発射のときにも問題になった「発射母機がふわふわしている」問題を解決するための措置です。そしてもうひとつは、車輪／車軸の数です。РСД-10が六軸なのに対して、РТ-2ПМは七軸です。その改良型のРТ-2ПМ2やРС-24では八軸となっています。これは、弾道弾と輸送発射コンテナを含めた車輌全体の重量の違いによるものです。ちなみに、さらに重い火星一五の輸送起立車輌は、九軸になっています。これらの車軸は、ほとんどが駆動される（РТ-2ПМでは七軸のうち六軸、РТ-2ПМ2／РС-24では総輪駆動）うえに、多くの軸が操舵できます（РТ-2ПМでは七軸のうち四軸、РТ-2ПМ2／РС-24では八軸のうち六軸）。このため、その巨大な車体から想像するよりずっと小回りが利きます（РТ-2ПМでは全長二二・三メーターに対して旋回半径二六メーター、PT-2IIM2／PC-24では全長二二・七メーターに対して旋回半径一八メーター）。このような車輌は、日本では大型の移動式クレーンなどで見ることができますが、全地形対応車輌（all terrain vehicle）と呼ばれ、舗装されていない不整地でも優れた走行性能を発揮します。道路以外の場所でも弾道弾を発射できるわけです。

この輸送起立発射車輌による発射方式は、発射場所を特定されないという隠蔽性の面では優れていますが、いっぽうで、先制攻撃に対しては脆弱で、近隣への核攻撃による衝撃波で転倒してしまうとそれだけで発射不能になるほか、核兵器以外の通常兵器の攻撃でも、かんたんに破壊されてしまいます。ロシア連邦のように広大な国土を持つ国の場合は、その奥地で運用している限り、敵の弾道弾以外ではそうそう先制攻撃されることはありませんが、狭い国土で運用する場合には、敵の航空攻撃などでも容易に破壊されうることを考慮に入れなければなりません。ロシア連邦がこの移動発射式とサイロ発射式を併用して運用しているのは、それぞれの利点を活かして多様性を持たせるためです。

なお、ロシア連邦以外で輸送起立発射車輌による大陸間弾道弾を運用しているのは、同国の技術を継承した中国と北朝鮮です（前述のように北朝鮮のものはそのまま発射できませんが）。

鉄道からの発射

車輌から発射する場合は、もうひとつの発射方式があります。それは、鉄道車輌から発射する方式です。鉄道車輌は、レールが敷かれた場所にしか移動できないため、輸送起立発射車輌に比べると隠蔽性は限定的ですが、それでも発射位置が固定されているサイロとはまったく違った運用ができます。この鉄道発射方式を世界で唯一実用化したのはソヴィエト連邦で、PT-23УTTXが人類唯一の鉄道発射式大陸間弾道弾です。ロシア語では、この方式の弾道弾のシステムのことを、戦闘鉄道ロケット複合体（Боевой Железнодорожный Ракетный Комплекс、БЖРК）と呼びます。この複合体では、一日で最大一〇〇〇キロメーターの移動を目指していました。

鉄道車輌が輸送起立発射車輌に比べて優れている点は、より大きな弾道弾を搭載できることです。PT-23УTTXの発射重量は、PT-2ПМやPC-24の倍以上の一〇五トンです。これは、固体燃料式弾道弾としては史上最大です。そのため、投射重量も大きく、PC-24が四発の弾頭（合計核出力〇・六～一・二メガトン）を搭載するのに対して、PT-23УTTXでは一〇発もの弾頭（合計核出力四・三メガトン）を搭載できます。

発射方式はやはり迫撃砲発射で、図34で起立している筒が輸送発射コンテナです。このコンテナが発射車輌一輌につき一基搭載され、その発射車輌三輌と、発射管制機器を積んだ車輌七輌、機関車二輌、燃料タンク車一輌で一編成となり、この一編成で一連隊となります。つまり三基の

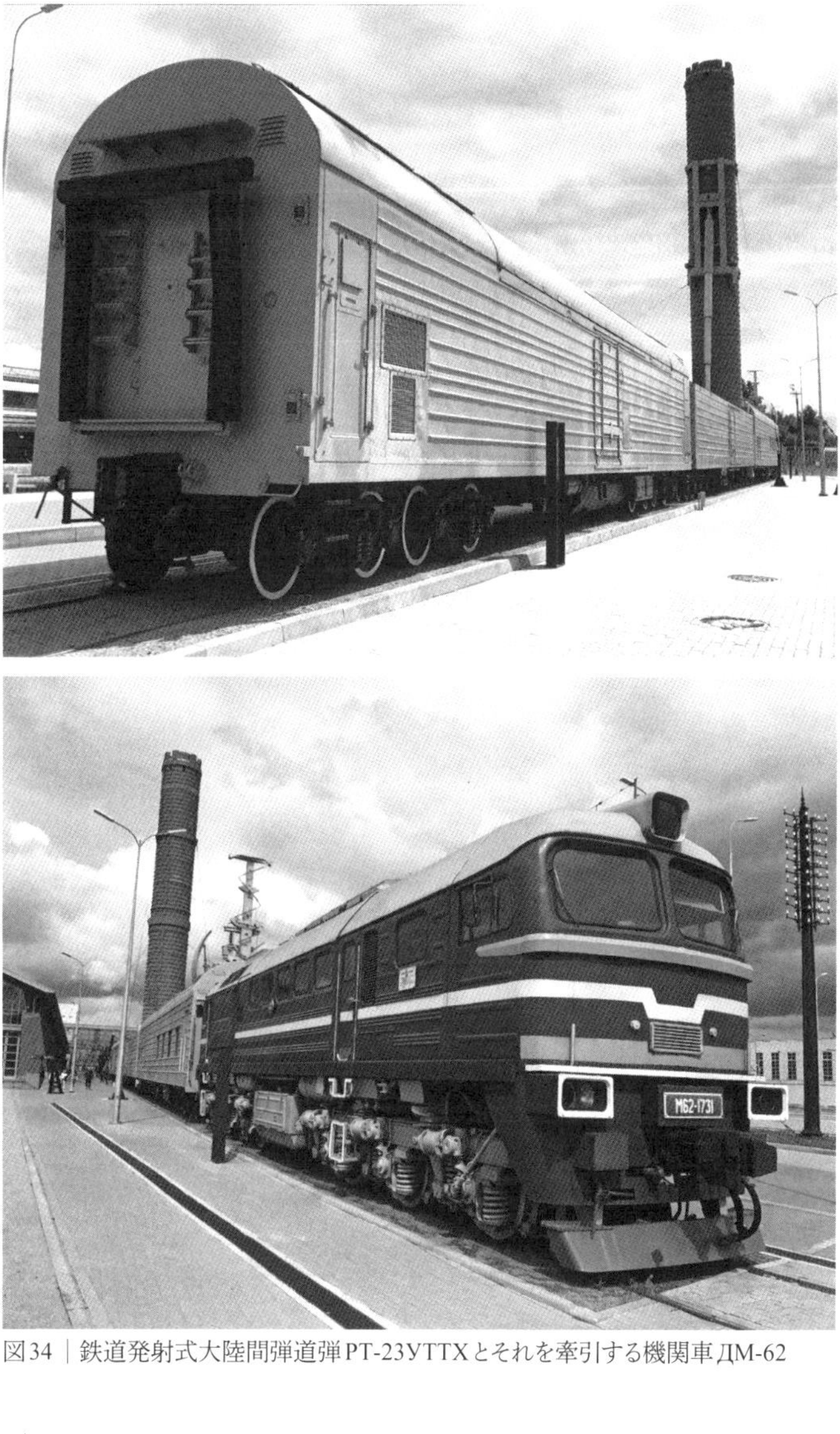

図34｜鉄道発射式大陸間弾道弾PT-23УТТХとそれを牽引する機関車ДМ-62

弾道弾で一連隊なので、サイロ式や輸送起立発射車輌式に比べて一連隊あたりの装備数は少なくなっています。最終的に三個ロケット師団、一二個ロケット連隊、計三六基が配備されましたが、アメリカ合衆国との間の戦略的攻撃能力削減条約（144頁）にて削減対象となり、ロシア連邦時代になってから全廃されました。また、PT-23УТТХ はサイロにも配備され、こちらは二個ロケット師団、六個ロケット連隊、計五六基が配備されましたが、こちらも同じく全廃されました。ちなみに、そのPT-23УТТХ用のサイロが、図25に示したサイロです。

鉄道発射式の欠点は、輸送起立発射車輌式と同じで、先制攻撃に弱いことですが、PT-23УТТХの開発にあたっては、実物の鉄道車輌を用いて爆風による衝撃波試験を行っており、その衝撃波抵抗は、縦方向で〇・三気圧、横方向で〇・二気圧となっています。サイロの一〇〇気圧以上（154頁）と比べると、きわめて脆弱であることがわかります。

また、狭い輸送発射コンテナに収めるため、P-39УТТХ と同じく伸縮式のフェアリング（図31、168頁）を備えていました。ほかにも潜水艦発射式弾道弾との類似点があり、迫撃砲発射による打ち上げの際には、斜め上に打ち上げ、弾道弾本体の点火後に姿勢を変えて鉛直方向に飛んでいく方式が採られています。これもやはり、万が一点火できなかった場合に、発射母機である鉄道車輌を守るための措置です。さらに言えば、このPT-23УТТХの第一段のロケットモーターが、P-39とP-39УТТХの第一段に流用されています。

ロシア連邦では条約によって全廃された鉄道発射式大陸間弾道弾ですが、中国では現在開発中だと言われています。

発射手順

ここで、大陸間弾道弾の発射手順について説明しておきましょう。この節での説明は、ソヴィエト連邦の戦略任務ロケット軍のもので、画像はその発射発令処が博物館として残されている戦略任務ロケット軍博物館（ウクライナ）にて、僕が撮影してきたものです。操作手順については、博物館の方（元戦略任務ロケット軍所属の軍人）の説明によるものです。

発射発令処は、一二階建ての円筒状の構造物をユニットとして工場で組み立て、サイロと同じ構造の竪穴に設置され、地下深く守られた場所から発射操作を行うようになっています。図35がその断面模型ですが、図25（155頁）と比べていただくとおわかりのように、弾道弾の代わりに発射発令処が装填された形になっています。発射発令処は、敵からの先制攻撃の衝撃を緩和するよう、防振台の上に載せられています。地下一二階のうち、地下一一階が発射操作室で、地下一二階が仮眠室、それ以外は制御機器などの機械室です。発令処の上、サイロの最上部は、弾道弾のサイロと同じく、分厚い鉄の蓋で覆われています。その蓋は無垢の鉄ではなく、その中にパラフィンが充填されています。このパラフィンは、核爆発によって放出される中性子を遮蔽・吸収する役割があります。中性子は、人間にとってとても有害ですが、それと同時に、電子機器を破

図35｜大陸間弾道弾の発射発令処の断面模型

壊したり誤作動を起こさせたりするので、発令処や弾道弾が入っているサイロは、中性子から守られなければなりません。そのためにこういう構造になっています。

ソヴィエト連邦／ロシア連邦の戦略ロケット軍の編成では、標準的な大陸間弾道弾はサイロ一〇基で一連隊、P-36M2のような重大陸間弾道弾は六基で一連隊となっており、それらを一つの発射発令処から発射操作します。

操作室の中央には警告表示盤があり、その右側に一つ目の操作卓があります。警告表示板の正面に、もう一つの操作卓があります。二人の操作員がこの二つの操作卓を同時に操作することで大陸間弾道弾が発射されます。操作員は六時間交代で二四時間三六五日張りついて、発射指令を待ちます。

発射シークエンスは以下の通りです（図36）。

1. 警告表示盤上部のランプが、訓練モード（右）から、実戦モード（左）へと変わります。そして、中央の円状に並んだ警告灯が、警告音とともに点滅します。この警告灯は一〇個ありますが、それが、この発射発令処から操作できる一連隊分の一〇基の大陸間弾道弾を示しています。

2. 操作卓左上のパネルに、上部組織からの指示が表示されます。その指示にしたがって、あらかじめ用意されていた指令書のひとつを開封します。

3. 操作卓の中央にある操作パネルの中央下のキーを使って、操作パネル左上の入力欄に、指令書にしたがって暗号を入力します。

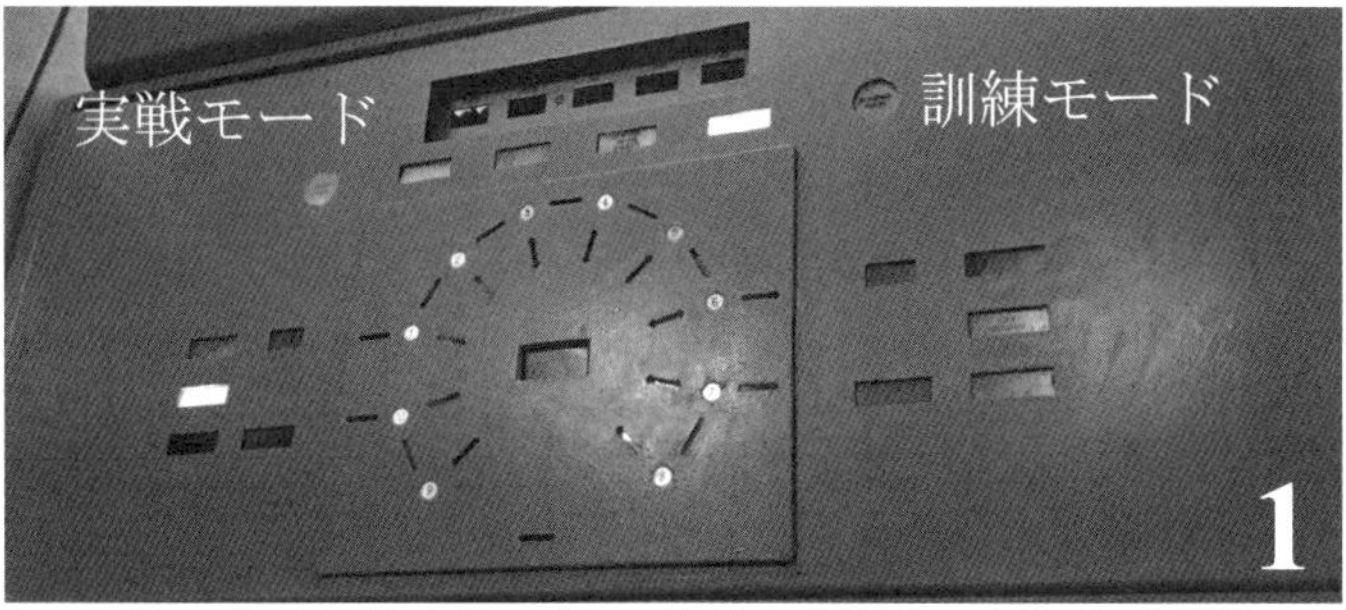
実戦モード
訓練モード
1

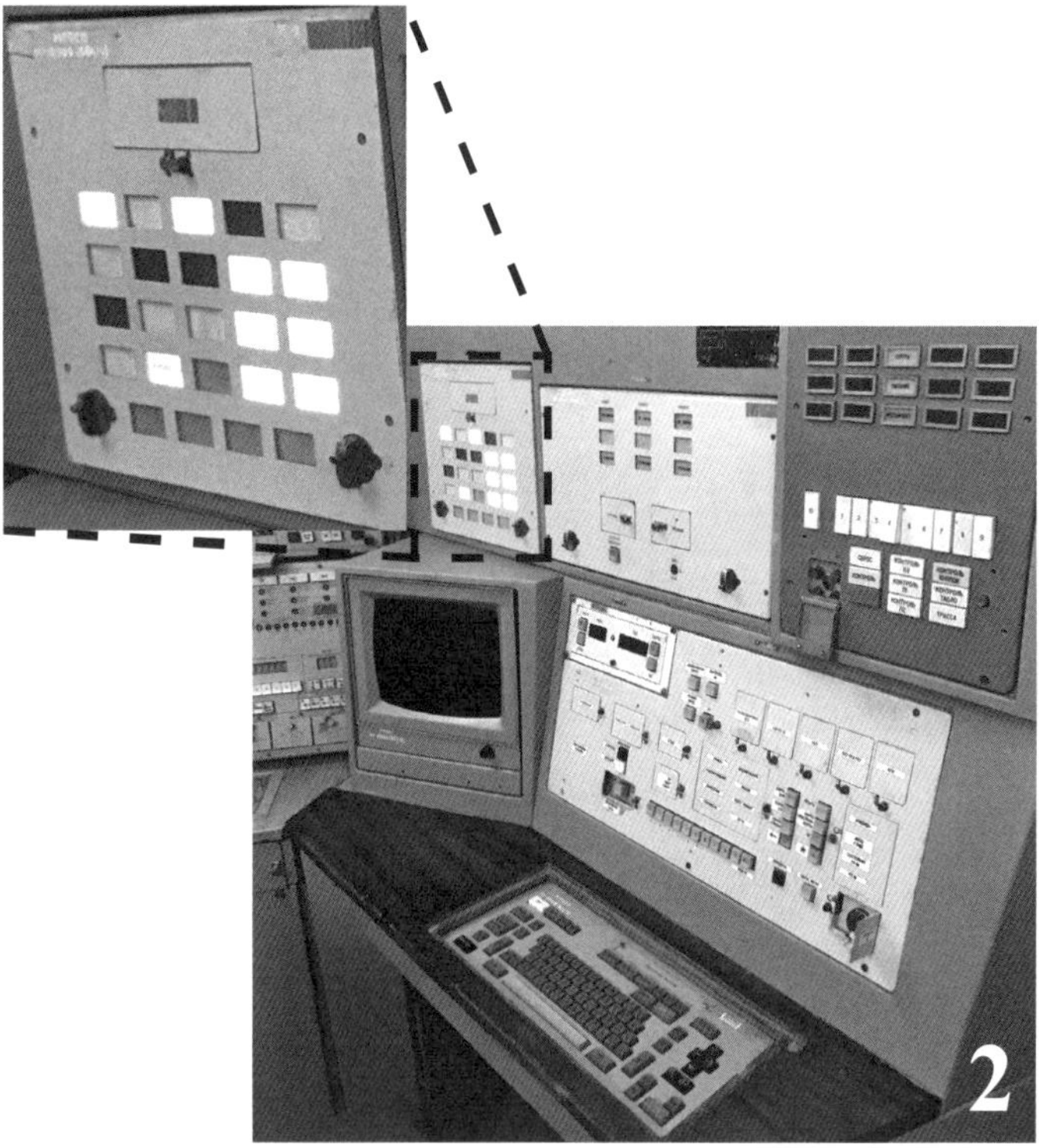
2

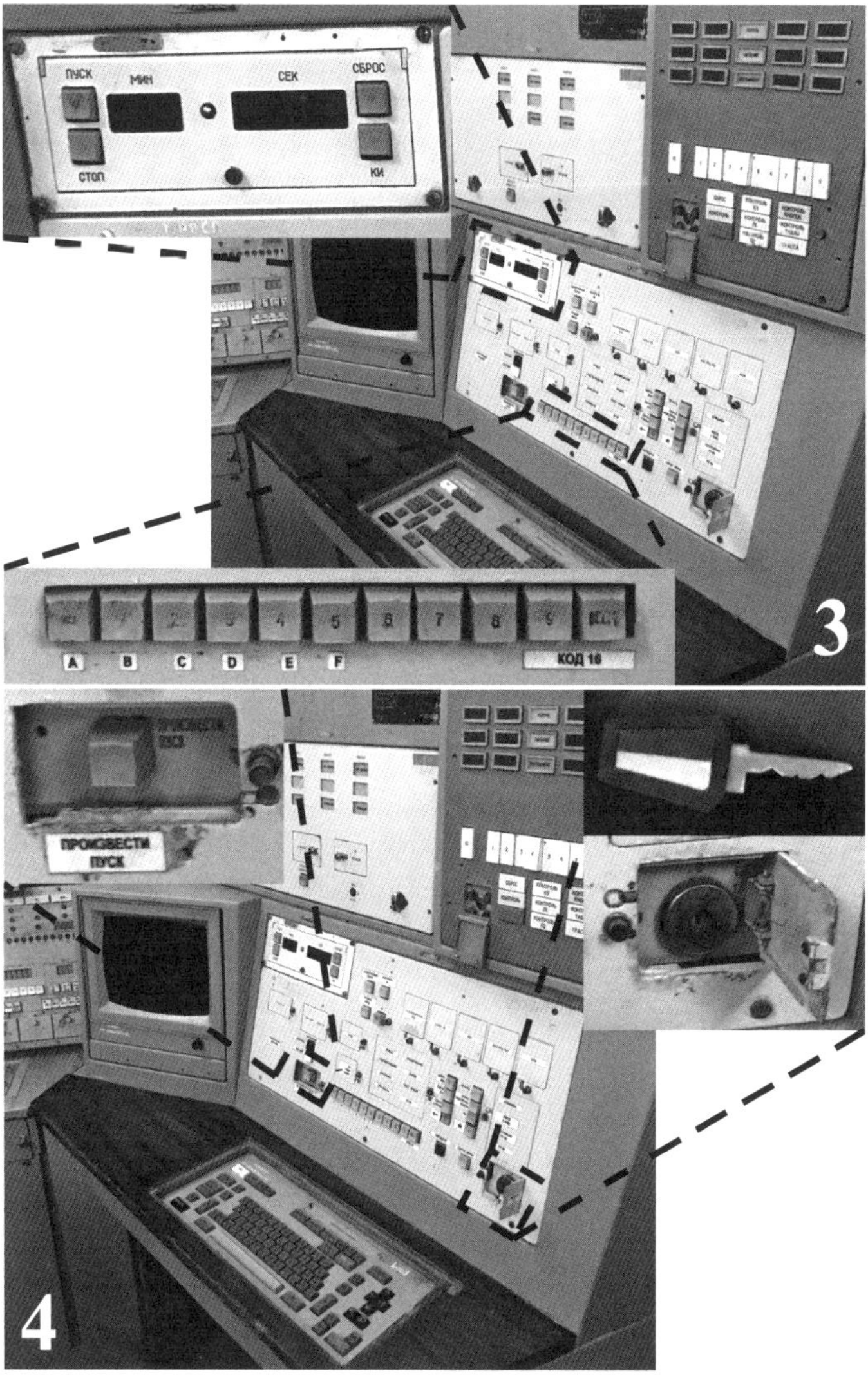

図36｜大陸間弾道弾の発射手順

4. 操作パネル左下のボタンを押しながら、右下の鍵穴に発射操作鍵を差し込み、回します。この操作は、ひとりの人間の両手を使わせ、ほかの動きをさせないためのものです。鍵は、最初に九〇度、それからさらに九〇度回します。これで大陸間弾道弾が発射されます。この操作は、二人の操作員がそれぞれの操作卓で一・五秒以内に同時に行う必要があります。それを超えるとやり直しです。それに三回失敗したら、この操作室からは操作できず、別の場所にある発令処から操作を行います。

この発射発令処の型式は15B52Yで、前述のPT-23YTTXのサイロ発射型用ですが、現役のロシア連邦の大陸間弾道弾の発射発令処も同様のつくりになっています。

弾頭の切り離し

本章後半では、弾頭部について見ていくことにしましょう。この弾頭を敵地まで運ぶことこそが弾道弾の目的なわけですが、ロケット部の燃料が尽きて加速が終わり、楕円軌道に乗ったあとは、ロケットの部分は不要で、余分な重量・体積となりますので、切り離したほうが得策です。あとでお話しする再突入においても、超高速で空気の力を受けるだけに、余分なものがないほうが望ましいからです。ただし、短距離弾道弾の場合は弾頭の切り離しを行わない場合が多いです。

弾頭や制御機器などが入った、着弾までを行う部分を、ロシア語では戦闘ユニット（Боевые Блоки、ББ）、英語では再突入体（Reentry Vehicle、RV）と呼びます。弾道弾の行程では、実はこの再突入体の状態で飛行している状態がほとんどです。再突入体の構造についてはのちほどお話しするとして、まずはその切り離しから見てみましょう。なお、弾頭と再突入体は本来は異なるものですが、本章ではそれほど厳密には区別せず、文章に合わせて弾頭と言ったり再突入体と言ったりし、ほぼ同じ意味合いとして扱っているところもあると思っておいてください。

弾頭を切り離すときに注意しなければならないのは、通常の弾頭には、動力装置や能動的に姿勢を変えるような機構はついていないということです（ついているものについては、本章の最後に書いておきます）。ということは、切り離しの段階で、大気圏に突入する最終的な姿勢にしておかなければなりません。弾道弾の軌道は楕円で、地表から見るといったん上がってから落ちてくるので、ちゃんと落ちるときに進行方向を向くようにすると、弾頭の切り離しの時点では進行方向とは逆の、不自然な向きを向かせることになります（図37）。このため、ソヴィエト連邦時代に開発された潜水艦発射式弾道弾では、最初から下向き（打ち上げの方向から見て）に弾頭を取りつけているものもあります（後述、193頁）。

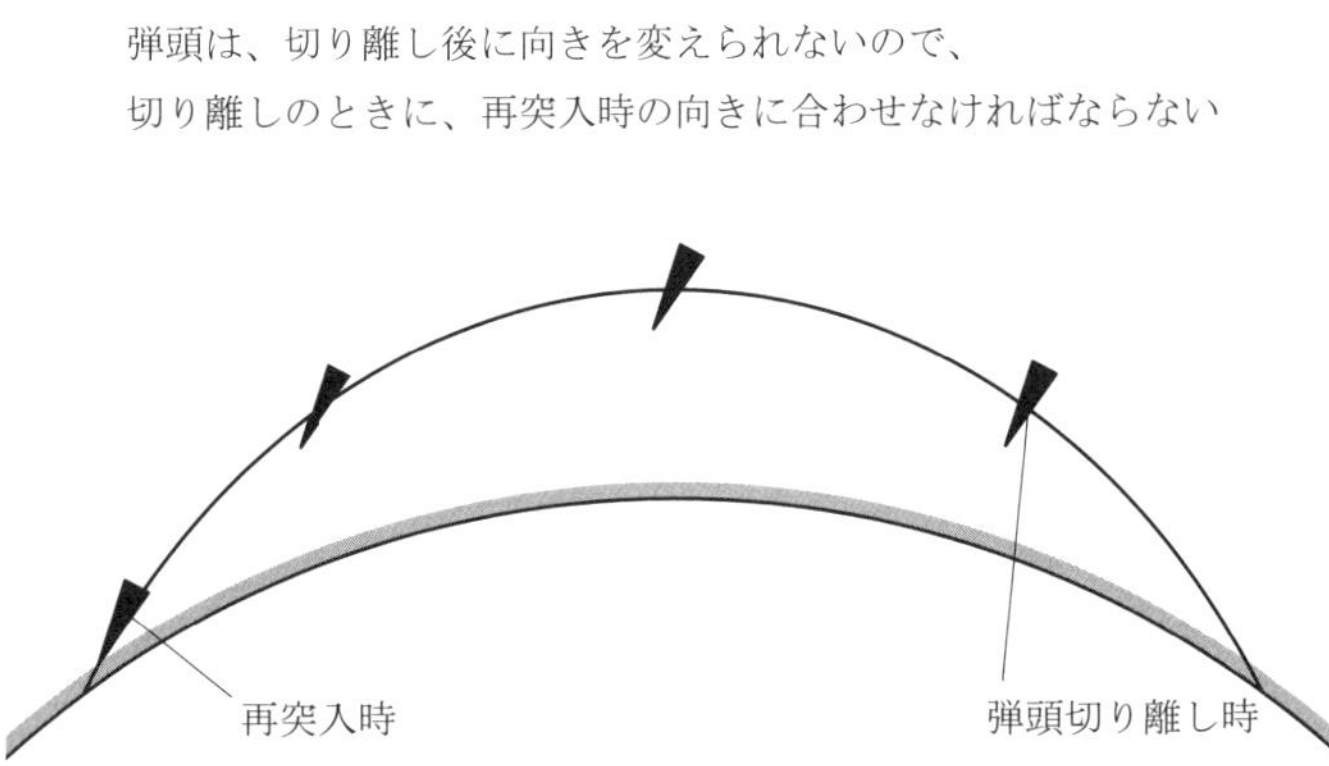
弾頭は、切り離し後に向きを変えられないので、
切り離しのときに、再突入時の向きに合わせなければならない
再突入時
弾頭切り離し時

図37｜弾頭の向き

分割弾頭

弾道弾の技術が上がってくると、ひとつの弾道弾に複数の弾頭を載せるようになってきます。というのも、同じ総重量のペイロードでも、単一の巨大な核弾頭を積むよりも、複数の小型の核弾頭を積んだほうが、より効果的に敵地に損害を与えられるからです。

たとえば、アメリカ合衆国の潜水艦発射式弾道弾UGM-133は、W88核弾頭を最大八基搭載できます。W88の核出力は四五五キロトンですから、合計三・六四メガトンの核出力となります。この核弾頭でロシア連邦のサイロを攻撃することを考えてみます。一般に、核爆発による衝撃波でサイロを確実に破壊できる圧力の基準は五〇〇〇ポンド／平方インチとされ（インチ・ポンドなのがなんとも…といった感じですが、普通の単位系だと三四メガパスカルになります）、その圧力となる範囲は、四五五キロトンだと半径二〇五メーター、三・六四メガトンだと半径四一〇メーターとなります。ロシア連邦の大陸間弾道弾サイロは、互いに数キロメーター離れて設置されています（今執筆中にロシア連邦の何箇所かのサイロの間の距離を地図上で測ってみたところ、平均して六キロメーターていどでした）。ということは、四五五キロトンが八発であれば八箇所のサイロを撃破できるのに対して、三・六四メガトン一発にまとめてしまうと、一箇所のサイロしか撃破できないことになってしまいます。仮にこの一〇倍の三六・四メガトンで計算しても半径八八〇メーターとなり、やはりサイロ一基しか破壊できません。ここに、複数の核弾頭に分けて攻撃する意味があります。実際には、第3章（144頁）でお話しした平均誤差半径も絡んできますから、そのあたりの計算を附録14にまとめておきます。

また、都市部の攻撃に使われた場合でも、たとえば晴れた（視界が広い）状態で爆発したとき、半数の人がIII度熱傷（熱傷ではもっとも重く、全身に及んだ場合に治療しないと死に至る）となる範囲は、三・六四メガトン一発だと八八〇平方キロメーターですが、四五五キロトン八発だと一八〇〇平方キロメーターとより広範囲にわたって損害を与えられます。施設を攻撃する場合でも、人を攻撃する場合でも、複数の弾頭で攻撃したほうが大きな損害を与えられるのです。

初期の頃は、複数の弾頭を単にばらまいていただけですが、そのうち、弾頭ひとつひとつを別々の目標に対して狙いをつけて投射できるようになりました。これをMIRV（Multiple Independently-targetable Reentry Vehicle）と言います。ロシア語では分割弾頭（Разделяющиеся Головные Части、РГЧ）と言います。さきほどの例だと、八発の弾頭で八箇所のサイロを撃破するには、八発それぞれが狙ったサイロに正確に着弾しなければなりません。

この場合、これら複数の弾頭は、最終段のロケットに直接載せるのではなく、PBV（Post-Boost Vehicle）と呼ばれる飛翔体に載せます。このPBVを、ロシア語では分割段（Ступень разведения）、戦闘段（Боевая ступень）、もしくは自律分割部（Автономный Блок Разведения、АБР）と呼びます。分割段は、加速用の推進器はついていないことも多いのですが、姿勢制御用の推進器はついており、その推進器により、弾道軌道上を飛行しながら順次姿勢を変えていき、

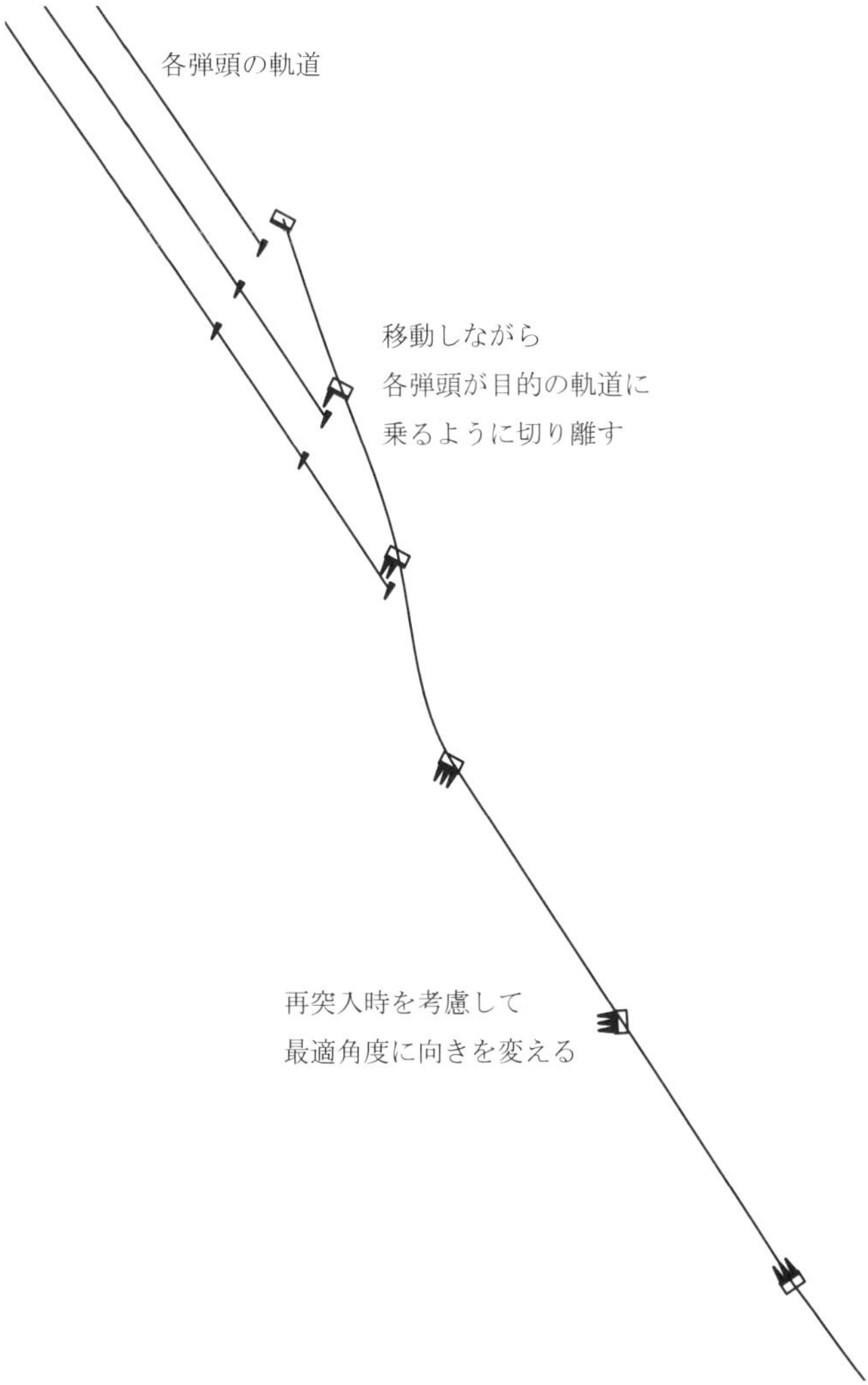
各弾頭の軌道
移動しながら
各弾頭が目的の軌道に
乗るように切り離す
再突入時を考慮して
最適角度に向きを変える

図38｜分割段による弾頭の切り離し

図39｜LGM-118用の分割段に再突入体を搭載する作業の様子（合衆国空軍）

そのたびに弾頭を切り離していきます。こうしてひとつの弾道弾で複数の目標に弾頭を投射できるのです（図38）。また、分割段は、弾頭をひとつひとつ違った場所に投射していくことから、客をひとりひとり違った場所に降ろしていくバスにたとえ、英語圏では俗に「bus」とも呼びますが、おもしろいことに、ロシア語でも俗に「автобус」（やはりバスの意）とも呼びます。

この分割弾頭方式は、冷戦後期には多くの弾道弾に採用されましたが、冷戦後の一九九三年に調印された第二次戦略兵器削減条約（Договор о сокращении Стратегических Наступательных Вооружений II、СНВ-II、もしくは、STrategic Arms Reduction Treaty II、START II）の中に廃止することが盛り込まれました（ただし大陸間弾道弾のみ）。しかし結局同条約はロシア連邦側が批准を行わなかったために、中途半端に適用され、分割弾頭方式の弾道弾は減りはしたもののそれなりの数が残りました。ところが、二一世紀に入り、アメリカ合衆国で弾道ミサイル防衛システムが構築されると、多くの弾頭が同時に投射されたほうがより迎撃されにくいことから（第5章276頁）、この分割弾頭方式はふたたび脚光を浴びることになりました。なお、潜水艦発射式弾道弾では、ロシア連邦でも、アメリカ合衆国でも、すべてがこの分割弾頭式です。

寸詰まりの形にならざるをえない潜水艦発射式弾道弾ならではの工夫についても触れておきましょう。図40上に、ここまで何度も登場しているアメリカ合衆国の潜水艦発射式弾道弾UGM-133の分割段部分を示します。UGM-133では、上下寸法を節約しながら性能を高めるために、第三段のロケットモーターが分割段を貫通する形となっています。長さの制約をあまり受け

UGM-133の第三段と分割段

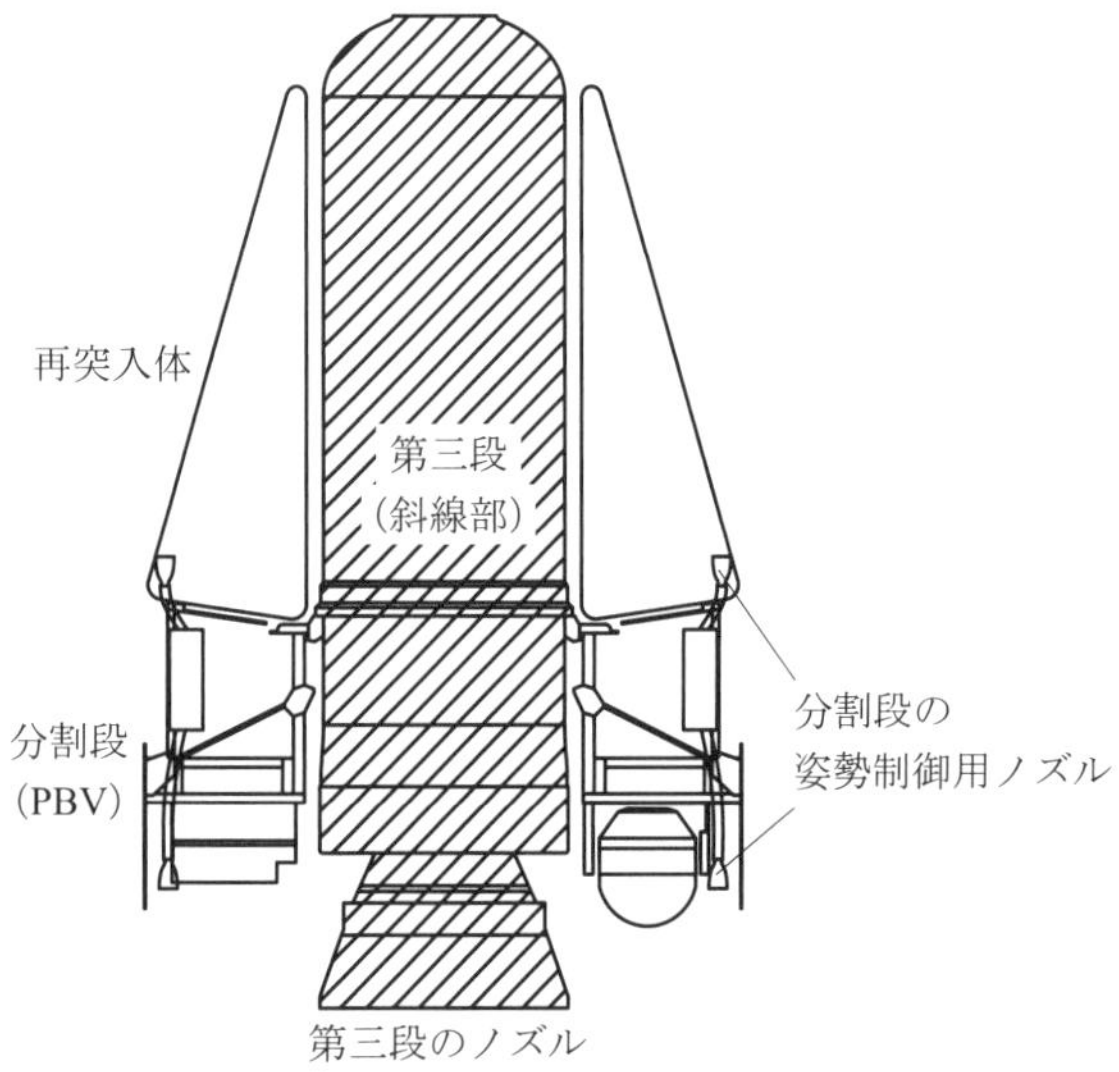

P-29の分割段

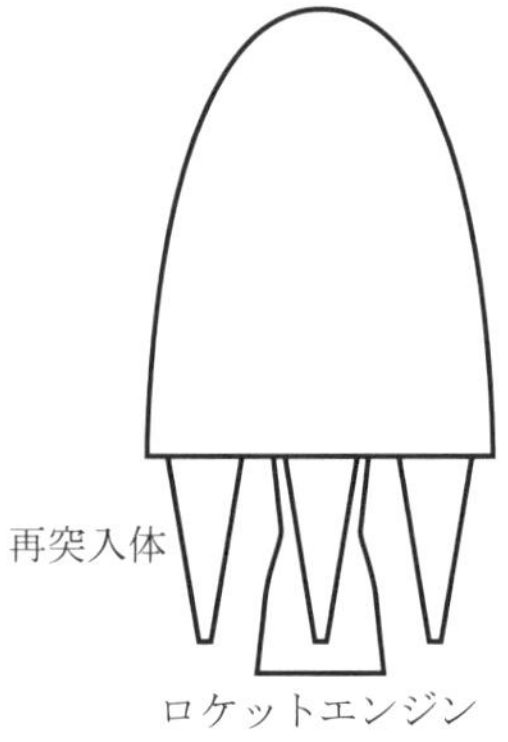

図40｜潜水艦発射式弾道弾の分割段の構成の工夫

ない大陸間弾道弾では、最終段の上に分割段が載せられる形になっていますので（図16、78頁）、その違いがよくわかります。この形でフェアリングの中にうまく収めるために、UGM-133では、再突入体は第三段のロケットモーターに寄り添うように傾けて設置されています。第3章（105頁）でお話ししたように、UGM-133のロケットモーターの燃料はほとんど爆薬ですので、それに核弾頭（再突入体）が寄り添うように設置されているという、火気安全的には相当問題のある配置になってしまっています。性能を高めるためとは言え、万全の安全対策を行わない限り使えない方法です。また、ソヴィエト連邦の液体燃料式の潜水艦発射式弾道弾（たとえばP-29）では、ロケットエンジンを取り囲む形で再突入体が取りつけられています（図40下）。こうすることで上下寸法の節約になるだけでなく、さきほど（185頁）お話しした、弾頭の向きを再突入する際に最適な方向に向けるという意味でも、よく考えられた取りつけ方です。しかし、いっぽうで、弾道弾の発射時には、外れる方向に力がかかりますので、よりしっかりとした固定が必要です。

再突入

本章は、発射という「最初」の行程から始めましたが、「最後」の行程で締めくくってみましょう。地球の裏側まではるばる一〇〇〇〇キロメーターの道程を経て、着弾まであとわずか一〇〇キロメーター、となったこの最後の段階で、最大の障害にぶつかることになります。それは大気との衝突です。やはり最後に現われるからこそのラスボスですね。

大気は我々人類にとってなくてはならないもので、だからこそ弾道弾が目標とする施設も大気中にあるわけです。ふだんその中で静かに暮らしていると文字通り「空気のような存在」で弊害など感じないものですが、大気の外から突入してくる者には、それは分厚い障壁となって立ち塞がるものです――とくに、秒速数キロメーターなどという超高速で突入する場合には。

空気は一見すかすかのようでも、超高速でこれに突入した場合、その空気を圧縮してしまい、それによって「障壁」を生成してしまうことになります。その「障壁」は、再突入する弾頭に減速方向の抗力を与えますが、それ以上に問題となってくるのは、「障壁」が生む圧縮熱です。ある量の気体があったときに、それを熱の出入りがない（少ない）状態で圧縮して体積を小さくすると、温度は上がります。これは断熱圧縮という現象で、みなさんがふだん使っているエアコンにも使われているものですが、超音速飛翔体の場合、この圧縮の度合いも「超」がつくだけに桁違いで、その温度上昇はすさまじいものになります。再突入体の形状や突入時の状態にもよりますが、一般に六〇〇〇℃を超える超高温です。高温となった空気は電離してプラズマになるくらいです。そして、その熱が弾頭に伝わると、何も対策をしないままでは、その機能を失い、ついには溶けてしまいます。着弾前に溶けてしまっては、なんのためにわざわざ一〇〇〇〇キロメーターの道程を運んだのかわかりません。ですから、なんらかの熱対策を施すことで、再突入体の中の弾頭を熱から守ります。

ごく初期の頃の弾道弾では、とにかく溶けないことが第一ということから、宇宙開発における着陸船のように、正面の面積が広い、いわゆる「鈍い先端」を持つ再突入体を採用していました。こうすると、発生する衝撃波も鈍い形となり、圧縮された高温の空気の層が再突入体の前方に形成されるため、再突入体の先端温度は比較的低く抑えられます。そして、空気の薄い高空からずっと大きな抵抗を受け続けるために、ゆっくりと時間をかけて減速しながら落下していくことになります。この方法は、最終的に穏やかに着陸しなければならない着陸船には適した方法ですが、超高速で着弾するのが「売り」の弾道弾には適した方法とは言えません。まさに、溶けてしまってはどうしようもないから仕方なく採った、という妥協的な手段です。

ところが、この熱問題を解決する方法が見つかったために、再突入体は、本来あるべき、鋭い円錐形へと進化しました。この形であれば、空気抵抗が低いために高速を保ったまま着弾することが可能で、相手が防御する時間を最小限に短縮できます。また、この形状だと、空気から受ける力が、進行方向（円錐の縦方向）がほとんどで横方向の力が少ないことから、空気による影響によって軌道が狂う量も格段に少ないため、着弾の精度も高くなります。ここに、弾道係数(ballistic coefficient) β というパラメーターがあります。これは、

$$\beta = \frac{m}{C_D S}$$

という形で求められます。mが再突入体の質量（ここを質量ではなく重量にする場合もありますが、本書では質量とします）、C_Dが抗力係数、Sが投影面積です。現代の弾道弾の再突入体ではC_Dは0.05〜0.1ていどで、Sは円錐形をしているなら底面の面積です。この弾道係数が大きいほど、鋭く直進性のある再突入体だということになります。この値が、初期の弾道弾の再突入体では500〜2,000 kg/m^{2}ていどだったものが、現代のそれでは5,000〜20,000 kg/m^{2}ていどと、一桁大きくなっています。たとえば、高度100 kmから、水平に対する角度27度で6.8 km/sの速度で再突入した場合（第2章で計算例としたテイコヴォ→ペンタゴンの最小エネルギー軌道の場合）の、弾道係数が1,000 kg/m^2（破線）と10,000 kg/m^2（実線）の再突入体で、再突入の様子がどれくらい違うのかを、図41から図43に示します。これは進行方向からのみ空気の力を受ける場合のモデル計算で、計算の詳細は附録15に書いておきます。

図41は、時間とともに高度がどのように変化するかを示します。時刻0のところが、さきほどの初期値、高度100 km、速度6.8 km/s、水平に対する進行方向の角度27度になっています。二つの弾道係数について、高度30 km附近まではほとんど同じですが、高度15 km以下ではその挙動がはっきりと違うことがわかります。10,000 kg/m^{2}のほうはほぼそのまま落下し、地表に着弾するまでにわずか33秒しかかかりません。いっぽう、1,000 kg/m^{2}のほうは、ここから急に減速してなかなか地表に到達せず、着弾まで96秒と三倍も時間がかかっています。

図42は、時間とともに速度がどのように変化するかを示します。10,000 kg/m^{2}のほうは25秒附

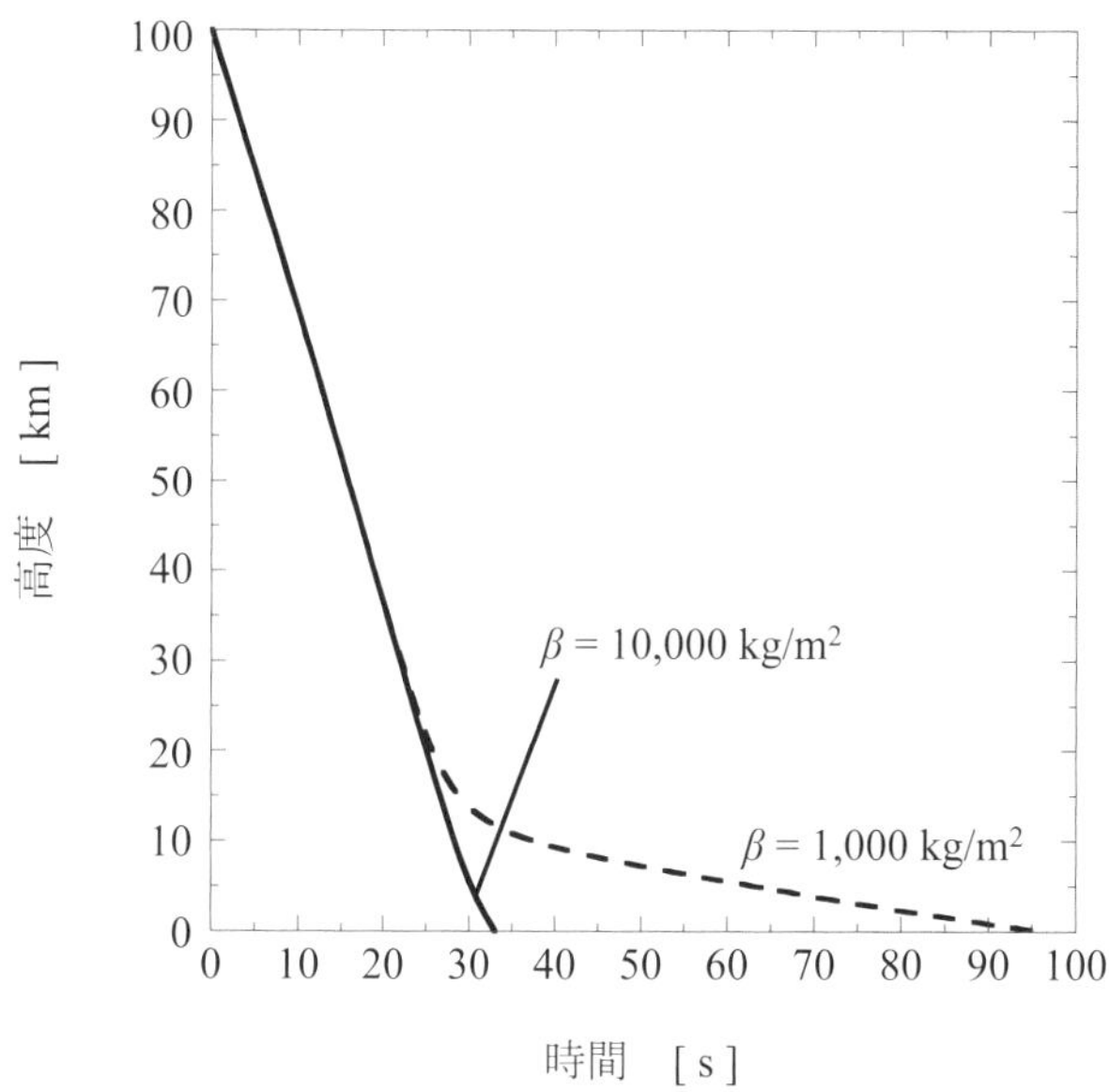

図41 | 再突入体の高度の時間変化（モデル計算）

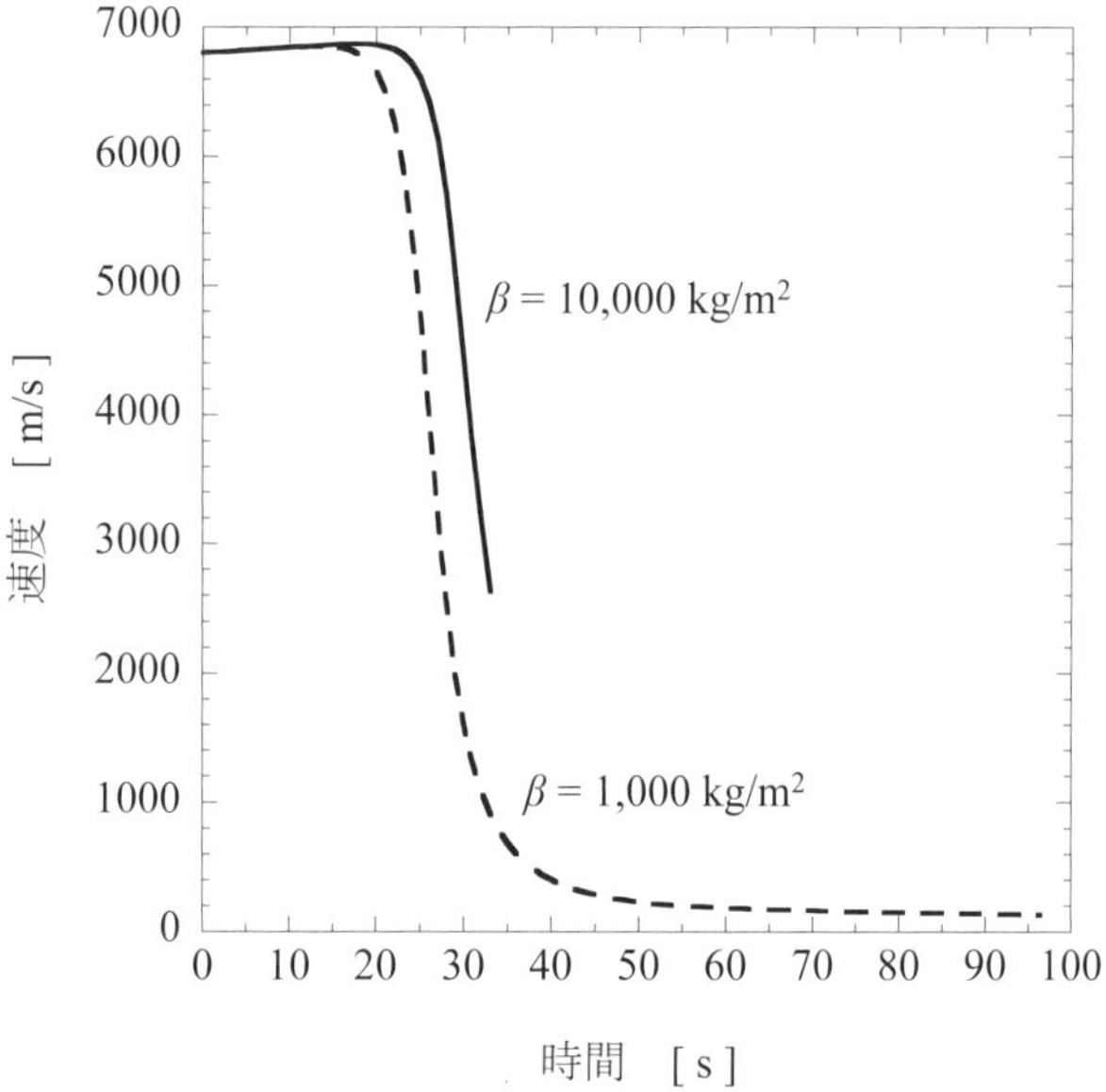

図42｜再突入体の速度の時間変化（モデル計算）

近から急激に速度が減少し、しかし33秒で地表に着弾するので、そこで線は終わっています。着弾の際の速度は2.6 km/s、マッハ八まで減速しています。しかしその減速のほとんどは着弾の数秒前で起こっていることもわかります。いっぽう、1,000 kg/m^2 のほうは、20秒から30秒にかけて急激に減速し、それ以降もゆっくりと減速を続け、最終的に着弾する際には、130 m/s という、音速以下どころか、旅客機の巡航速度よりもはるかに低い速度にまで減速してしまっています。「大陸間弾道弾の速度はマッハ二〇以上」と言っても、再突入体の弾道係数によっては、着弾時にこんなにも減速してしまって、もはや超高速の兵器とは言えなくなってしまいます。着弾というよりかは軟着陸と言うべきでしょう。

図43は、横軸に高度、縦軸に速度を取って、各高度における速度を示したものです。高度は下がっていく方向ですので、この図では再突入体は右から左へと動いていくと思ってください。10,000 kg/m^2 のほうは高度30 kmくらいまではほとんど速度低下はなく、高度15 km以下で急激に速度が減少するものの、高度0 km、着弾のときでも、図42でも見たように、2.6 km/sもの高速を維持しています。ちなみに、この減速の際にかかる最大加速度は重力の七〇倍にも達し、人間が乗っていたらとても耐えられるものではありません。いっぽう、1,000 kg/m^2 のほうは、高度60 kmを切ったあたりから減速をはじめ、高度30 kmから10 kmの間に一気に速度を落とし、もはや高速とは言えなくなってしまいます。弾道弾がその高速ゆえに超兵器とされて迎撃困難であるとするならば、弾道係数1,000 kg/m^2 の場合に10 km以下の高度であれば迎撃困難というほどでも

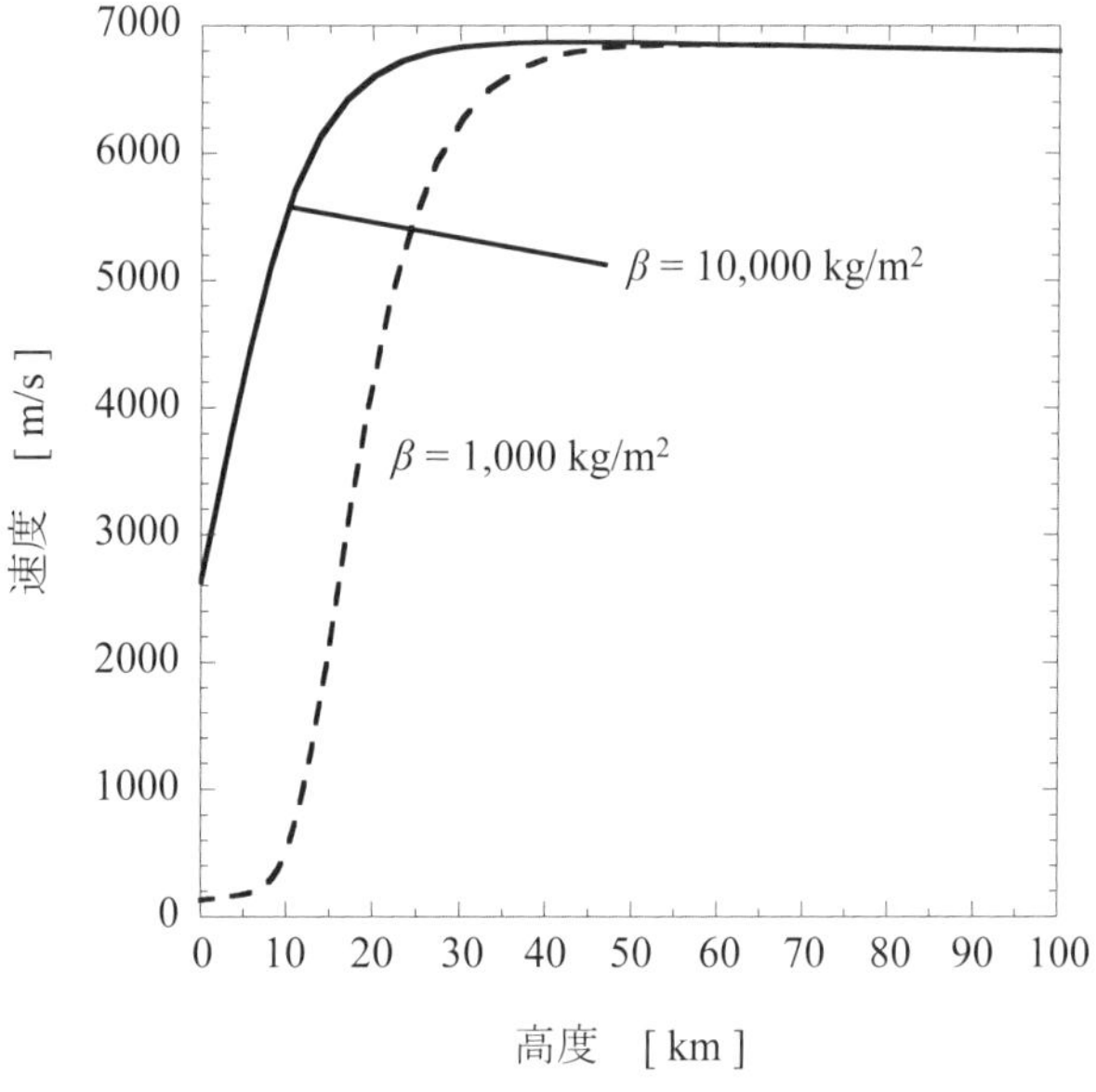

図43｜再突入体の各高度での速度（モデル計算）

ないことがわかります。この迎撃に関する話は、第5章で取り扱うこととします。

以上の図からわかることは、もし弾道弾を着弾の瞬間まで超兵器として維持しておきたいのであれば、弾道係数の大きい、つまり「鋭い」形の再突入体とする必要がある、ということです。


さて、さきほど、再突入時の熱問題を解決する方法が見つかった、と書きましたが、その方法とはどのようなものでしょうか。ここで、同じく超高温に晒される弾道弾の部品を思い出してみましょう。それはノズルです。液体燃料式ロケットエンジンのノズルは酸化剤もしくは燃料によって冷やす液冷式でしたが、最小限の大きさにまで切り離した再突入体にそのような大がかりな機構を組み込むのは現実的ではありません。となると、もうひとつの固体燃料式ロケットモーターのノズルで使っている冷却方式、アブレイション冷却（132頁）はどうでしょうか。そう、まさにこの方法が、再突入体の熱対策にも使われているのです。ノズルの場合は、絶対に消耗して欲しくないスロート部には熱に強い炭素繊維強化炭素複合材料を使い、それ以外の部分には炭素繊維強化プラスティックを使ってアブレイションによって冷却しているということでした。再突入体もまさにこのような構造をしていて、円錐形の形状を維持する肝である先端（ノーズチップ、nosetip、と言います）には熱に強い炭素繊維強化炭素複合材料を使い、円錐の外壁部分には炭素繊維強化プラスティックを使ってアブレイションによって冷却しているのです。

このノーズチップの部分も何段階かの進化を遂げており、最初は殻状のグラファイトを被せて

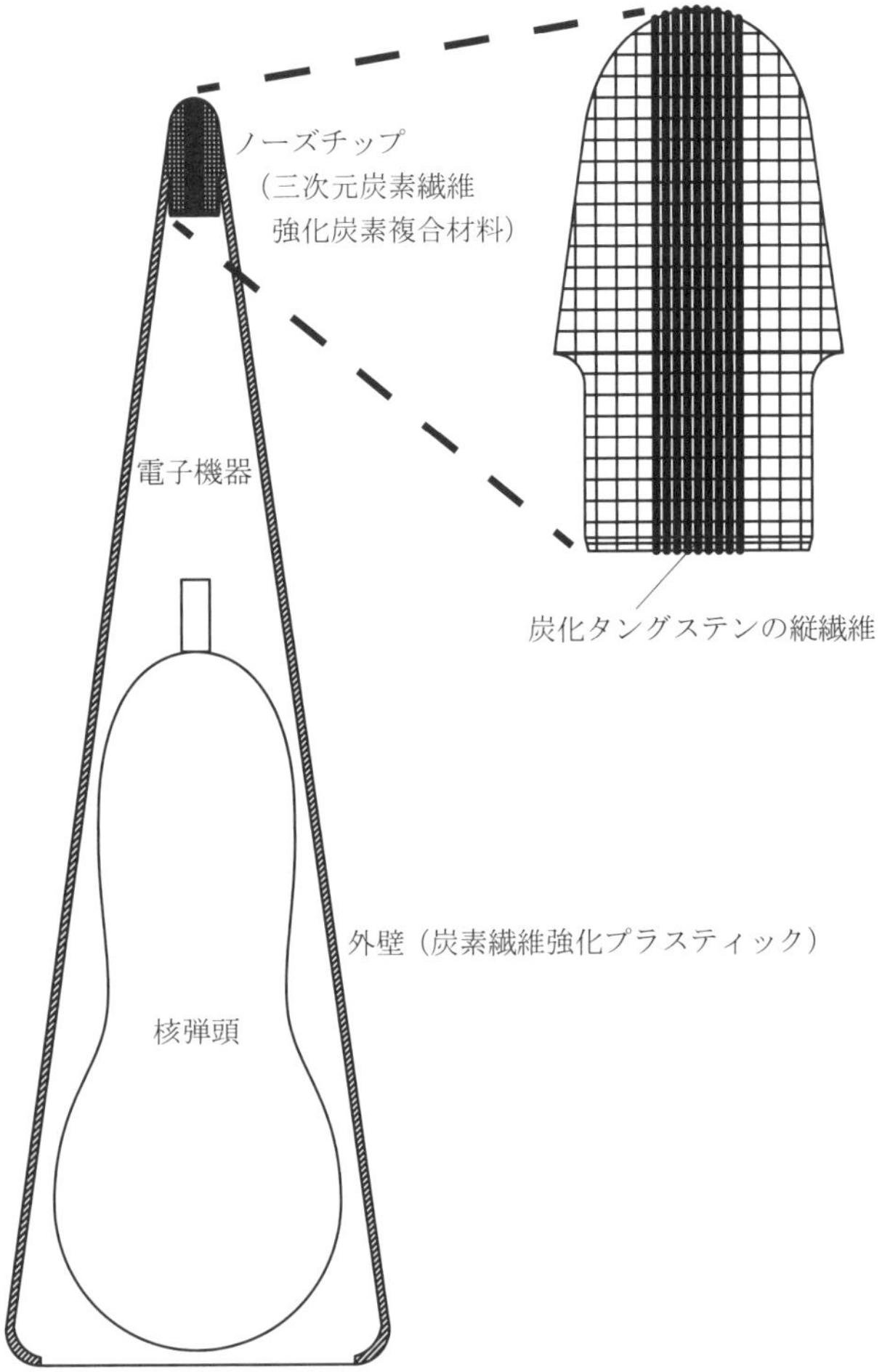

図44｜Mk5再突入体の構造

いただけですが、その後、プラグ状となり、そのプラグも三次元炭素繊維強化炭素複合材料（133頁）となり、さらには複合的な構造を持つようになりました。たとえば、アメリカ合衆国の潜水艦発射式弾道弾用の再突入体では、UGM-96用のMk4では、ノーズチップに炭化ホウ素のコーティングが施されたグラファイトが使われていましたが、UGM-133用のMk5では、形状安定化ノーズチップ（Shape Stable NoseTip、SSNT）と呼ばれるものが使われています。これは、ノーズチップを三次元炭素繊維強化炭素複合材料でつくるときに、中央の部分だけ、縦糸の繊維として炭素繊維の代わりにタングステンの素線を使い、それを高温処理するものです。そうすると、タングステンが炭化タングステンとなり、ノーズチップは炭化タングステンが縦に通った芯を持つ三次元グラファイトになります。この芯の部分とその周囲の部分のアブレイションの速度の違い（芯のほうが速い）から、ノーズチップ全体の形状が安定となり、再突入体の飛行姿勢の安定性が増したそうです。ノーズチップの形状が変わると飛行中の姿勢が不安定になることから、このノーズチップは再突入体の構造においてももっとも重要な肝とも言うべきところです。図44に、Mk5再突入体とその形状安定化ノーズチップの構造を示します。

ここで、図41から図43までの図をもう一度見てみましょう。再突入の際に速度が減少しているということは、運動エネルギーが減少していることを意味しています。もともとの持っていた運動エネルギーに加え、高度が下がっていっているため、位置エネルギーが減っていき、それが転化した分も加わりますから、相当なものです。再突入体の質量一キログラムあたりに、弾道係数10,000 kg/m^{2}のほうなら着弾までに三〇メガジュール、1,000 kg/m^{2}のほうなら三三メガジュールの、それぞれエネルギーが失われることになります。このエネルギーはいったいどこに行ってしまったのでしょうか。衝撃波を形成するためのエネルギーや、周辺の空気を加熱するエネルギーにも使われますが、一部は自分自身を加熱するエネルギーにも使われます。それが本節で問題とした熱となってくるわけです。そしてふたたびこれらの図、とくに図42をごらんいただくと、速度が急激に減少している、言い換えれば、熱が大量に発生している区間は、弾道係数10,000 kg/m^{2}のほうなら5秒ほど、1,000 kg/m^{2}のほうなら15秒ほどです。同じくらいの熱が発生したとしても、長い時間をかけて処理したほうが、各部が耐えなければならない瞬間的な熱負荷は小さくなります。いっぽうで、アブレイションのような方法で熱を処理する場合など、「短時間だからこそ耐えられる」ということもあります。再突入体の外身が気化し切ってしまうにも時間がかかるわけで、その時間の間にさっさと着弾してしまう、という対処法もあります。つまり、この再突入時の熱の問題への対処は、どれくらいの時間をかけて突入するかを考慮したうえで、その条件に適した熱の処理方法を選択することになります。

機動式弾頭

高い技術によって驚くべき精度で目標を狙えるようになっても、その「狙いをつける場所」は目標のはるか彼方の宇宙空間で、あとは重力に引かれて落下していくだけですので、弾頭切り離しの際のごくわずかな誤差が、目標地点では大きな差となってしまいます。目標への着弾精度をもっと上げようとすると、やはり、着弾直前に軌道を修正してやるのが一番です。その考えのもとで開発されたのが、機動式再突入体（Maneuverable Reentry Vehicle、MaRV）です。これを搭載したものに、アメリカ合衆国が開発したパーシングII準中距離弾道弾があります。

図45はその画像ですが、頂部に注目してください。先端の白いところがレーダー部（radar section）で、ここにレーダーが入っていて、目標に近づいたらアクティヴ・レーダー・ホーミング（136頁）によって自己誘導します。あらかじめプログラミングされた目標地点附近の地形のデータと、レーダーで捕らえた地形のデータとを照合し、それが一致するように軌道を修正するのです。行先の写真を持っていて、それを見ながら辿り着くようなものです。その下に弾頭が入っています（warhead section）。慣性航法装置もこの部分に入っていて、弾道弾本来の慣性航法を取ることも可能です。レーダーがうまく働かない場合は、本来の弾道軌道に切り替えるようになっています。通常の弾道弾では、慣性航法装置は分割段の中に入っているのですが、小さな再突入体に組み込むには、慣性計測システムも小型化しなければならず、そのためにDINS

radar section
warhead section
guidance and
control section
図45 ｜ パーシングII

（Dormant Inertial Navigation System）と呼ばれる新型の慣性計測システムが開発されました。これは小型化のためにストラップダウン方式（141頁）が採用されています。弾頭部の下にフィンがついている部分がありますが、これが機動弾頭の肝とも言える誘導制御部（guidance and control section）です。レーダー部からの情報をもとに、データを照合し、それに向かうための軌道修正の計算を行い、それにもとづいてフィンを操作し、姿勢を制御して、目標へ正確に着弾します。ただし、フィンによって姿勢を変えられるのは、あくまでも周囲に空気があってのことですから、この機動を行うのは、大気圏内に再突入してからということになります。これによって、パーシングIIは、平均誤差半径三〇メーター以内という高い命中精度を確保していました。

この機動式再突入体は、単に命中精度を上げるというだけではなく、単純な弾道軌道から外れて能動的に機動することで、相手の防御システムを突破することもその目的としています。ただし、激しい機動をすればするほど速度は落ちていきますので、その面では迎撃しやすくなります。

この機動式弾頭はソヴィエト連邦でも開発されていました。ロシア語では誘導戦闘ユニット（Управляемый Боевой Блок、УББ）と呼びます。たとえば何度も登場した大陸間弾道弾P-36M2（図27、159頁）では、通常の戦闘ユニット（15Ф174）一〇発か、もしくは、通常の戦闘ユニット六発と誘導戦闘ユニット（15Ф178）二～四発を混載できます。この場合、それらを搭載する分割段も異なるもので、それを含んだ分割弾頭全体も別の型式番号が与えられています（通常の戦闘ユニットだけを搭載する分割弾頭は15Ф173、混載する場合の分割弾頭は15Ф177）。

極超音速滑空体

機動式の弾頭をさらに進化させたものが、ソヴィエト連邦では開発されていました。計画名は「Альбатрос（アホウドリ）」です。これは、弾頭により大きな翼をつけ、成層圏を滑空させるものです。このような弾頭は、現在、ロシア連邦以外でも、アメリカ合衆国や中国で開発が進められており、極超音速滑空体と呼ばれますが、ソヴィエト連邦時代にすでに開発されていたものです。

超音速（supersonic）のうち、音速より充分に大きな速度の領域を極超音速（hypersonic）と言います。一般には、マッハ五以上のことを指します。ただし、音速は気温によって変わりますので、同じマッハ五と言っても、高度によって違います。マッハ五は、地表附近では秒速一七〇〇メーター、高度二〇キロメーターでは秒速一五〇〇メーターていどになります。このような高速の飛翔体は、対応が難しいことから、有望な攻撃兵器とみなされています。しかし問題は、そのような高速までどうやって加速するのか、ということです。大気中の空気を取り入れて稼働するジェットエンジンには、それぞれの種類ごとに、ちゃんと動作する速度領域というものがあります。というのも、空気を取り入れる方式であるがゆえに、その空気の状態（速度）に大きく左右されるからです。航空機に広く使われているターボファンエンジンやターボジェットエンジンなどのガスタービンエンジンは、マッハ三ていどまでが適した動作範囲で、それ以上のマッハ三からマッハ五ていどまではラムジェットエンジンが適しています。マッハ五からマッハ一五まではラムジェットエンジンの一種であるスクラムジェットエンジンが適しています。では極超音速飛翔体にはスクラムジェットエンジンを使えばいいのだ、ということになるのですが、問題は、それが適した速度、マッハ五以上まで、どうやって加速するか、ということです。現在各国で開発されたり実用化されたりしている極超音速飛翔体は、その速度領域に達するために、スクラムジェットエンジン以外になんらかの形で加速する手段を組み合わせています。

いっぽうで、飛翔体そのものにエンジンを搭載するのではなく、別に加速するためのもの(ブースター)を取りつけ、所定の速度に達したらそのブースターを切り離し、以後、飛翔体は、エンジンなしで単に滑空するだけ、というものもあります。これが本節で扱う極超音速滑空体(Hypersonic Glide Vehicle、HGV)です。本書で扱ってきた弾道弾は、そのブースターとして理想的です。第3章でも見たように、弾道弾は燃料以外に酸化剤を搭載しているために外部の空気を利用せず、ジェットエンジンのような速度領域による縛りを受けません。そもそも弾道弾は、短距離弾道弾ですら、極超音速に達します。「滑空」とつけずに、単に「極超音速兵器」とだけ言うならば、なんのことはない、半世紀以上前から使われている弾道弾だってそれなのであって、別に目新しい兵器ではありません。新しいのは、それが「滑空する」ということです。これまで見てきたように、弾道弾は重力に引かれて楕円軌道を描いて「落ちる」だけの兵器だからです。この弾道弾に滑空体を搭載し、加速が終わった段階で切り離し、そこから滑空を始めれば、この

「加速の問題」を解決した新たな極超音速「滑空」兵器となります。

いっぽう、弾道弾の弾頭という面から見ると、弾頭が滑空することで、通常の楕円軌道とは異なる軌道を描くことができます。弾道弾のほとんど唯一と言っていい欠点は、軌道が単調な楕円軌道であり、到達位置が予測できることにあります。第5章でお話しする弾道弾防御においても、位置が予測できるからこそ迎撃できるのであって、そうでなければ、マッハ二〇で飛来する弾頭など、とうてい迎撃できるものではありません。さきほどの「Альбатрос」計画では、滑空距離は一〇〇〇キロメーターていどで、大陸間弾道弾の全射程の一割ほどに過ぎませんが、それでも、最後の一割の軌道が変わってしまうと、相手側の対処はきわめて困難となります。二一世紀に復活した各国の極超音速滑空体では、もっと早い段階で、つまりロケットによる加速が終了してすぐの段階で、弾頭を楕円軌道から外して滑空させ、大部分を滑空で占めるような軌道を辿ることも考えています。そうなると、防御側としては、軌道の予測はきわめて困難で、適宜その位置を探知・追尾しながら対処しなければなりません。

機動式弾頭がその動きをするのが大気圏に再突入してからだったように、滑空弾頭が「滑空」できるのも、空気を利用するので、再突入してから、ということになります。ただし、空気を利用して機動すると、同時に空気抵抗によってエネルギーも失います。機動式弾頭のように少し軌道を修正するていどならその損失も少なくてすみますが、長距離を滑空するとなると、その長い時間の間に相当な速度を失ってしまい、「超高速なので迎撃困難」というせっかくの弾道弾の利

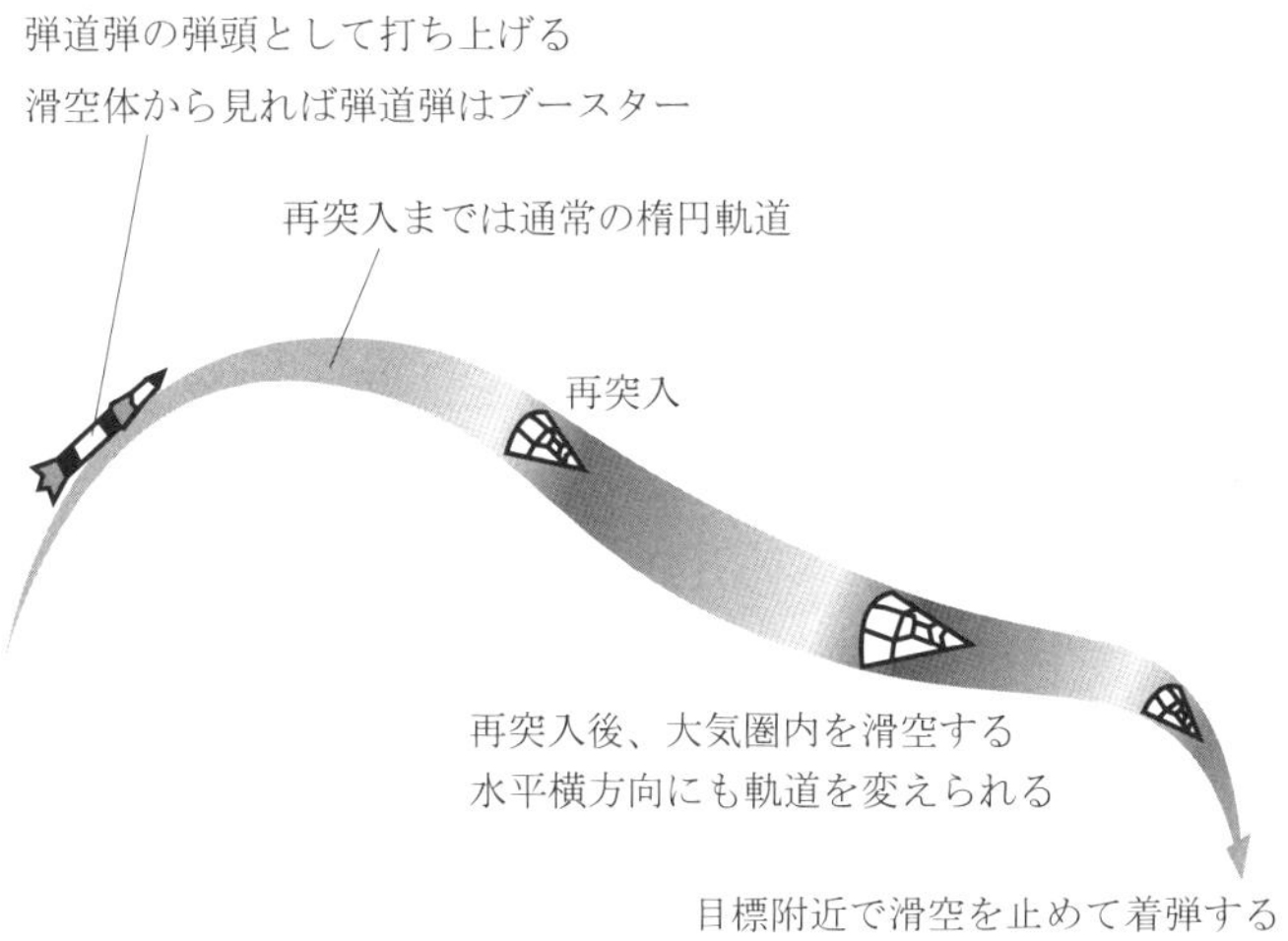
弾道弾の弾頭として打ち上げる
滑空体から見れば弾道弾はブースター
再突入までは通常の楕円軌道
再突入
再突入後、大気圏内を滑空する
水平横方向にも軌道を変えられる
目標附近で滑空を止めて着弾する

図46｜極超音速滑空体の軌道のイメージ

点を失ってしまうことにもなります。このため、大気圏といえども、地上よりもはるかに空気の薄い高空を滑空することになります。「Альбатрос」計画では、高度二五〇キロメーター以下のところ（仕様ではそうなっていますが、現実的には一〇〇キロメーター以下のところでしょう）を滑空することになっていました。ちなみに、国際宇宙ステーションの高度が四〇〇キロメーターです。

どれくらいの距離の滑空でどれくらいのエネルギー（速度）を失うのか、かんたんに見積もってみましょう。滑空体がある高度を維持して滑空するためには、巡航ミサイルや航空機と同じく揚力を得る必要があります。そのためには翼を用いるのが一般的ですが、極超音速で飛行する際には、航空機のような巨大な翼は巨大な空力抵抗を生むことになり、使えません。そこで、機体と、それと一体になった小さな翼を使って揚力を発生させることになります。この形態には、リフティング・ボディとウェイヴ・ライダーの二つがあります。

リフティング・ボディ（lifting body）は、名前がすでに「揚力を生む体」になっている通り、機体そのものが翼となって揚力を生むものです。そもそも、普通の航空機の機体でも、その上下を通る気流に違いがあれば、揚力を生み出しているのであって、単に翼が生む揚力のほうがはるかに大きいだけです。リフティング・ボディの代表的なものは、人工衛星軌道と地上とを往復して物資を運ぶブラン（Буран）やスペースシャトル（Space Shuttle）です。

いっぽう、ウェイヴ・ライダー（wave rider）は、機体で揚力を得るという意味では広義にはリフティング・ボディの一種ですが、リフティング・ボディの機体がなめらかな流線形をしているのに対して、こちらは楔形をしています。機体が音速を超えると衝撃波が発生しますが、機首で発生した衝撃波の波面が、速度が上がるにつれて機体表面に近づきます。ここで楔の気流に対する角度をうまく調整してやると、楔を下面から押し上げる形に大きな力が働きます。これを利用するのがウェイヴ・ライダーです。ウェイヴ・ライダーとは波乗りのことですが、まさに衝撃波の波に乗るわけです。

気流から受ける力の、気流に垂直な成分を揚力（lift）、気流に平行な成分を抗力（drag）と呼び、その揚力と抗力との比を、揚抗比（lift-to-drag ratio）と言います。これは機体あるいは翼の気流に対する傾き（迎え角、angle of attack）によって変わります。それが最大になるよう迎え角を調整したとき、大きな翼を持つ旅客機では揚抗比は一五ほどにもなりますが、リフティング・ボディでは、極超音速領域でせいぜい一ていどです。しかし、ウェイヴ・ライダーでは、極超音速領域で三から八にも達するよう設計できます。

ある機体が大気中を落下せずに水平飛行するためには、自身にかかる重力と同じ大きさの揚力を得る必要があります。つまり、一キログラムあたり九・八ニュートンの揚力を、です。このとき、リフティング・ボディとウェイヴ・ライダーの揚抗比をそれぞれ一と四で一定と仮定すると、抗力はそれぞれ、機体質量一キログラムあたり、九・八ニュートンと二・五ニュートンになります。この状態で飛行すると、それぞれ、質量一キログラムあたり、距離一キロメーターあたり、九・八キロジュールと二・五キロジュールのエネルギーを失っていくことになります。たとえば滑空開始速度を毎秒六・八キロメーター（第2章や図41から図43で用いた値、地上だとマッハ二〇に相当）とすると、最初に持っている運動エネルギーは質量一キログラムあたり二三メガジュールです。そこから一〇〇〇キロメーター滑空すると、リフティング・ボディで一三メガジュール、ウェイヴ・ライダーで二一メガジュールまで運動エネルギーが減少します。それぞれの速度は毎秒五・二キロメーターと毎秒六・四キロメーターにまで低下します。これが二〇〇〇キロメーター滑空だと、速度はそれぞれ毎秒二・七キロメーターと毎秒六・〇キロメーターになります。極超音速の領域がマッハ五以上だとすると、リフティング・ボディの場合は二二〇〇キロメーターも滑空すればこの下限値に達してしまいます。いっぽう、ウェイヴ・ライダーの場合は、八八〇〇キロメーター滑空してもなお毎秒一・八キロメーター（地上換算でマッハ五・二、高空ではマッハ六・〇）もの高速を維持し、いまだ極超音速の領域に留まっていることになります。ウェイヴ・ライダー形式の極超音速滑空体だと、単純な楕円軌道を描かずに、しかも超高速という利点を失ってないように見えます。

ところが、このあとが問題です。滑空が終わり、目標地点に向かって再突入をするときです。再突入時のようすが、再突入体の弾道係数によって大きく変わることは、図41から図43までで見た通りです。弾道係数が1,000 kg/m^{2}の桁にまで小さくなると、途中で大きく減速してしまい、もはや超高速の兵器とは言えなくなることも、すでにお話ししました。その面では、単純な円錐ではないリフティング・ボディやウェイヴ・ライダーは不利です。リフティング・ボディの代表格であるスペースシャトルは、減速して着陸するのが前提のため、その弾道係数は数百 kg/m^{2}ていどしかありません。ですから、たとえば再突入体を最適な形状のウェイヴ・ライダーとして設計し、滑空の段階で迎撃困難な超兵器となっても、この弾道係数が大きくなるように設計しないと、最終的な再突入の段階では凡庸な兵器となってしまいます。

このような理由から、弾道弾に搭載した極超音速滑空体が、従来の弾頭に比べ、巷で言われているほどには優れているわけではない、と見る人も多いです。新しい兵器が登場するたびに過大評価しすぎる、というわけです。

ただ、さまざまな攻撃のヴァリエイションを備えていることはとても重要で、単純な攻撃方法だけだと相手側も対処しやすいのに対し、複数の攻撃の選択肢があると、その分だけ相手側に対処する労力を割かせることができます。その意味では、普通の弾頭と、滑空弾頭と、その両方を配備することは、きわめて大きな意味を持ちます。相手に大きな労力を割かせた段階で「勝ち」とも言えるのです。大国同士が直接戦火を交える可能性が低くなった現在、そういった駆け引きこそが「リアルな戦争」とも言えます。

本書執筆時点で世界で唯一実戦配備されている大陸間弾道弾搭載型の極超音速滑空体であるロシア連邦の「Авангард（前衛）」は、さきほどの「Альбатрос」を発展させたものですが、滑空距離は数千キロメーターとされていて、最後の再突入の瞬間だけ滑空するのではなく、もっと早い段階（場合によっては弾頭を切り離してすぐに）滑空を始め、軌道のかなりの部分（あるいはほとんどの部分）を滑空するようです。姿勢制御の装備も、空力舵に加えて、分割段のように推進剤を噴出するガス舵（газовых рулей）も備えているようです。これがあれば、空力舵が利かない大気が薄い場所での機動も可能です。また、もっと短射程の弾道弾に搭載する極超音速滑空体は、アメリカ合衆国と中国も開発中で（中国では実戦配備されていると言われています）、これらは軌道の大部分を滑空するのが前提です。これによってどういう利点があるのかは、弾道弾防御に絡めて、第5章で触れることとします。

第2章では弾道弾の軌道について、第3章では弾道弾の推進方法について、本章では弾道弾の発射と再突入について見てきました。最終章である次章では、防御の観点から弾道弾を見てみることにしましょう。

第5章 弾道弾防御

弾道弾の行程のまとめ

第2章で弾道弾の軌道についてお話ししましたが、そのあとの第3章と第4章で扱った内容を踏まえて、いまいちど、弾道弾の発射から着弾に至るまでの行程を追ってみることにしましょう。図47（220頁）に示した、大陸間弾道弾の典型的な軌道を見ながらお読みください。

最初に、弾道弾の打ち上げです。このときは、最終的な軌道の角度に関係なく、鉛直方向に打ち上げられます。コールド・ローンチであれば、ガスでサイロや発射筒から打ち上げたのちに、地上もしくは海面から一〇から二〇メーターほどの高さでロケットエンジンやロケットモーターに点火します。最初、燃料満載の重い状態では、推力重量比が二から三ていどなので、弾道弾は比較的ゆっくりと上昇していきますが、それでも、他のどんな仕組みのエンジンを積んだ乗り物よりも大きな加速をすることは確かです。そして第一段の燃料がなくなった頃には、重量も大幅に減るうえに、大気が薄くなるために推力も上がり、推力重量比は五から九ていどにまで増えています。第一段の燃料が尽きると、それと段間部とを切り離し、それから第二段のロケットエンジンやロケットモーターに点火します。液体燃料式弾道弾はこれで最終段となることが多いのですが、固体燃料式弾道弾の場合は三段式であることが多いので、あと一回これを繰り返します。

いっぽう、飛行経路に関しては、最初は空気抵抗を受ける区間を短くするために鉛直方向に打ち上げた弾道弾も、上昇とともに少しずつ姿勢を変えていきます。この姿勢の変え方には、おもにふたつの方法があります。ひとつは、第3章の最後（145頁から）でお話しした、推力偏向などによる、自発的な姿勢変更です。もうひとつは、重力を使った姿勢変更です。弾道弾が鉛直方向に飛んでいるときには、進行方向も、重力、推力、空気抵抗の向きも、すべてが一直線上にあり、弾道弾の向きを変える方向には力がかかりません。しかし、いったんなんらかの方法で姿勢を傾けると、重力の方向は、弾道弾の進行方向とずれてしまい、横方向にも力がかかることになります。こうなると、推力の向きが進行方向を向いていても、重力によって姿勢が変わっていきます（図48）。これをグラヴィティ・ターン（gravity turn）と呼びます。

このふたつの方法をうまく使いながら姿勢変更をし、最終的に、目的の楕円軌道になめらかに重なるように移動します。すべての燃料が尽きた段階で、目的の楕円軌道上にいて、速度（運動エネルギー）の大きさがその軌道で決まる値に合っていて、かつ、向きが軌道の接線方向でなければなりません（図47）。ちょうど燃料が燃え尽きたときに、これらの条件にぴたりと合わせるところが、まさに弾道弾制御の腕の見せ処です。

この、打ち上げから燃料を燃焼させて加速し、楕円軌道に入るまでの区間を、ブースト・フェイズ（boost phase）と呼びます。この区間の所要時間は、燃料の燃焼時間にほぼ等しいですから、大陸間弾道弾並みの射程の場合、固体燃料式弾道弾で三分ほど、液体燃料式弾道弾でも四分から五分ほどと、全行程のほんの一部です。

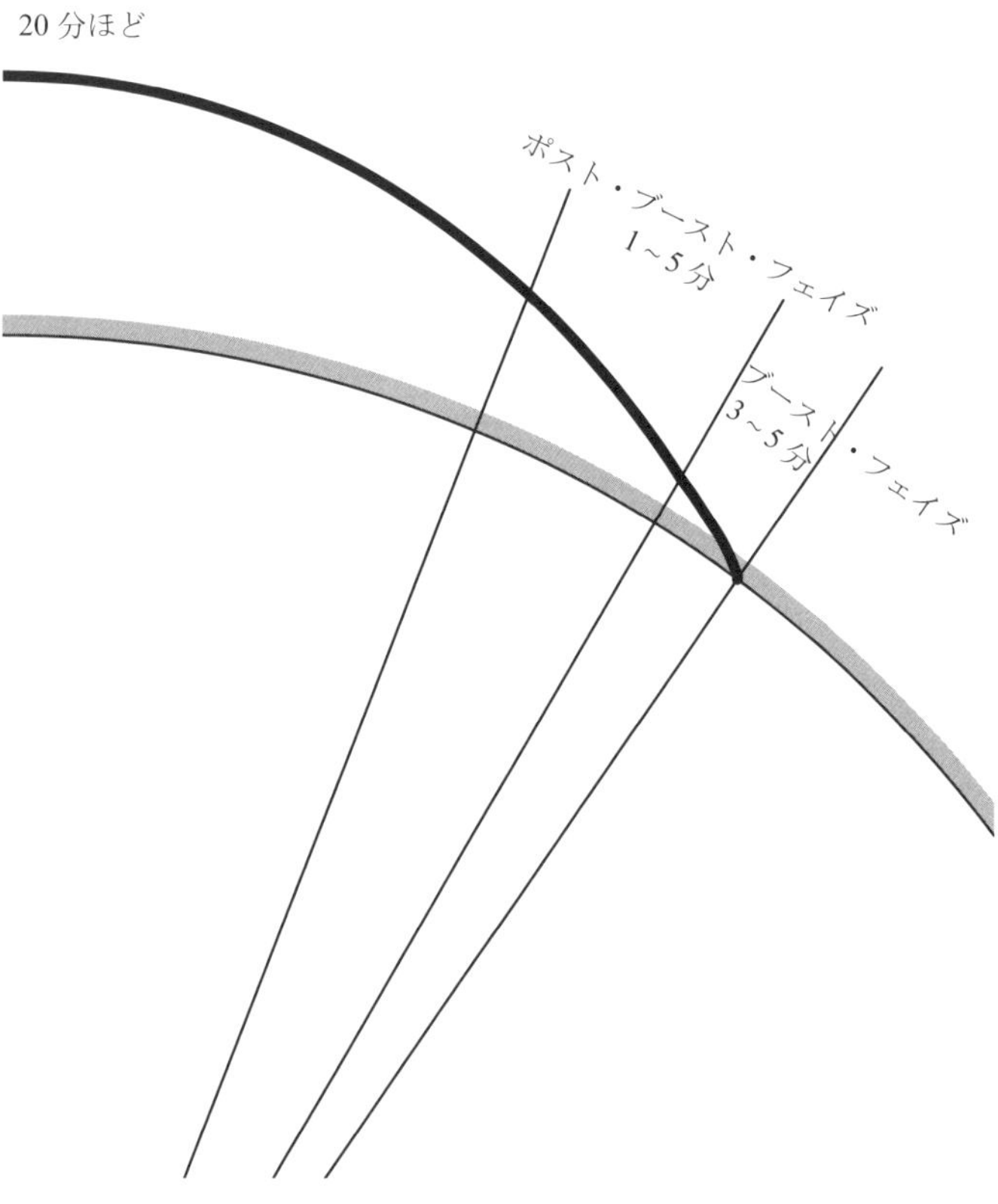

20分ほど
ポスト・ブースト・フェイズ
1～5分
ブースト・フェイズ
3～5分

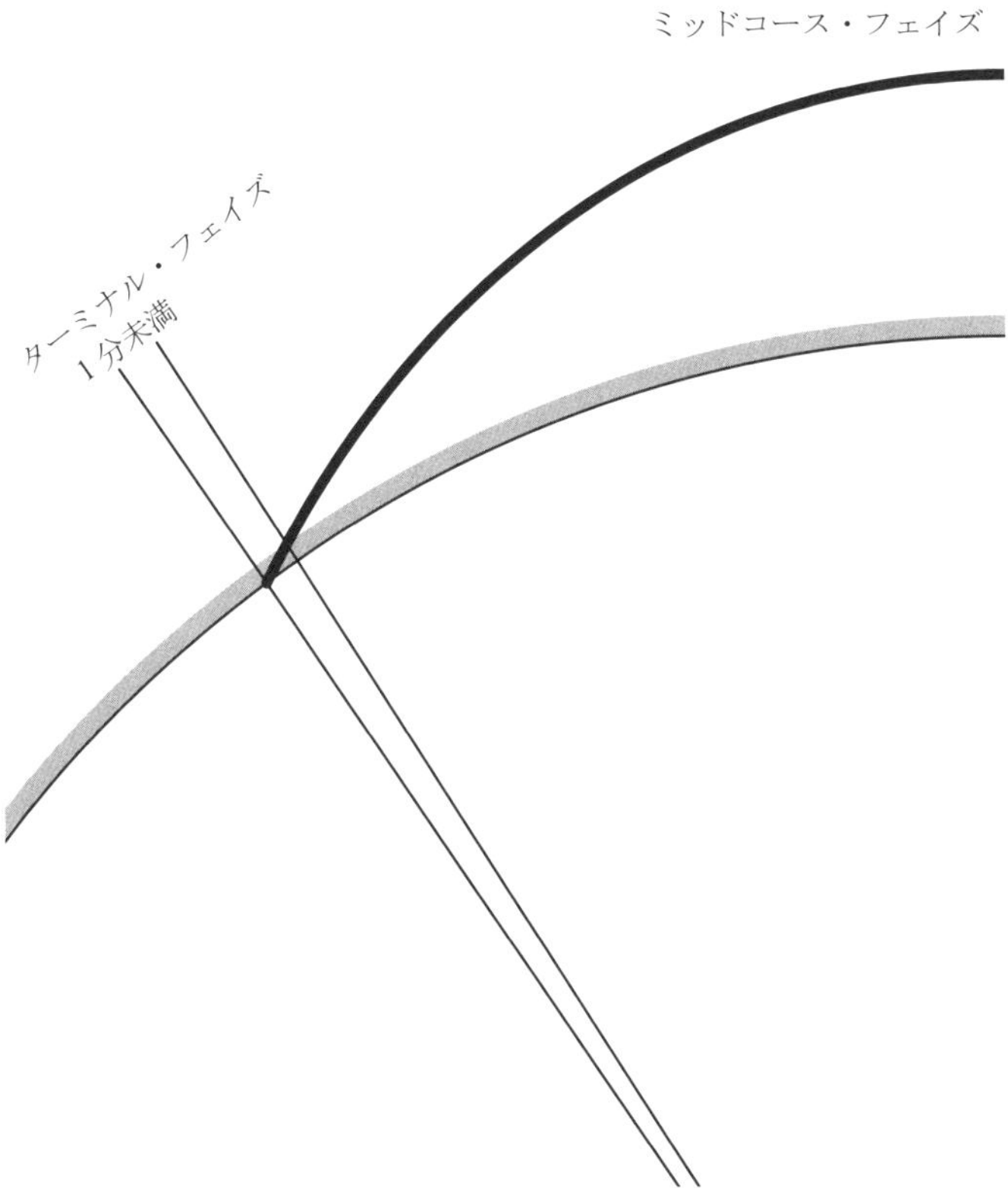
ミッドコース・フェイズ
ターミナル・フェイズ
1分未満

図47｜弾道弾の行程

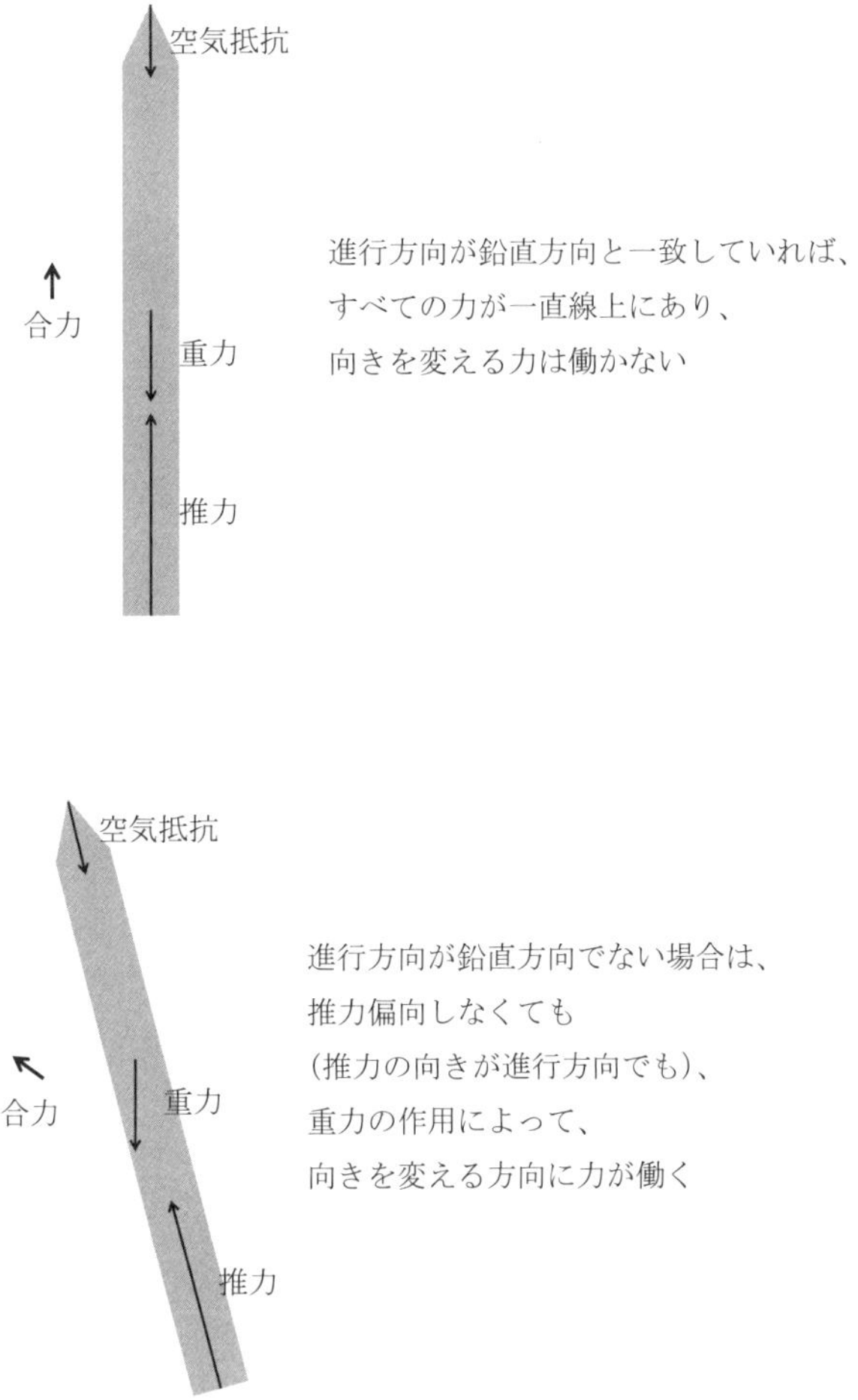
空気抵抗
合力
重力
推力
進行方向が鉛直方向と一致していれば、
すべての力が一直線上にあり、
向きを変える力は働かない
空気抵抗
合力
重力
推力
進行方向が鉛直方向でない場合は、
推力偏向しなくても
(推力の向きが進行方向でも)、
重力の作用によって、
向きを変える方向に力が働く

図48｜グラヴィティ・ターン

つぎに、弾頭を切り離します。単弾頭の場合は最終段から、複数弾頭（分割弾頭）の場合は分割段から、それぞれ再突入体に収められた弾頭を分離します。分離にあたって重要な点がふたつあります。

ひとつは、弾頭の向きを、再突入の向きに合わせることです。これ以降は重力に引かれて運動するだけで、弾頭の向きを変えるような仕組みは存在しませんので、この段階で最終的な大気圏突入の際に最適となる向きになっている必要があります（185頁と図37）。

もうひとつは、分割弾頭の場合に、目標の着弾位置に合わせて、各弾頭を少しずつ異なる軌道に乗せてやることです。そのためには、分割段の姿勢を少しずつ調整しながら弾頭を分離する必要があります（188頁と図38）。そして、このときの軌道の精度が、そのまま着弾位置の精度に直結するので、きわめて重要な行程です。一〇〇〇キロメーター先の一〇〇メーター単位の着弾位置を制御するのですから、とてつもなく高精度な制御が必要とされます。

また、この分離の際に、弾頭（再突入体）に軸中心の回転を与えることもあります。これは、再突入体内部に重量の偏りがあって、重心が軸からずれていた場合、再突入の際に軸対称でない力が加わることで望ましくない動きをすることを抑えるためです。回転させることでその偏りを小さくするわけです。

このように、再突入から着弾までという最後の動きまでをも、この初期の段階で制御してしまうので、きわめて重要な区間となります。

この、加速が終了したあと、弾頭（再突入体）を切り離す区間を、ポスト・ブースト・フェイズ（post boost phase）と呼びます。

弾頭が切り離されると、あとは重力にしたがって、楕円軌道に沿って飛んでいくことになります。この区間がすべての行程のほとんどを占めますが、エンジンで加速することもなく、空気抵抗を受けることもなく、動きとしてはとても単調になります。この区間があることが、弾道弾の弾道弾たるゆえんです。

この、弾頭が切り離されてから、大気圏に再突入するまでの区間を、ミッドコース・フェイズ（mid-course phase）と呼びます。

楕円軌道の終わり、いよいよ目的地に着弾という段階になって、弾道弾にとって最大の壁が立ちはだかります。大気圏への再突入です。重力に加えて、空気の力が加わり、しかもこの力は速度の自乗で効いてくるので、弾道弾のような超高速で飛行する物体にはとても大きな影響を及ぼします。そして膨大な熱が発生することも第4章（194頁）でお話しした通りです。

現代の、通常の長射程の弾道弾に使われている弾頭（再突入体）であれば、速度が半分以下まで減速し（それでも極超音速の速度領域）、着弾します。時間にして一分未満と、これまた三〇分の全行程から見ると短時間です。しかしきわめて重要な、最後の一分間です。機動弾頭であれば、その機動した分だけ突入時間は長くなり、速度もその分落ちることになります。滑空弾頭であれば、さらに時間は長くなり、速度も大幅に落ちます。第4章（213頁）で考えた単純な滑空体のモデルで、六・八キロメーター／秒の初速度で一〇〇〇キロメーター滑空すると、それだけで、リフティング・ボディだと二・八分、ウェイヴ・ライダーだと二・五分ほどかかり、さらにそこから着弾まで、通常の再突入体よりはるかに長い時間がかかります。後者の時間は、すでに速度が落ちていることに加え、揚力を発生させるために弾道係数が小さくなる形をしていることから、滑空体の形によっては、数分かかる場合もあります。

この、大気圏再突入から着弾までの区間を、ターミナル・フェイズ（terminal phase）と呼びます。

弾道弾の迎撃

本章では、弾道弾の迎撃について考えてみます。

いっぱんに、ミサイルや航空機による攻撃を考えると、攻撃する側のほうが圧倒的に有利で、防御する側には攻撃する側よりも高度で高価格な装備が必要とされます。その理由は、攻撃側はある位置に固定されている巨大な目標（基地や施設など）を狙えるのに対して、防御側は高速で動く小さな目標を迎え撃たねばならないからです。しかも、どのタイミングで攻撃するかは、攻撃側が決められます。

目標が移動しているというのはきわめて重要で、事を複雑にします。というのは、目標を迎え撃つにあたって、その空間的な位置座標だけでなく、ある限られた瞬間にその位置を狙わなければならないという、時間座標まで合わせなければならないからです。しかも、目標が小さくかつ高速であるという点では、本書の主役である弾道弾は、航空機の比ではありません。秒速三〇〇メーターで移動する大きさ二〇メーターの航空機は、ある地点を七〇ミリ秒で通過しますが、秒速七〇〇〇メーターで移動する大きさ二メーターの弾道弾の弾頭は、たった〇・三ミリ秒で通過してしまいます。単純に考えて困難さは二〇〇倍です。弾道弾防御とは、人類がつくり上げたもっとも高速の兵器を迎え撃つという、もっとも困難な行為なのです。

このため、弾道弾防御の兵器は古くから開発されてきたものの、その能力は限定的で、主たる「防御」手段としては、相手と同様の弾道弾を配備することで「やられたらやり返すぞ」という報復の姿勢を顕わにして、相手にそれを使わせないようにする抑止戦略を採ることが基本でした。そしてそれは、世界でずば抜けて充実した弾道弾防御システムを構築するに至った現代のアメリカ合衆国でも同じです。同国のシステムは限定的な少数の弾道弾攻撃を防ぐものであって、ロシア連邦との全面核戦争になった場合には充分な防御はできず、したがってそれに対しては報復攻撃の戦力を維持することで抑止をする、という戦略を採っています。それでも、自国に対して非対称的な戦力を持つ国家による攻撃や、大国相手であっても限定的な小規模な攻撃からは身を守るような手段を整えておくことには大きな意味があります。何も起こらないか、全面核戦争になるか、その両極端しか考えられない人もいますが、実際の歴史が示すところでは、その中間の事態のほうがはるかに起こりやすいからです。本当に優れた国というのは、あらゆる事態に対して対処できる能力を持った国のことです。

それでは、具体的な迎撃の手段にはどのようなものがあるのかを、ざっと見ていくことにしましょう。ここでは、前節でお話しした、弾道弾の軌道上の各フェイズに対応して順に見ていきます。

ブースト・フェイズでの迎撃

まず、ブースト・フェイズでの迎撃を考えてみます。この段階での迎撃は、単純に迎撃の技術だけを考えると、もっともかんたんです。その理由はいくつかあります。まず探知の面では、燃焼ガスを噴射している最中なので大量の熱を放出していることに加え、大気中なので空力加熱によっても熱を放出しているので、探知は容易です（後述、256頁）。つぎに迎撃の面では、加速途中なのでいまだ速度が遅いうえに、弾頭を切り離す前で図体が巨大なので、迎撃体が追いかけたり衝突したりすることも、他の区間に比べれば格段に容易です。さらに破壊の面では、大量の燃料を搭載しているのでうまくいけばそれを爆発させることもできますし、そうならなくとも、きわめて高度な制御のもとに軌道に投入しようとしているわけですから、途中で燃料タンクが一部でも破損すれば、弾道弾は最終目的地に到達することはとうてい不可能です。そして、破壊された、核弾頭を含む弾道弾の破片は、発射位置の近くに落下しますので、そこから遠く離れた着弾予定地点は無傷なままに防御することができます。

しかし、別の側面を考えると、迎撃は困難であることがわかります。その理由のひとつは、この区間の飛行時間が、発射からわずか数分しかないことです。固体燃料式弾道弾でわずか三分です。この短時間で、発射されたことを察知し、その軌道を探知・分析し、迎撃するかどうかの判断をし（自国に向かってくるかどうかの判断です）、迎撃手段を稼働させ、迎撃体がその弾道弾まで到達しなければなりません。ミサイルで迎撃するならずっと即応状態に保っておくことは可能ですが、後述する航空機搭載型のレーザーで迎撃する場合、その航空機を飛び立たせて目標地点近くに行かせるだけで三分などすぐに経ってしまいますから、あらかじめ附近を哨戒飛行していなければ役に立たないでしょう。また、もし迎撃に最高司令官の判断が必要だとするならば、寝ている最高司令官を起こしている間に三分が経ってしまうのではないでしょうか。

もうひとつの困難な理由は、場所の問題です。ブースト・フェイズは発射してすぐの区間なので、小さな国ならともかく、それなりに大きな国であれば、いまだその国の上空を飛行している状態です。それを攻撃することになるわけです。倫理的な問題を一切無視したとしても、発射からわずか三分以内、実際に迎撃に使える時間はそれよりもさらに短いですから、これを可能とするには、その迎撃兵器を敵の弾道弾発射場所の近くに配備する必要があります。敵国が小さな国で、かつその近隣諸国の協力が得られるか、あるいは海に面しているために艦艇で接近できればそれも可能かも知れませんが、大きな国が内陸部の奥深くから発射した場合は絶望的です。ロシア連邦は切り札とも言えるもっとも重要な大陸間弾道弾を海岸からもっとも遠くに配備しており、同国の広大な国土を考えると、たとえばそこから発射された弾道弾を三分以内に迎撃するなど、事実上不可能です。

このブースト・フェイズでの迎撃のために開発された兵器には、アメリカ合衆国のKEIとABLがあります。

KEIはKinetic Energy Interceptor（運動エネルギー迎撃体）の略で、体当たりによる弾道弾の破壊を意図した地対空ミサイルです。地上発射式と艦艇発射式とが開発されていましたが、二〇〇九年に開発中止となりました。

ABLはAirBorne Laser（空中発射型レーザー）の略で、航空機にレーザーを搭載し、そのレーザーによって弾道弾を破壊するものです。弾道弾は秒速数千キロメーターという超高速ですが、レーザーはそれをはるかに上回る秒速三〇万キロメーターで、そもそも、レーザーも、レーダーに使われる電波も、赤外線探知に使われる赤外線も、すべて同じ電磁波ですので、その伝搬速度は同じで、探知・追尾と同じ速度で攻撃できることになります。「見るのと同時に破壊できる」のです。問題のひとつはその出力です。最終的な目標とされた一メガワットの出力で計画通り五秒間照射したとしてもそのエネルギーは五メガジュールで、戦車砲弾（一二〇ミリメーター滑腔砲で発射したAPFSDS弾）一発の三分の二ほどのエネルギーしか与えられません。後述する直撃式の迎撃体（234頁）に比べて二桁ほど小さいです。これで弾道弾を破壊できるのは、前述のように、燃料を狙うからにほかなりません。ですから、ブースト・フェイズに特化した攻撃方法と言えます。もうひとつの問題は、その射程の短さで、わずか数百キロメーター（有効射程は、液体燃料式弾道弾に対して六〇〇キロメーター、固体燃料式弾道弾に対して三〇〇キロメーター）しかないので、その距離まで弾道弾に接近しなければなりません。さきほどお話ししたようにブースト・フェイズではいまだ敵国上空であることが多いですから、これまた「場所を選ぶ」兵器となってしまいます。そしてさらにもうひとつ、航空機を飛ばす必要があるので、KEIのようなミサイルに比べて即応性に欠けます。ブースト・フェイズでの迎撃は、即応性こそ命ですから、それを求めるなら、敵の弾道弾の発射位置附近を常に哨戒飛行していなければならないことになります。ABLは二〇一一年に開発中止が発表されました。

ただし、弾道弾の迎撃には使えなくとも、航空機にレーザーを搭載すること自体は将来有望な技術ですので、その技術開発は継続して行われています。ABL計画の場合には、一キロワットあたりの装置重量が五五キログラムもあったために、巨大な輸送機（ボーイング747）に搭載していましたが、これをアメリカ合衆国が目標としているように一桁コンパクト（一キロワットあたり五キログラムていど）にできれば、戦闘機や無人航空機にも搭載できるようになるのではないでしょうか。威力としては爆弾に比べるとはるかに小さいので、地上の施設を大規模に破壊することには使えなくとも、小さく高価値な目標を機能不全に陥らせることには使えそうです。

また、ソヴィエト連邦でも航空機搭載型レーザーは開発されていて、A-60（Ил-76輸送機からの改造機）に搭載され、試験が行われていました。近年、ロシア連邦でその開発が再開されています。

ミッドコース・フェイズでの迎撃

つぎに、弾道弾の行程の大部分を占めるミッドコース・フェイズでの迎撃を考えてみます。この区間の特徴のひとつは、他の区間に比べて圧倒的に時間が長いことです。それでも大陸間弾道弾で二〇～三〇分といったところですが、他の区間よりも一桁も長い時間は、それだけ対処する時間が取れることを意味します。そしてもうひとつの特徴、これが決定的なのですが、単純な楕円軌道をケプラーの法則にしたがって飛行するだけなので、予測がしやすいということです。ある地点の位置と速度がわかれば、その弾道弾の種類によらず、大気圏突入までの軌道は決まってしまいます。迎撃側が圧倒的に高速である場合は追いかけることもできますが、弾道弾のような超高速の物体を迎撃する場合には、基本的には、未来位置への到達時刻を予測して、そこで「待ち合わせ」を行うことになります。その場合に、相手の運動が単純で予測可能であることは、きわめて有利であることがおわかりでしょう。また、速度に関しても、第2章（39頁）で見たように、地球の中心から離れるほど速度は遅くなりますから、ミッドコース・フェイズでの速度は再突入開始の際よりも遅くなり、その面でも迎撃はしやすくなります。ただし、半分以下になるとかいうレヴェルではないことも、第2章（55頁や図7）で見た通りです。

いっぽうで、長射程の弾道弾では最高点で一〇〇〇キロメーターを超える高度を飛行しますので、そのきわめて高い射高を持った迎撃手段が必要です。また、ブースト・フェイズのようなことはないにせよ、やはり他国の上空で迎撃することになる場合が多いので、その配備にも気を遣う必要があります。ただし、射高が高いミサイルは射程も長いので、遠くから迎撃できるため、迎撃場所の直下に配備する必要もなく、ほかのフェイズでの迎撃兵器に比べ、配備の場所の選定の幅が広くなるうえ、少ない配備場所で広い範囲をカヴァーできます。

また、標的の大きさという面では、弾頭（再突入体）だけになっているために、燃料タンクやロケットモーターがついて巨大な図体をしているブースト・フェイズに比べ、格段に命中させにくくなっています。そして、分割弾頭式であれば、複数の弾頭に分かれるので、これらを個別にひとつひとつ迎撃していかねばなりません。迎撃側も多数の迎撃体を発射する必要があります。

このミッドコース・フェイズでの迎撃のために開発された兵器には、アメリカ合衆国のGMDと、イージスシステムを弾道弾防御のために発展させたものと、ソヴィエト連邦の「Наряд」があります。

GMDは、Ground-based Midcourse Defense（地上配備式ミッドコース防御）の略で、これはシステム全体の名称であって、迎撃体としてはGround-Based Interceptor（地上配備式迎撃体、GBI）と呼ばれています。このGBIは、初期の試験ではロケットモーターに大陸間弾道弾LGM-30のそれを使っていて、実戦配備されている現行機もそれと同等の、見るからに弾道弾そのものといった出で立ちです。一〇〇〇キロメーターを超える高空を秒速数キロメーターという超高速で飛行する弾道弾に対しては、別の弾道弾をもって迎え撃つのが正解、ということを体現しているかのようです。本稿執筆時点で四四基のGBIが配備されており、ユーラシア大陸からアメリカ合衆国本土へと至るルートの中間地点であるアラスカに四〇基、カリフォルニアに四基、となっています。二〇二三年までに六四基まで増やすとのことです。本稿執筆時点で、ミッドコース・フェイズにて大陸間弾道弾を迎撃できるのは、このGBIだけです。

GBIは、三段の固体燃料式ロケットモーターで加速して弾頭部を楕円軌道に乗せます。加速段階では慣性誘導、弾頭だけになってからは弾頭に搭載された赤外線探知機によって誘導されます。相手の弾道弾の弾頭は噴射もしていなければ空力加熱もしていないのですが、あらゆる物体がその温度に応じた電磁波を放出しているので（後述、256頁）、それを赤外線探知機で探知するのです。ブースト・フェイズのように遠方から探知できるわけではありませんが、GBIが弾頭だけになって標的に接近したときには探知が可能です。GBIの弾頭の赤外線センサーは目的の弾頭を一〇〇キロメーターの距離で探知できると言われています。GBIの弾頭は、標的とする弾道弾の弾頭に直撃し、これを破壊します。小さいうえに超高速の弾頭に直撃しなければならないので、とても高度な技術が必要とされます。なお、GBIの弾頭は、最後の赤外線誘導の際に自身の軌道を調整しなければならず、その場所は大気圏外ですから、操舵用のロケットエンジンを積んでいます（ノズルが横向きに四基ついています）。また、機首には二つの赤外線探知機と一つの可視光のカメラが取りつけられています。この弾頭はExoatmospheric Kill Vehicle（EKV、大気圏外撃墜車輌）と呼ばれています。また、炸薬なしの直撃だけで標的の再突入体が破壊できるのかと言うと、EKVの重量六四キログラムから、速度を毎秒七キロメーターとして見積もると、運動エネルギーは一・六ギガジュールとなり、これはTNT火薬三八〇キログラムが爆発したときのエネルギーに相当しますので、充分な威力だと言えるでしょう。ただし、実際に標的に与えられるエネルギーは、標的との相対速度で決まりますので、このままではありません。

「Наряд（装備）」は一九八七年に開発中止となった多目的宇宙戦闘システム（Многоцелевая боевая космическая система）СК-1000の構成要素のひとつですが、「Наряд」に関連する技術の開発は一九九四年まで続けられていました。その迎撃体には、やはり大陸間弾道弾（УР-100Н）を転用したミサイルを使っていました。ソヴィエト連邦版GBIといったところです。

GMDが地上配備式なら、海上配備式の弾道弾防御システム、Sea-based Midcourse Defense (SMD) が、Aegis Ballistic Missile Defense system（イージス弾道弾防御システム、ABMD）です。これは我が国でも採用されているので、ごぞんじの方も多いのではないかと思います。イージスとは、ギリシア神話の知恵の女神アテナが父のゼウスから授けられたアイギス（Αιγίς）のことで、これは、あらゆる災厄を防ぐ盾です。

もともとイージスシステムは、航空母艦を中心とした機動艦隊を対艦ミサイルから守るための防空システムです。ソヴィエト連邦が、アメリカ合衆国艦隊の防空対応能力を超える大量の対艦ミサイルで同時攻撃する戦術を採った際に、それに対する回答として開発した、多数の対艦ミサイルを同時処理できるシステムです。弾道弾に対する防空システムを開発する際に、イージスシステムがきわめて優れた防空システムであったために、それを対弾道弾用に発展させたものが、イージス弾道弾防御システムなのです。日本ではイージスシステムすなわち弾道弾防御システムと勘違いしている人も多いですが、今でもイージスシステム搭載艦の主たる任務が艦隊防空であることに変わりはありません。また、すべてのイージスシステム搭載艦が弾道弾防御用に改造されているわけでもありません。ついでに言うと、「イージス艦」などという艦種は存在しません。イージスシステムを搭載した巡洋艦や駆逐艦がそれに相当します。日本人には俗称を使うのが好きな人が多くて困ります。

イージスシステムに使われている迎撃体は、アメリカ合衆国の標準的な艦対空ミサイルである

RIM-66/-67/-156/-161で、これら共通の愛称「Standard Missile」から、SM-*という呼称がついています。RIM-66/-67はサブタイプによってSM-1またはSM-2（イージスシステムに使われるのはSM-2）に分けられ、それらの長射程型がRIM-156（SM-2ER）です。このRIM-156を弾道弾の迎撃体用に発展させたものが、RIM-161（SM-3）です。このSM-3はブロックI（RIM-161A）、ブロックIA（RIM-161B）、ブロックIB（RIM-161C）、ブロックIIA（RIM-161D）、ブロックIIB（RIM-161E）とジョジョに進化していっています。ブロックIまでは従来のSM-2と見た目が似ていますが（第一段だけ違う）、ブロックII以降は発射機（対空ミサイルだけでなく巡航ミサイルなどの太いミサイルも装填できるようになっている）めいっぱいまで太くなり、まったく別物の外観をしています。こういうのを同じ型式のサブタイプ扱いするのはどうかと思うほどです。大型になりロケットモーターの能力が向上したことで射程・射高もより増大したのですが、それ以外に、センサーや姿勢制御システム、弾頭なども適宜改良されていっています。

迎撃の方法はGBIと同じで、三段のロケットモーターで加速して慣性誘導で楕円軌道に乗せたあと、弾頭を切り離し、弾頭に搭載されている赤外線センサーによって赤外線誘導で標的に激突させます。ただし、射程・射高ともにGBIよりも短く、かつ、迎撃可能な標的の速度（交戦速度）がGBIよりも低いです。詳しくは表8（248頁）をごらんください。ブロックIでは、大陸間弾道弾には対処できず、中距離弾道弾をその標的としているのですが、ブロックIIでは、大陸間弾道弾をも迎撃対象とします。ちなみに、弾頭が目標に激突する際のエネルギーについて、メイカー（レイセオン社）のサイトにはおもしろい表現がしてあり、「時速六〇〇マイルで走っている一〇トントラックから受ける力に等しい」と書いてあります。アメリカ合衆国で普通に「トン」というとショート・トン、つまり二〇〇〇ポンドのことですから、このときの運動エネルギーは三〇〇メガジュール（〇・三ギガジュール）になります。TNT換算で七〇キログラムに相当します。この値は現行機（ブロックⅠ）のものでしょうから、速度・弾頭重量ともに大きくなったブロックⅡでは、さらに大きなエネルギーとなっているでしょう。

イージスシステムでは、前述のような経緯から、最初は同システムを搭載したミサイル巡洋艦やミサイル駆逐艦がその弾道弾防御の任にあたっていましたが、その後、同システムを地上に配備して運用するイージスアショア（Aegis Ashore）も登場しました。もともとイージスシステムの任務は艦隊防空ですから、その本来の任務を手薄にしないためにも、弾道弾防御専用として地上配備型も運用するのは合理的です。また、艦艇搭載型は海があれば原理的にどこでも配備可能ですが（非友好国の領海内などを除いて）、艦艇である以上、ずっとそこに留まっているわけにもいかないので、艦艇搭載型より実質的な稼働率がはるかに高い地上配備型がとても有用とされるのです。また、この地上配備型を本土から離れた同盟国に配備して、地球規模の防空ネットワークを形成することで、さまざまな潜在的敵国からの攻撃を効率的に封じ込めることができます。ただしこのようなことが可能なのは、本土から離れた海外の広い範囲に同盟国が多数存在している場合だけで、アメリカ合衆国ならではの方式とも言えます。アメリカ合衆国は、艦艇搭載型と、欧州の同盟国に配備した地上配備型とを併用する運用方法を採っています。我が国でも、現在運用している艦艇搭載型に加え、地上配備型を運用する予定でしたが、まさにこの本書を執筆している最中に、計画を停止して見直しが図られるなど、もめている最中です。

ミッドコース・フェイズで迎撃を行う兵器はほかにもあります。ソヴィエト連邦時代から開発されてきた対弾道弾システムは、基本的にターミナル・フェイズで迎撃するコンセプトのものですが、その最新型では、射高が八〇〇キロメーターと、ミッドコース・フェイズにいる弾道弾を迎撃できます。しかしこれは、本書では、次節のターミナル・フェイズでの迎撃でお話しします。

このミッドコース・フェイズでの迎撃については、のちほど、その軌道などについてお話ししします。

ターミナル・フェイズでの迎撃

最後に、ターミナル・フェイズでの迎撃を考えてみます。この区間の特徴は、通常の弾道弾の軌道であれば、時間がきわめて短く（大陸間弾道弾だと一分未満）、速度も最高で、そしてこれが「最後の砦」なのでこれを逃すと即着弾してしまうということです。もっとも難しい迎撃を、最後の瞬間に行わなければならないのです。弾頭（再突入体）も大気圏に突入してからは圧縮熱により発熱していますから、遠方からでも探知がしやすいですが、弾頭だけになっていて小型なうえ、高速でもあるために迎撃は難しいです。軌道は通常の円錐型の再突入体であれば単純ですが、機動式弾頭などのように空力を利用するものだと複雑な軌道になる場合もあります。

この短時間での対応を可能とするために、迎撃体は、普通の対空ミサイルよりもはるかに優れた加速性能が求められます。たとえばこのターミナル・フェイズに使われる迎撃体のひとつである53T6（ソヴィエト連邦／ロシア連邦）は、この短時間での対応を可能とするために、発射からわずか四秒で、自身の最高速度（秒速五・五キロメーター）に達します。迎撃高度の三〇キロメーターに達するまでわずか六秒です。

また、この短時間での迎撃を可能とするには、ミッドコース・フェイズの場合のように遠方からではなく、まさにその防御すべき地域から迎撃体を発射する必要があります。遠方から、つまり長い距離を飛行するということは、目標に到達するまでに時間がかかるということで、ターミナル・フェイズでは、時間がかかっていては着弾までに迎撃するのに間に合わないからです。したがって、比較的短射程の迎撃システムを、防御すべき地点の数に合わせて多数配備することになります。防御すべき地点が広く分布している国にとっては、コストがかさむことになります。

そして、自国の上空で迎撃するので、破壊に成功したとしても、弾頭の破片は自国領内に降り注ぐことを覚悟しなければなりません。当然ながら、着弾して起爆するよりもはるかにましであ

図49 | A-135対ロケット防御システムに使われる53T6迎撃体(手前)

ることは言うまでもありませんが。

有利な点としては、最後の瞬間なので探知や軌道の解析や迎撃の判断などといった「迎撃まで」の時間は稼げるということと、自国領内での迎撃となるので、「迎撃体のブースターすら落としてはならない」などというゼロリスク信者がいない限り、兵器の配備や運用にはかなりの自由度があるということです。

このターミナル・フェイズでの迎撃のために開発された兵器には、冷戦期に実用化されたものと、冷戦後に実用化されたものに大別されます。ちなみに、ミッドコース・フェイズでの迎撃兵器は、すべて冷戦後に実用化されたものです。みなさんも実感されていることでしょうが、冷戦後、一九九〇年代に入ってから、電子機器の性能は飛躍的に上がりました。秒速数キロメーターで飛行する弾道弾に命中させる超精密誘導技術は、現代のエレクトロニクスがあったればこそ可能であるものです。したがって、冷戦期に実用化されたターミナル・フェイズでの迎撃体は、どれも、直撃を前提としていないものなのです。ではどうやって迎撃するのか。それは、目標の弾頭の近くで、迎撃体内の核弾頭を起爆させ、核爆発によって目標の弾頭（のおもに制御機器）を無力化させ、不発弾にさせる、という大胆な方法を採用しています。いっぽう、エレクトロニクスが発達した冷戦後に実用化された迎撃体は、直撃することで、自身の運動エネルギーをもって目標を破壊します。

冷戦期に実用化されたものとしては、アメリカ合衆国のLIM-49とスプリント（Sprint）、ソヴィエト連邦のA-35、A-35M、A-135があります。A-35 / A-35M / A-135はシステムの名称で、迎撃体としては、それぞれ、A-35Ж、A-35P、51T6と53T6（A-135は二種類の迎撃体を持つ）になります。また、アメリカ合衆国では、LIM-49、スプリントともに、一九七五年に配備開始されながら翌一九七六年には廃止されていますが、ソヴィエト連邦では一九七一年にA-35が配備開始されて以来、A-35M、A-135と改良型が配備し続けられました。ロシア連邦になってからも運用が続けられ、二〇二〇年にはこの系統の最新型であるA-235の配備が開始されることになっています。自国の上空で核爆発を起こすのは思い切った手段ではありますが、核弾頭が着弾して起爆するよりはるかにましという判断なのです。ただし、最新型のA-235では、直撃型の弾頭も搭載するとも言われています。また、A-235では、長射程・中射程・短射程の三種類の迎撃体が運用され、そのうちの長射程の迎撃体は、射高が八〇〇キロメーターで、その迎撃位置はミッドコース・フェイズ上となります。なお、これらの迎撃体は固定サイロから発射されます。

この種の兵器は、一九七二年に締結された対弾道弾条約（Anti-Ballistic Missile Treaty）によって配備箇所に制限がかけられていました。そのため、アメリカ合衆国はノースダコタ州にある空軍基地（同じ州の別の空軍基地に大陸間弾道弾部隊の司令部がある）にだけ、ソヴィエト連邦／ロシア連邦はマスクヴァ周辺にだけ、配備していました（ロシア連邦では現役）。しかし、二〇〇二年にアメリカ合衆国が脱退したために、同条約は効力がなくなりました。

ターミナル・フェイズにおける、新時代（冷戦後）の迎撃システムは、他のフェイズにおける迎撃システムに比べて多くの国で多くの種類のものが開発されています。それだけ他のフェイズで迎撃するシステムよりも運用しやすく、開発も比較的容易であるからです。GBIのように、ほとんど大陸間弾道弾のような巨大な迎撃体を、地球規模で覆う探知網によって誘導するようなきわめて大がかりなシステムを開発して運用したり、イージスシステムのように、それを搭載するための大型で高価な艦艇を建造したり、本国から離れた場所の同盟国に配備するなど、ミッドコース・フェイズでの迎撃システムはそれを運用できる国が限られています。それに対して、ターミナル・フェイズにおける迎撃システムは、迎撃体の発射機やレーダーや発射発令処などを数台の車輌にまとめて運用することができるものが多く、配備場所も国内ですから、それらの車輌部隊を自由に配置して、また必要に応じて移動させることもできます。

しかしそれだけに性能もピンキリです。各国が自分の国で開発するとなれば、自国の脅威に合わせた迎撃システムにするわけですから、当然です。仮想敵国が、地球の裏側にいる国である場合と、隣国である場合とでは、飛んでくる弾道弾はまったく異なるものであり、したがってそれを迎撃するシステムもまったく違うからです。

ターミナル・フェイズにおいて、大陸間弾道弾クラス（秒速七キロメーターていどの速度）の弾道弾を迎撃できるシステムは、本書執筆時点では、前述のロシア連邦のA-135だけです。開発中のものとしては、ロシア連邦のA-235とC-500があります。C-500の弾頭は核弾頭ではなく直撃式です。

中距離弾道弾クラス（秒速三～五キロメーターていどの速度）の弾道弾を迎撃できるシステムは、アメリカ合衆国のTHAADミサイル、ロシア連邦のC-400とC-300B、イスラエルのHetz、インドのAADとPAD、などです。

短距離弾道弾クラス（秒速二～三キロメーターていどの速度）の弾道弾を迎撃できるシステムは、ロシア連邦のC-300ПМУ、アメリカ合衆国のPAC-3、イスラエルのKippat barzel、台湾の天弓三、などです。

ソヴィエト連邦では、大祖国戦争での苦い経験や、同戦争後に世界最強の空軍力を持つ合衆国空軍から国土を守らなければならなくなったことから、前述の対弾道弾システムとは別に、世界でずば抜けて濃密な防空網を敷いてきました。最盛期には一万基もの対空ミサイルを配備していたのです。それらの防空網は、長距離・中距離・短距離と多層になっており、そのうちの長距離防空ミサイルの系統でソヴィエト連邦が最後に開発したのがC-300です。C-300には、国土防空用のC-300Пの系列と、野戦防空用のC-300Bの系列とがありますが、どちらも、航空機をおもな標的としていたものの、低速（短射程）の弾道弾に対しても対処できるようになっていました。ロシア連邦時代に入り、そのC-300の改良型であるC-400が開発され、航空機に対してだけでなく、弾道弾に対しても大幅に性能が向上しました。C-400の交戦速度（標的とする弾道弾の速度）は、毎秒四・八キロメーターに達し、これは、射程三〇〇〇キロメーターで最小エネルギー軌道を辿った弾道弾の再突入速度に相当します。そして、現在開発中で、近々就役する予定のC-500では、主たる標的が弾道弾となり、射程五〇〇キロメーター、射高二〇〇キロメーター、交戦速度は毎秒七キロメーターと、大陸間弾道弾をも迎撃できるようになります。

いっぽう、アメリカ合衆国のターミナル・フェイズでの迎撃システムは、低空でのPAC-3と高空でのTHAADとの二層構造になっています。PAC-3は、我が国にも配備されているので、日本人にとってはもっとも馴染み深い防空システムかも知れません。PAC-3は「Patriot Advanced Capability 3」の略で、そのペイトリオット（Patriot）というのは、愛国者のことですが、そのシステムの肝とも言えるAN/MPQ-53レーダーの「Phased Array Tracking Radar to Intercept On Target」のバクロニムにもなっています。もともとペイトリオットは航空機と巡航ミサイルに対する防空システムだったのですが、湾岸戦争のとき、イラク軍がイスラエルとサウディアラビアに弾道弾攻撃を仕掛けてきた際に、苦肉の策として投入されたものです（これがPAC-2）。ところが、そもそも弾道弾用でなかったために、それほど役に立ちませんでした。そこで弾道弾用に改良され、ほぼ「別物」となって登場したのがPAC-3です。PAC-2に比べて、電子装備が大幅に進歩した以外に、迎撃体が細く加速に優れ（その分、射程は短くなりました）、弾頭も、標的の近くで爆発して破片を撒き散らす近接式から、直撃式になりました。THAADは、ターミナル高高度領域防御（Terminal High Altitude Area Defense）の略で、「High Altitude（高高度）」とあるように、射高一五〇キロメーターと、再突入の少し手前の大気圏外での迎撃を行う防空システムです。

イスラエルのHetz（חֵץ）は、英語圏ではArrow（矢）と呼ばれる防空システムです。周囲のアラブ諸国からの弾道弾攻撃を防ぐため、一九八〇年代よりアメリカ合衆国の協力の下に開発が進められてきたものですが、前述の湾岸戦争でイラクからの弾道弾攻撃が現実のものとなると、その開発に一層弾みがつきました。Hetz-1は最初に開発されたシステムですが実戦配備されず、その改良型のHetz-2が二〇〇〇年から配備されました。Hetz-2の誘導方式は赤外線とレーダーの併用で、高度が高い場合には赤外線、高度が低く天候がよくない場合にはレーダーが用いられます。また、弾頭は直撃式ではなく、標的の近くで爆発する近接式です。本書執筆時点で、より高空（Hetz-2が五〇キロメーターまでなのに比べ、一〇〇キロメーターまで）での迎撃を目指したHetz-3が開発中で、就役すれば、Kippat barzel（כִּפַּת בַּרְזֶל）、英語圏ではIron Dome）、Hetz-2などとともに多層的な防空システムを構築します。

また、変わったものでは、ソヴィエト連邦が開発を行っていた「Teppa（大地）」があります。これは、ターミナル・フェイズでの迎撃を目的とした、地上配備式のレーダーです。一九六六年には政府の承認を得て開発が開始され、一九七七年まで精力的に開発が行われていましたが、結局、再突入体を破壊するほどの出力が得られないことがわかり、以降、計画は縮小しました。そして、ソヴィエト連邦の崩壊とともに研究施設も解体されました。

レーザーは、前述（229頁）のように弾道弾をもはるかに超える速度であることから、きわめて短時間で対処しなければならないターミナル・フェイズでの迎撃手段としては打ってつけです。

しかも、自国の地上の固定基地に設置できるので、大がかりで大電力を消費する設備でも構いません。ただし、ターミナル・フェイズでは燃料タンクもない再突入体そのものを確実に破壊しなければなりませんので、高い出力が求められます。さきほどのEKVの例だと、数百メガジュールていどは必要で、照射時間が数秒取れたとしても、一〇〇メガワットは必要です。将来的にこれくらいの大出力レーザーが開発されたときには、ターミナル・フェイズでの迎撃手段として、主役の座を占めるかも知れません。

以上のように、それぞれのフェイズには、迎撃をするうえでの長所と短所がありますので、それらを考慮したうえで迎撃システムを構築する必要があります。どんなに優れた迎撃システムでも、ある確率でかならず撃ち漏らしはありますので、迎撃領域の異なる複数の迎撃システムを組み合わせるのが望ましいです。また、高速の迎撃体ほど、加速に時間がかかるために、その速度に達するまでは迎撃体として機能せず、低い高度、いわゆる「ふところ」はがら空きになりますので、それを埋める短射程の迎撃システムと組み合わせるのが望ましいです。たとえば同じターミナル・フェイズでの迎撃でも、高空と低空の二層にするなどは効果的です。すべてのフェイズに対応した多層的な迎撃システムを構築するのは理想的ですが、それを完璧に行うには、海外基地や同盟国なども含めた、地球規模の軍事ネットワークが必要です。現時点でそれが可能なのは、アメリカ合衆国を除いてほかにありません。

			射高		射程	速度		弾頭
システム	迎撃体	フェイズ	[km]		[km]	[m/s]		
			最大	最低	最大	交戦	迎撃体	
ソヴィエト連邦／ロシア連邦								
A-35	A-35Ж	T	350	50	400			核
A-35M	A-35P	T	350	50	520			核
A-135	51T6	T	670	70	850	7,000		核
	53T6	T	30	5	100	7,000	5,500	核
A-235	A-975	M	800	50	1,500			核？
	58P6	T	120	15				核？
	45T6	T	40		350			核？
C-300ПМУ	5B55P	T			25	1,200	2,000	直撃
C-300ПМУ1	48H6	T	25	2	40	2,800	1,900	直撃
C-300ПМУ2	48H6	T	25	2	40	2,800	1,900	直撃
C-300B	9M82	T	25	1	40	3,000	1,800	直撃
C-300BM	9M82	T	30	1	40	4,500	2,600	直撃
C-400	48H6ДM	T	27	0.01	60	4,800	2,500	直撃
C-500	77H6	T	200		500	7,000		直撃
アメリカ合衆国								
LIM-49		T	560		740			核
Sprint		T	30	1.5	40		3,400	核
GMD	GBI	M	2,000		5,500	7,100		直撃
Aegis	SM-3 IA	M	500	70	900		3,000	直撃
	SM-3 IB	M	500	70	900		3,000	直撃
	SM-3 IIA	M			2,500		4,500	直撃
	SM-3 IIB	M					5,500	直撃
THAAD		T	150	40	200	5,000	2,800	直撃
PAC-3		T	15	0.05	20	1,600		直撃
イスラエル								
Hetz-2		T	50		90	3,000		近接
Hetz-3		T	100			6,000		直撃

表8｜弾道弾防御システム一覧

早期警戒衛星

迎撃システムのうち、ここまでは迎撃体にばかり触れてきましたから、その探知システムについてもかんたんに触れておきましょう。弾道弾に限らず、飛翔体の迎撃の第一歩は、その存在を知ることであり、それを追尾して迎撃体を正確に誘導するシステムがあったればこその迎撃だからです。

探知システムは、探知方法で二つに、また、配備場所で二つに、それぞれ分類できます。

探知方法では、どちらも電磁波を使うのですが、赤外線を使うものと、電波を使うものとに分かれます。赤外線を使うものは、パッシヴなもので、弾道弾の温度に応じて放出される赤外線を探知します。電波を使うものは、アクティヴなもので、こちらから電波を発してその反射波を探知する、要するにレーダーです。

配備場所では、地球の表面と、宇宙空間とに分かれます。地球の表面は、さらに、地上の固定基地と海上（艦艇に搭載）とに分かれます。宇宙空間に配備するというのは、要するに人工衛星に搭載するもののことです。地球の表面に配備する場合は、人工衛星に搭載する場合に比べ、重量に対する制限が実質的にありませんので、大がかりなシステムにできます。そしてそれ以上に重要なことは電力の供給で、地上設置型であれば、消費電力を気にせずに大出力の設備を稼働させられます。レーダーのうち、本書で扱うような、地球規模で弾道弾の弾頭を探知・追尾するようなものは、莫大な電力を消費します。そのため、地上設置型が適しています。

いっぽうで、地球は丸いので、地平線という天然の要害があり、探知できる範囲が限られてしまいます。人工衛星はその逆で、上空からカヴァーできるために探知範囲は広いのですが、巨大な装置は搭載できません（打ち上げられない）。また、ある場所に留まっていることはできず、常に動き回っていますので、特定の地域（仮想敵国上空など）を常時カヴァーしようとすると、それなりに工夫が必要です。

第2章でお話しした通り、「人工衛星が落ちてこないのは動き回っているから」（32頁）です。地表に対する相対位置が変化しない静止軌道（GEostationary Orbit、またはGeosynchronous Equatorial Orbit、GEO）上にある衛星だと、事実上固定位置にある探知システムとして使えますが、これは本当の意味で静止しているのではなく、地球の自転と同じ角速度で円運動している人工衛星のことです。その運動をするためには、赤道上で、かつ、高度三五八〇〇キロメーター（38頁の式から計算できます）という条件を満たさなければなりません。この軌道でひとつ困ったことは、もっとも重要な北半球の高緯度地域を、斜め横から見ることになってしまうことです。本来は上から見るのがよいのですが、赤道上でないと静止軌道にならないからです。ソヴィエト連邦も、アメリカ合衆国も、高緯度地域にあり、北極を挟んでにらみあっています。そこで、目的の高緯度地域を真上から見下ろすような長楕円軌道（Highly Elliptical Orbit、HEO）を使うことになります（図50）。もちろんこれは地表に対して静止しておらず、地表から見ても動き回っているのですが、ここで工夫があります。第2章でお話ししたように、ケプラーの第二法則にしたがうと、楕円軌道では、遠点ではゆっくりと動き、近点では速く動くので（39頁）、遠点を観測したい地表面の真上になるようにしておくと、その附近ではゆっくり動くので長時間観測でき、地球の反対側になってしまう場所では速く動いて短時間でそこを抜けてしまうことになります。とくに有名なのは、モルニヤ軌道（Молния орбита）と呼ばれるもので、赤道面から六三・四度傾斜した長楕円軌道で、近点での高度が五〇〇キロメーター、遠点での高度が四〇〇〇〇キロメーターで、ちょうど半日（一二時間、七二〇分）で一周します。この名前は、大部分が高緯度地域を占める本国をカヴァーすべく、ソヴィエト連邦がこの軌道上に配置した通信衛星「Молния（稲妻）」に由来します。高緯度地域をカヴァーしなければならないソ米（露米）両国では、弾道弾探知用の衛星を、静止軌道上のものと長楕円軌道上のものとを組み合わせて運用しています。

また、意外に重要な点として、メインテナンスの問題があります。地上の施設は必要なときにメインテナンスできますが、人工衛星は、基本的にそういうものではないので、寿命が来たら代わりの衛星を打ち上げる、という運用をしなければなりません。常備定数をはるかに超える数を、絶えず打ち上げ続けなければならないのです。

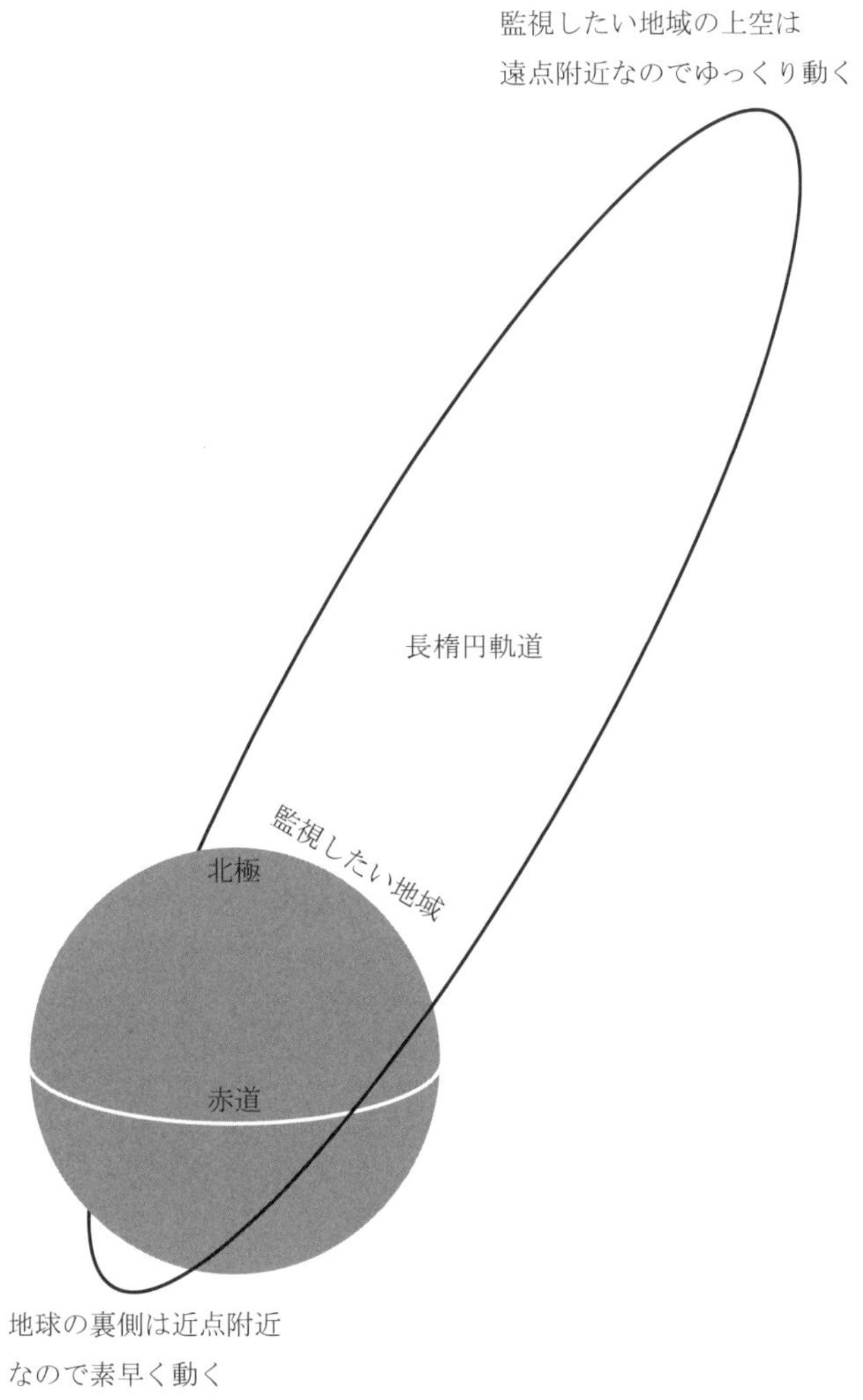
監視したい地域の上空は
遠点附近なのでゆっくり動く
長楕円軌道
監視したい地域
北極
赤道
地球の裏側は近点附近
なので素早く動く

図50｜長楕円軌道

弾道弾の探知に使われる人工衛星は、早期警戒衛星と呼ばれます。これは、大量の熱を発生させるブースト・フェイズの弾道弾を赤外線探知機で探知するものです。さきほどお話しした人工衛星の特徴（巨大な探知機は積めないが広い範囲をカヴァーできる）を考えると、パッシヴな赤外線探知機を積んで弾道弾の発射を常時監視するのに適しています。この早期警戒衛星システムには、ソヴィエト連邦／ロシア連邦の「Oko」並びにその改良型の「Oko-1」、後継の統一宇宙システム、アメリカ合衆国のDSP、SBIRS、などがあります。

「Oko」は「目」を意味する早期警戒衛星システムで、静止軌道上を動く早期警戒衛星YC-KCと、長楕円軌道上を動く早期警戒衛星YC-Kから構成されていました。

「Oko」の長楕円軌道は、赤道面から六三度傾いており、近点での高度が六〇〇キロメーター、遠点での高度が三九七〇〇キロメーター、周期は七一八分です。アメリカ合衆国本土をカヴァーできる時間は六時間ほどなので、単純計算では少なくとも四基の衛星が必要です。「Oko」では、九基の衛星が、軌道面が四〇度ずつ離れた九つの軌道に、それぞれ一基ずつ配置されました。これにより、異なる位置にある複数の衛星が同時に同地点を観測できるほか、一つの衛星が失われても他の衛星でカヴァーできるようになっていました。

静止軌道上のものは、大西洋の真上にあたる西経二四度に必ず一基は稼働しているように配置し、アメリカ合衆国本土からソヴィエト連邦へと飛来する弾道弾を監視するものでした。

「Око」は、一九七二年に最初の衛星が打ち上げられ、一九七九年に正式採用、一九八二年から戦闘任務に就きました。静止軌道上のものは一九八四年に打ち上げられました。

しかしこの「Око」は、アメリカ合衆国本土だけをカヴァーするものであり、本土から離れた海洋から発射される弾道弾を探知できないので、地球全域をカヴァーする「Око-1」が開発され、それに移行しました。「Око-1」では、УС-КС の改良型の УС-КМО を七基、それぞれ、西経二四度、西経一五九度、東経一六六度、東経一三〇度、東経八〇度、東経三五度、東経一二度の七つの静止軌道上に配置し、長楕円軌道上の УС-К とともに運用していました（図51）。УС-КМО は一九九一年から二〇一二年の間に打ち上げられましたが、二〇一四年には最後の衛星の機能が喪失してしまいました。

そのため、「Око-1」に代わる新世代の早期警戒衛星システムとして、統一宇宙システム（Единая космическая система）の構築が開始されました。それを構成する早期警戒衛星は「Тундра（ツンドラ、凍原）」と呼ばれ、二〇一五年に最初のものが打ち上げられ、本書執筆時点で四基が稼働しています。これらは四基とも長楕円軌道上にあります。

DSP は、Defense Support Program（防御支援プログラム）の略で、もともと一九六〇年代に運用された最初の早期警戒衛星システム MIDAS（MIssile Defense Alarm System、ミサイル防御警戒システム）の後継システムです。そこで運用される早期警戒衛星は、DSP 衛星（Defense Support

Program Satellite）と呼ばれます。DSP衛星は静止軌道上に配置されます（図51）。地球の自転と同じ角速度で公転するだけでなく、自転もしており、自転軸と探知機の軸が七・五度傾いているために、この自転によって首振り運動を行い、広い範囲をカヴァーできるようになっています。自転周期は一〇秒です。地球全体をカヴァーするためには同時に三基以上が稼働している必要があります。一九七〇年に最初の衛星が打ち上げられ、二〇〇七年に最後の二三基目が打ち上げられましたが、四〇年にわたって一度たりとも途切れずに地球上を監視し続けたことは、さすがはアメリカ合衆国、と感心せざるをえません。その間、アメリカ合衆国に向かって弾道弾が飛来することはなかったのですが、たとえば湾岸戦争で、イラクからイスラエルやサウディアラビアに向かって撃ち込まれた弾道弾を探知したことで、一躍有名になりました。性能も随時向上していき、最後の衛星は、最初の衛星に比べ、センサー素子数で九倍、寿命で四倍にもなっています。

その後、アメリカ合衆国でも新たな早期警戒システムに移行しました。それがSpace-Based InfraRed System（宇宙配備式赤外線システム、SBIRS）です。SBIRSでは、「Око」や「Тундра」と同様に、静止軌道に加えて長楕円軌道上にも衛星を配置し、加えて、もっと低い軌道の上にも衛星を配置します。静止軌道と長楕円軌道のシステムはSBIRS Highと呼ばれ、静止軌道上に八基と、長楕円軌道上に四基の、それぞれ早期警戒衛星を配置することになっていました。ただし、長楕円軌道上の衛星は専用の衛星ではなく、別の目的の衛星に間借りする形で探知機を搭載しています。本書執筆段階で、それぞれ四基ずつが打ち上げられ（図51）、さらに静止軌道用の衛星が二基打ち上げ予定ですが、残りの静止軌道用の二基の打ち上げは、より新しい計画（Next Generation Overhead Persistent InfraRed、Next Gen OPIR）への移行のために中止されました。

低い軌道上のシステムは、最初SBIRS Lowと呼ばれていましたが、のちにSpace Tracking and Surveillance System（宇宙追尾監視システム、STSS）と改名されました。より低い高度、つまり近くから弾道弾を監視することで、ブースト・フェイズだけでなく、圧倒的に熱輻射の小さいミッドコース・フェイズにおいても、その追尾を可能とするものです。

これまでにも少し触れましたが、物体は、その温度に応じた波長と量の電磁波を放出しています。我々の生活の範囲や、本書で扱う弾道弾の各部だと、その中心波長は赤外線の領域になります。「中心」と言ったのは、幅広い波長域の電磁波を放出しているからです。放出する電磁波の中心波長は、常温で一〇マイクロメーター（遠赤外の領域）、弾道弾の燃焼ガスの温度（108頁の表5参照）で〇・八マイクロメーター（近赤外の領域）です。〇・八マイクロメーターというと可視光の端の領域で、したがって可視光も盛大に放出していますから、我々の肉眼で燃焼ガスを見ることができるわけです。放出量の面で言うと、全波長域を合わせた全電磁波放出量（単位面積あたり）は、温度の四乗に比例します。そのため、常温と燃焼ガスとでは、放出量が二万倍も違います。ですから、ブースト・フェイズでは遠くからでも容易に探知できるのです。「遠くから」と言いましたが、この電磁波（赤外線）は全方向に放出されますから、ある距離にある探知機が受け取ることができる電磁波の量は、距離の自乗に反比例します。たとえば静止軌道にある探知機（高度三六〇〇〇キロメーター）がブースト・フェイズの燃焼ガスから得たのと同じ量の電磁波を、常温の物体から受け取ろうとすると、電磁波を放出している面積が同じだとして、二四〇キロメーターまで接近しなければなりません。GBIのセンサーがミッドコース・フェイズを飛行する弾道弾（その再突入体）を追尾可能となる距離が一〇〇キロメーター（233頁）と短距離なのも、こういうことからです。ミッドコース・フェイズで探知・追尾するSTSSがほぼミッドコース・フェイズと同じ低軌道にいなければならない理由がここにあります。

STSSは、二〇〇九年に二基の実証機が打ち上げられましたが、これらは近点高度一三三五キロメーター、遠点高度一三五〇キロメーターのほぼ円軌道（離心率〇・〇〇一）で、傾斜角は五八度で、ロシア連邦と中華人民共和国の上空を通過するように飛行しています。

人工衛星にもレーダーを積んで赤外線探知式のものと併用すればきわめて効果的な運用ができるのですが、さきほどお話しした通り、供給電力の問題があります。かつて、ソヴィエト連邦では、海洋監視用の17K114「Легенда（伝説）」というシステムを運用しており、そこではアクティヴとパッシヴの二種類の人工衛星が使われていましたが、そのうちのアクティヴのほう（УС-А）は、自分で電波を放射しなければならないことから使用電力が大きく、その電力供給用に原子炉を搭載していました。なお、ロシア連邦では、その後継である海洋監視システム「Лиана（蔓植物）」を運用しています。

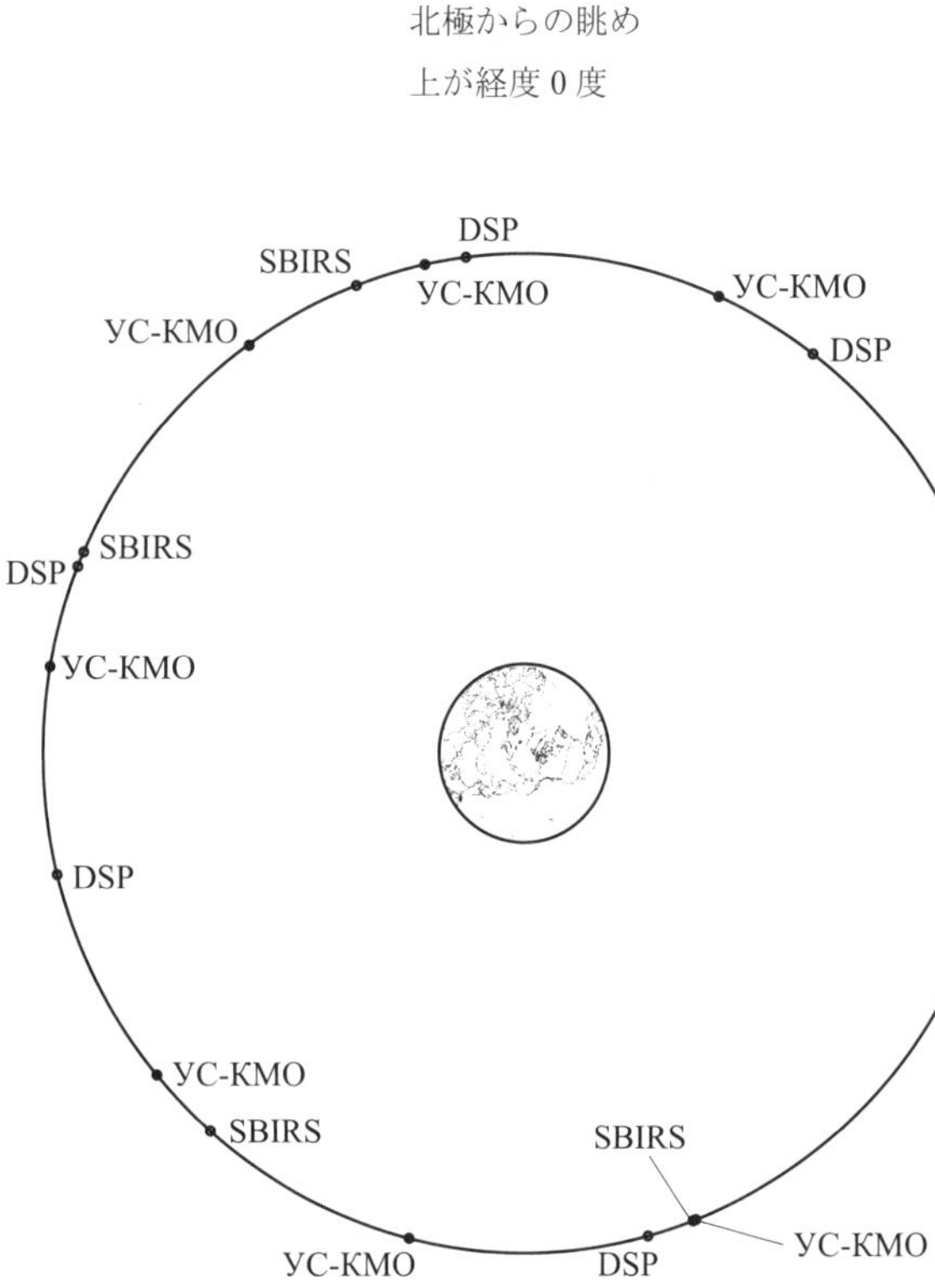

図51｜静止軌道上の早期警戒衛星の位置（過去に運用されたものを含む）

早期警戒レーダー

地上配備型の探知システムについてもかんたんに触れておきましょう。前述のように、地上には大がかりで大電力を消費するレーダー設備を設置できますから、それがその中心となります。

ソヴィエト連邦では、ロケット攻撃警戒システムで用いられるレーダーと、前々節（242頁）でお話しした対弾道弾システム（A-35からA-235までの系列）で用いられるレーダーとが運用されていました。

ロケット攻撃警戒システム（Система предупреждения о ракетном нападении）は、発射された弾道弾を検出し、その軌道を計算し、着弾地点を予測するものです。そのシステムの主役となる巨大なレーダーは、探知距離は長く探知範囲も広く、外側に向かって国土を覆うように配置します。最初のシステムは5Н15「Днестр（ドゥニエストゥル川）」で、一九六七年から運用されましたが（四基）、随時改良型が建設されていき、一九七一年に運用開始された「Днестр-М」（六基）、一九七二年に運用開始された5Н86「Днепр（ドゥニエプル川）」（新規五基、Днестр-Мからの更新五基、計一〇基）と進化していきました。

第二世代のシステムとして、5У83「Даугава（ダウガヴァ川、西ドゥヴィナ川のラトヴィア語読み）」が建設され（一組のみ）、その改良型の5Н79「Дарьял（ダリヤル渓谷）」（二組）が建設されて計三組が運用されました。これらのシステムの特徴は、送信機と受信機が離れた場所に設置されていることです。さらに改良型の「Дарьял-У」（四組）と「Дарьял-УМ」（二組）が建設されましたが、完成した時期がちょうどソヴィエト連邦の崩壊のときと重なったため、これらはシステムに組み込まれることなしに運用を停止し、のちに解体されました。

第二世代のシステムの構築がこのように中断され、第一世代のシステムも老朽化したため、これらを更新するために、ロシア連邦時代の二一世紀に入り、新型の77Я6「Воронеж（都市名でもあるが、ここではヴォロネジ川）」が開発され、それに置き換えられていっています。「Воронеж」は使用波長によっていくつかの型式に分かれており、メーター波の「Воронеж-М」、デシメーター波の「Воронеж-ДМ」、センチメーター波の「Воронеж-СМ」、そして「Воронеж-М」の改良型の「Воронеж-ВП」があります。「Воронеж」と「Воронеж-ДМ」は二〇〇九年から運用開始され、「Воронеж-СМ」と「Воронеж-ВП」は二〇二二年から運用開始の予定です。本書執筆時点で、「Воронеж-М」三基と「Воронеж-ДМ」四基が運用中で、「Воронеж-СМ」一基と「Воронеж-ВП」一基が建設が終わり、試験中です。さらに、「Воронеж-СМ」一基が建設中なのに加え、運用中の「Воронеж-М」は「Воронеж-ВП」に更新されるかも知れません。

そのほかのレーダーとしては、「Волга」と「Дуга」があります。70М6「Волга（ヴォルガ川）」は、二〇〇三年に稼働開始したレーダーで、設置場所はベラルーシですが、ロシア連邦が運用しています。5H32「Дуга（弧）」は、電離層での短波の反射を使って地平線の向こうまで探知する超地平線レーダーで、一九七五年から運用開始され、計三組が運用されていました。しかし現在ではすべてが運用停止しています。短波の領域なので使用波長は長く、一七メーターから九二メーターです。「Дуга」も「Дарьял」のように送信機と受信機が離れて設置されています。

もうひとつのレーダーシステムが、対弾道弾システム用のものです。最初に開発されたのが「Дунай（ドナウ川）」の系列で、最初の試験的なレーダーシステム「Дунай-1」に始まり、試験的な運用がなされた最初の対弾道弾システム「A」用の「Дунай-2」、最初に実戦配備された対弾道弾システムA-35用の「Дунай-3М」、その改良型のA-35M用の「Дунай-3У」と進化していきました。「Дунай」も「Дарьял」のように送信機と受信機が離れて設置されています。「Дунай-2」は一組建設されて一九六一年から、「Дунай-3М」は二組建設されて一九七八年から、「Дунай-3У」は二組建設されて一九八四年から、それぞれ運用されました。「Дунай-3У」は本書執筆時点で一組が運用中です。

そして、現用の対弾道弾システムA-135用に開発され、一九九六年以来現役で実戦運用されているのが、「Дон-2Н（ドン川）」です。「Дон-2Н」は、ジッグラトの四面に巨大な眼（送受信アンテナ）がついたような姿をしています。その性能を示すものとして、アメリカ合衆国と共同で一九九四年に行われた「ODERACS（Orbital DEbris RAdar Calibration Spheres）」実験というものがあります。これは、スペースシャトルから放出された直径二インチ、四インチ、六インチの球を、スペースデブリと想定して、両国の早期警戒レーダーで追尾するものです。このうちもっとも小さい二インチ（五センチメーター）の球は、アメリカ合衆国側では検知できませんでしたが、試験運用中だった「Дон-2Н」は、この球を、高度三五二キロメーター、距離八〇〇キロメーターで補足し、距離一五〇〇キロメーターまで追尾し続けました。

これらのレーダーは、全面核戦争時にも活躍するよう設計されているので、多数の弾道弾（その弾頭）を同時追尾することができます。最新のものでは、「Воронеж-ДМ」で五〇〇、「Дон-2Н」で一〇〇の目標を同時追尾できます。

図52に、ソヴィエト連邦とロシア連邦の早期警戒レーダーの配置を示します。ロケット攻撃警戒システムのレーダーは国境附近を覆うように、いっぽう、対弾道弾システムのレーダーはマスクヴァ附近に、それぞれ配置されていることがわかります。

アメリカ合衆国のほうは、早期警戒システムに組み込まれた早期警戒レーダー、海上配備のレーダー、地上配備の可搬式レーダー、そしてイージスシステム搭載艦のレーダーから成ります。アメリカ合衆国の地上配備の早期警戒システムとしては、まず、弾道ミサイル早期警戒システム（Ballistic Missile Early Warning System、BMEWS）が一九六〇年に運用開始されました。そ

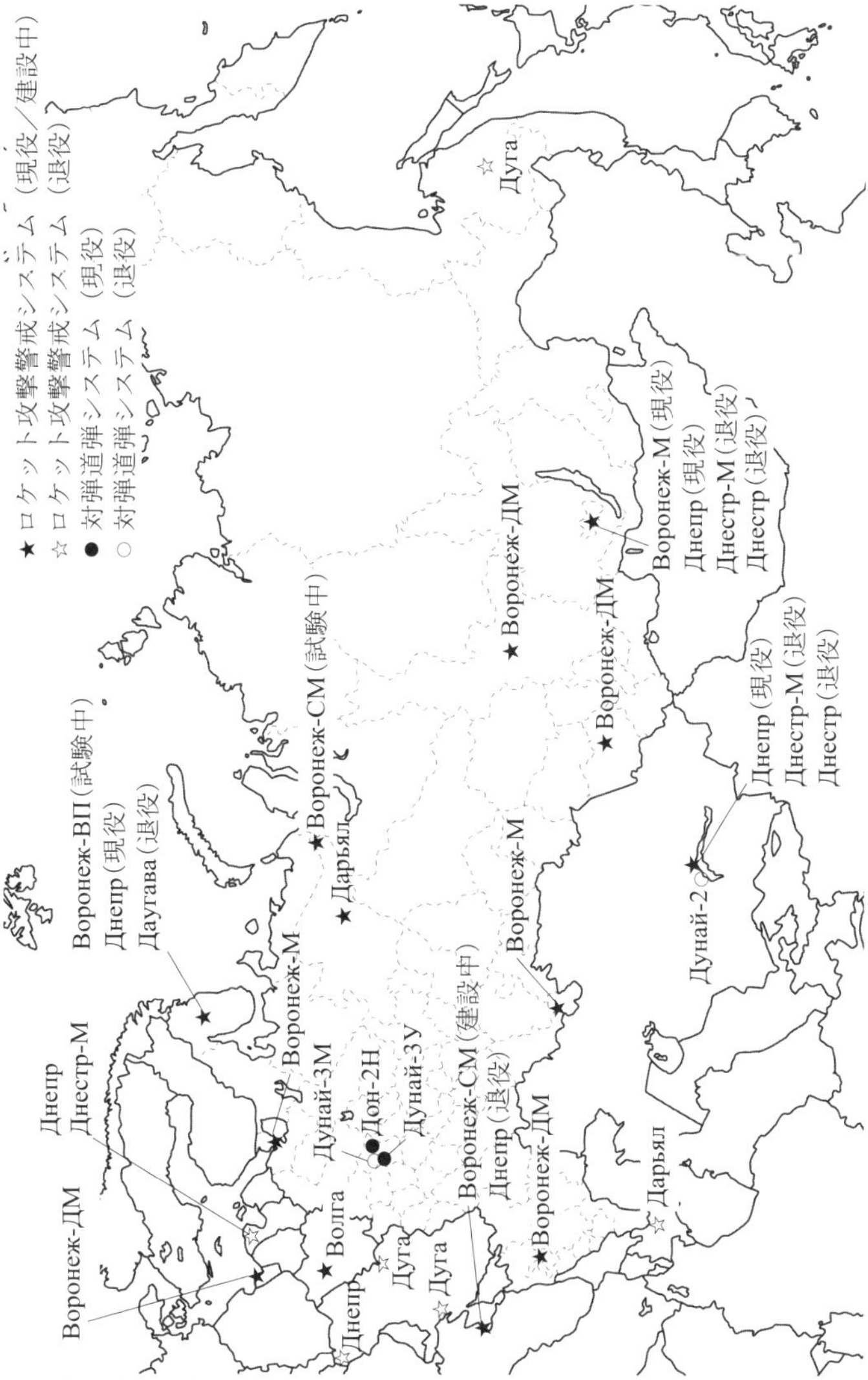

図52｜ソヴィエト連邦／ロシア連邦の早期警戒レーダーの配置

の中心となるのは、三箇所にある早期警戒レーダーです。その三箇所とは、グリーンランドのテューレ空軍基地、アラスカ州のクリア空軍基地、イングランドのフィリングデイルズ王国空軍基地の中にそれぞれありました。これらのサイトでは、発射された弾道弾を検知する大出力のAN/FPS-50レーダーと、その弾道弾を追尾する高精度のAN/FPS-49レーダーとが運用されていました。のちにAN/FPS-49はAN/FPS-92にアップグレイドされました。この配置を見ると、北極回りでやってくるソヴィエト連邦の大陸間弾道弾に特化した警戒システムだということが明らかです。東西の大西洋方面と太平洋方面はがら空きです。

この穴を埋めるべく一九八〇年から運用開始された早期警戒システムがPAVE PAWS（Precision Acquisition Vehicle Entry Phased Array Warning System）です。大西洋方面をカヴァーするためにマサテューセッツ州のケイプ・コッド空軍基地に、太平洋方面をカヴァーするためにカリフォルニア州のビール空軍基地に、それぞれAN/FPS-115レーダーが設置されました。AN/FPS-115はフェイズド・アレイ・レーダー（アクティヴ・アレイ式）で、以降、早期警戒レーダーはこの形式になっていきます。そのあと、一九八〇年代の後半に、ジョージア州のロビンズ空軍基地とテキサス州のエルドラド空軍基地にもAN/FPS-115が設置されましたが、冷戦終結に伴い、一九九五年には両基地のレーダーは運用を停止しましたので、現在は、BMEWSと合わせ、計五箇所で運用されています。

テューレ空軍基地のレーダーは一九八七年にAN/FPS-120に、フィリングデイルズ王国空軍

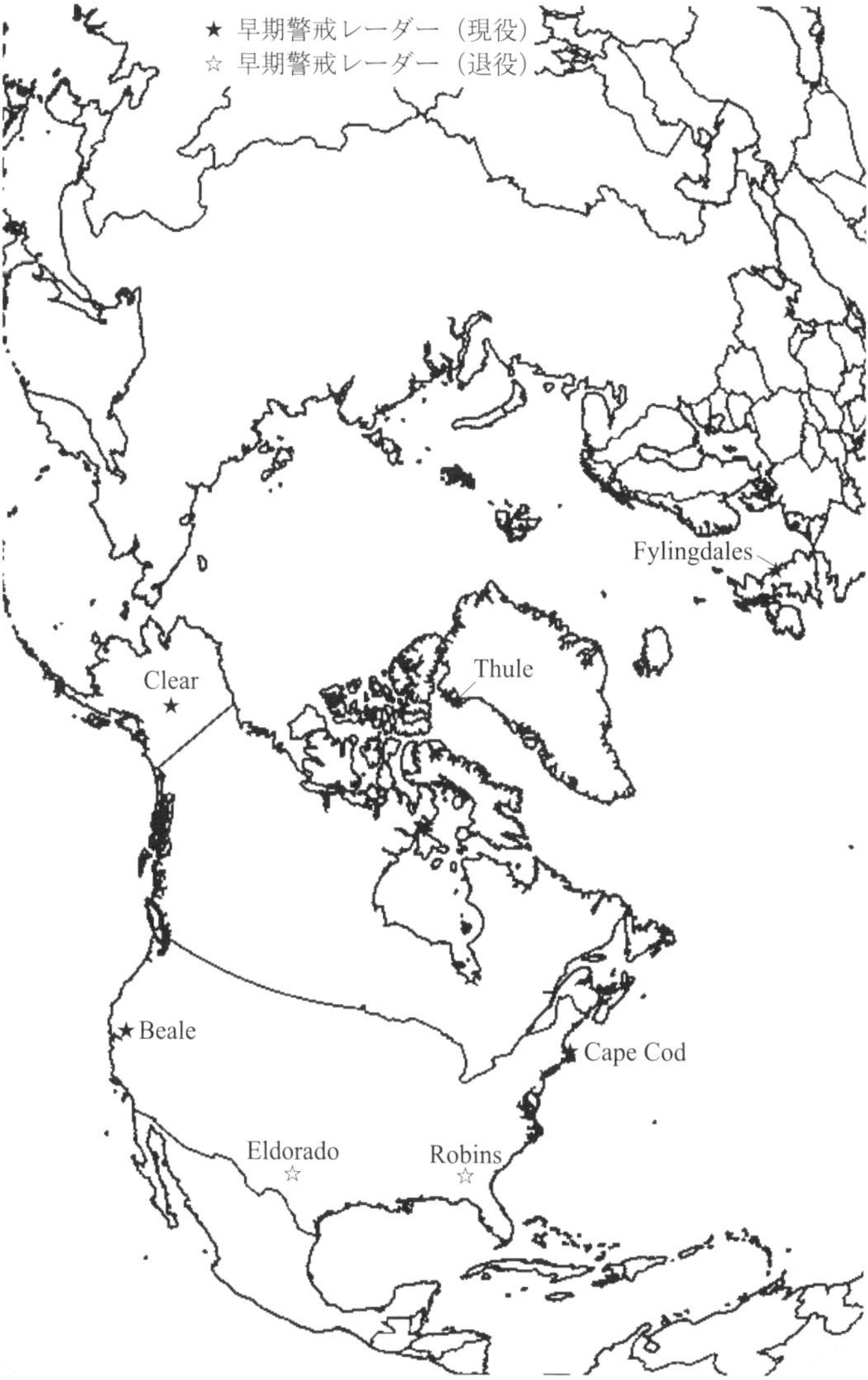

図53 ｜アメリカ合衆国の早期警戒レーダーの配置

基地のレーダーは一九九二年にAN/FPS-126に、ともにフェイズド・アレイ・レーダーに更新され、また、クリア空軍基地のレーダーは二〇〇一年にAN/FPS-115に更新されたうえでPAVE PAWSに組み込まれました。ケイプ・コッド空軍基地とビール空軍基地のレーダーは一九九〇年代にAN/FPS-123に更新されました。そのあと、二〇一〇年代に入り、五箇所すべてのレーダーが、最新型のAN/FPS-132に更新されています。AN/FPS-132はデシメーター波を使用しています。

図53に、アメリカ合衆国の早期警戒レーダーの配置を示します。

地上配備式の可搬式レーダーAN/TPY-2は、THAADのためのレーダーです。使用波長は三から三・五センチメーターで、X帯になります。可搬式ですので、THAADと同様、必要なときに必要は場所に配置変更できます。

海上配備のレーダーとは、その名もずばり、Sea-Based X-band radar（海上配備式X帯レーダー、SBXレーダー）です。これは、巨大なレーダーの設備を石油採掘用プラットフォームの上に設置したものです。全体で排水量が五万トンという巨大なもので、曳航して移動するほか、自走もできるようになっています。このため、通常はアラスカ附近の北太平洋にいますが、海の上であれば自由な場所に配置できます。名前に「X帯」とついているように、使用波長はX帯（波長二・五から三・八センチメーター）です。今のところ一基しかありません。

イージスシステム搭載艦のレーダー AN/SPY-1 は、当然ながらイージスシステムとともに運用されるためのもので、一九八三年から運用されている歴史あるレーダーですが、レーダー単独で見てもいまだに世界最高峰の防空レーダーです。ヴァリエイションには、巡洋艦用の AN/SPY-1A ならびにその改良型 AN/SPY-1B、駆逐艦用の AN/SPY-1D、フリゲイト用の AN/SPY-1F、コルヴェット用の AN/SPY-1K があります（F と K は弾道弾防御には使いません）。アメリカ合衆国の巡洋艦と駆逐艦は、ズムウォルト級駆逐艦の三隻を除いて、すべてこのレーダーで装備統一されているほか、同盟国にも販売されており、我が国のミサイル駆逐艦にも搭載されています。使用波長は S 帯（波長七・五から一五センチメーター）です。

そして、現在建造中の最新の駆逐艦（二〇二三年就役予定）からは、AN/SPY-1 に代わって、新型の AN/SPY-6 が搭載されることになっています。この AN/SPY-6 は、当初、新型の巡洋艦に搭載される、S 帯と X 帯の両方の波長の電波を使用するレーダーとして開発されていました。もともとの名称は Air and Missile Defense Radar（AMDR）で、最初から、艦隊防空だけでなく、弾道弾防御も主たる用途として開発されてきました。しかし結局、新型巡洋艦の建造が中止されたうえ、開発コストもかさんだことから、S 帯だけを使用するレーダー（AMDR-S）となりました。

この、二種類の波長を使うことには、どういう意味があるのでしょうか。そもそも、本節で、かならず使用波長を書いておいた意味は何でしょうか。レーダーは、電波を送信し、その電波が

型式	愛称	使用波長 [m]	探知距離 [km]	視野角 [deg.]	就役数	稼働数
アメリカ合衆国						
AN/FPS-50		0.71	5,000	40	7	0
AN/FPS-49		0.71	5,000		4	0
AN/FPS-92		0.71	4,800		5	0
AN/FPS-115		0.67 ~ 0.71	4,800	240	5	0
AN/FPS-120			5,000	240	1	0
AN/FPS-123				240	2	0
AN/FPS-126				360	1	0
AN/FPS-132		0.1 ~ 1	4,800	240	4	4
				360	1	1
SBX-1		0.025 ~ 0.038	2,000	270	1	1
AN/SPY-1		0.086 ~ 0.097	500	360	98	93
AN/SPY-6		0.075 ~ 0.15	1,000	360	建造中 3	
AN/TPY-2		0.03 ~ 0.035	1,000		12	12

『History and the Current Status of the Russian Early-Warning System』
Science and Global Security **10** (2002) 21-60
Military Russia（http://militaryrussia.ru/）
Global Security（https://www.globalsecurity.org/）
合衆国国防省ミサイル防衛局の各種資料
などより引用

型式	愛称	使用波長 [m]	探知距離 [km]	視野角 [deg.]	就役数	稼働数
ソヴィエト連邦／ロシア連邦						
ロケット攻撃警戒システム						
5H15	Днестр	1.5 ~ 2		60	4	0
	Днестр-М	1.5 ~ 2	2,500	60	6	0
5H86	Днепр	1.5 ~ 2	4,800	120	10	4
5У83	Даугава	1.5 ~ 2		60	1	0
	Дарьял	1.5 ~ 2	6,000	110	2	1
5H79	Дарьял-У				建設のみ 4	
	Дарьял-УМ				建設のみ 2	
5H32	Дуга	17 ~ 92			3	0
70M6	Волга	0.1 ~ 1	5,000	120	1	1
	Воронеж-М	1.5 ~ 2	4,200	110	1	1
			6,000		2	2
77Я6	Воронеж-ДМ	0.1	4,200	130	2	2
			6,000		2	2
	Воронеж-СМ	0.01 ~ 0.1	6,000		建設／試験中 2	
	Воронеж-ВП	1.5 ~ 2	6,000		試験中 1	
対弾道弾システム						
	Дунай-2	0.1	1,200	45	1	0
	Дунай-3М	0.1	2,500	51	2	0
	Дунай-3У	0.1	4,600	48	2	1
	Дон-2Н	0.075	3,700	360	1	1

表9｜早期警戒レーダー一覧

対象物に反射して返ってくるのを受信することで、その対象物の情報を得ます。このとき、その寸法的な分解能は、おおむね、その波長ていどになります。要するに、波長より小さな構造は区別できないのです。我々が何かを触って識別するとき、掌で触るよりも、指で触るほうが、より細かい形を識別できるのと同じです。本節でいちいち使用波長を書いたのも（周波数ではなく）、それぞれのレーダーの分解能がそれくらいだということを知ってもらうためです。では、波長は短ければ短いほどいいのかと言うと、そういうわけでもありません。同じ出力であるなら、波長が長いほど遠くまで届くので、本節で扱っているような長距離レーダーでは、波長が長いほうが有利です。波長の短いレーダーで長距離の探知を行う場合には、それだけ出力を上げてやる必要があります。そこで、まず飛来してくる物体の探知を波長の長いレーダーで行い、その中で重要な目標の追尾を波長の短いレーダーで行う、という運用をするのです。また、艦艇搭載式のレーダーの場合は、上空の目標は遠くから探知する必要があるために波長の長いレーダーを使い、海面上の目標を正確に捕らえるには、海面での反射と区別するために高い分解能が必要とされ、それゆえ波長の短いレーダーを使うのです。

表9に、本節に登場したレーダーをまとめておきます。

迎撃の仕組み

それでは、ミッドコース・フェイズでの迎撃について、物理学的な観点から見てみましょう。ミッドコース・フェイズで、と言いましたが、それは軌道が単純な楕円軌道で、未来位置の予測がかんたんだからであって、予測の問題さえクリアすれば、他の場所での迎撃も基本的には同じです。ブースト・フェイズも、通常の再突入体の場合のターミナル・フェイズも、楕円軌道ではないにせよ、それほど複雑な動きをするわけではないので、予測は可能です。

なぜ未来位置の予測が必要なのか、それはこういうわけです。たとえば迎撃体の速度が標的の速度をはるかに上回る場合、追いかけていって撃墜することも可能ですが、弾道弾はレーザーなどを除いて最速の兵器で、迎撃体のほうの速度をそれと同じていどにするのがせいいっぱいです。そのような、同じくらいの速度で、あるいは標的よりも遅い速度で迎撃する場合に、この予測攻撃をするのです。図54に、このような場合の迎撃の基本的な考え方を示します。目標の軌道をこのように予測できた場合、その軌道のうちのどこか（図のT）を迎撃箇所に決めて、そのTに向かって、標的がTに到達する時刻と、迎撃体がTに到達する時刻とが一致するように、迎撃体を発射するのです。つまり「待ち合わせ」による迎撃です。この方法で撃墜するためには、標的がTを通ることはもちろんのこと、Tに到達する時刻まで正確に予測できなければなりません。前二節でお話しした探知・追尾システムが、いかに重要であるかがわかるでしょう。

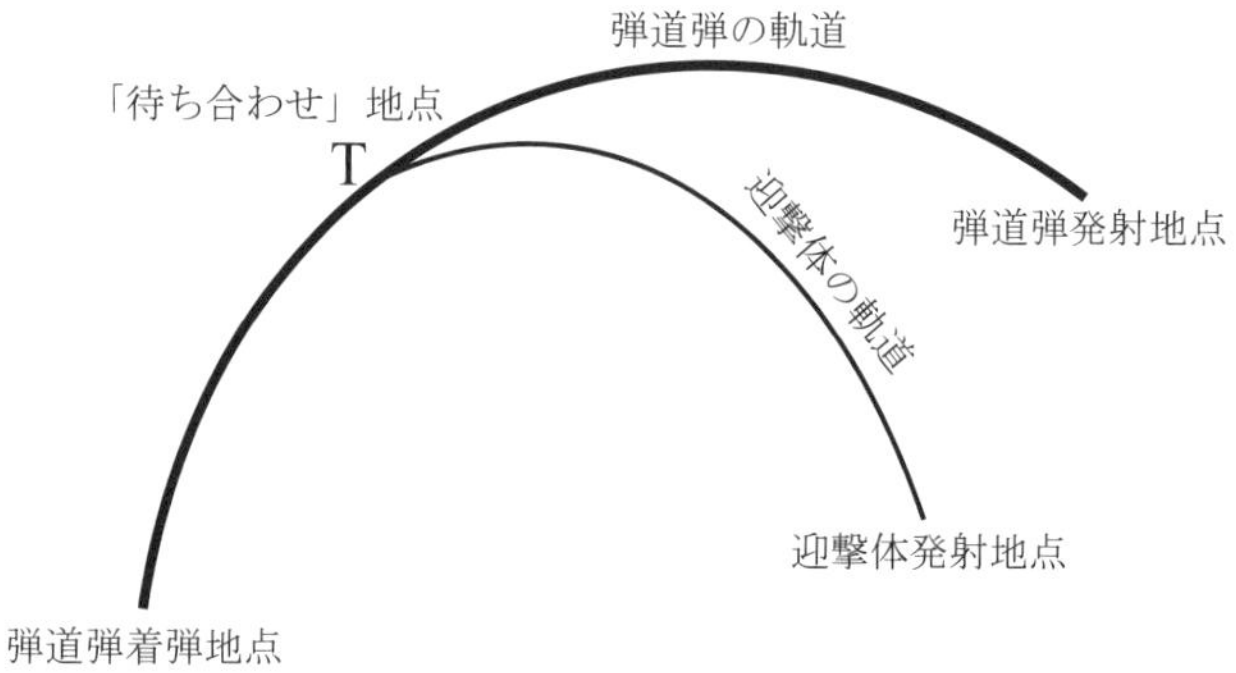
弾道弾の軌道
「待ち合わせ」地点
T
弾道弾発射地点
迎撃体の軌道
迎撃体発射地点
弾道弾着弾地点

図54｜迎撃の仕組み

この軌道と時刻の予測ができたとして、つぎは、その目標地点Tに、こちら側の迎撃体をその時刻ぴったりに到達するように打ち上げなければなりません。ミッドコース・フェイズでの迎撃体は、すでに見たように、要するに弾道弾そのものであって、弾道弾をもって弾道弾を打ち落とすものです。ですから、ある狙った位置へ到達するようにするのは、第2章で扱った弾道弾の打ち上げと同じです。ただしそれと異なるのは、目標地点Tが、地表ではなく、空中のある点だということです（図55）。それでも発射地点Aと迎撃目標地点Tとを通るような楕円を描くだけですので、基本的な考え方は同じです。

楕円を描くときに、通る二点だけが与えられている場合は、いろんな楕円を描くことが可能です。この中でも最小のエネルギーで到達できる軌道というのはやはり決まっていて、図55で言うと、この楕円の、地球の重心でないほうの焦点Fが、AとTの直線上にあり、かつ、Tの高度をhとすると、AF＝TF＋hを満たすような楕円です。この最小エネルギー軌道よりも高い軌道、つまりロフティッド軌道では、高くなるほど、進むべき道程が長くなるうえに、地球の重心から遠くなることで速度も小さくなるので、Tに到達する時間が長くなります。逆に、この最小エネルギー軌道よりも低い軌道、つまりディプレスト軌道では、低くなるほど、進むべき道程が短くなるうえに、地球の重心から近くなることで速度も大きくなるので、Tに到達する時間が短くなります（後述の278頁と図56もごらんください）。このように、発射地点Aと、迎撃目標地点Tが決まっていても、その二点を通る楕円軌道のうちどれを選択するかで、到達時刻を調整すること

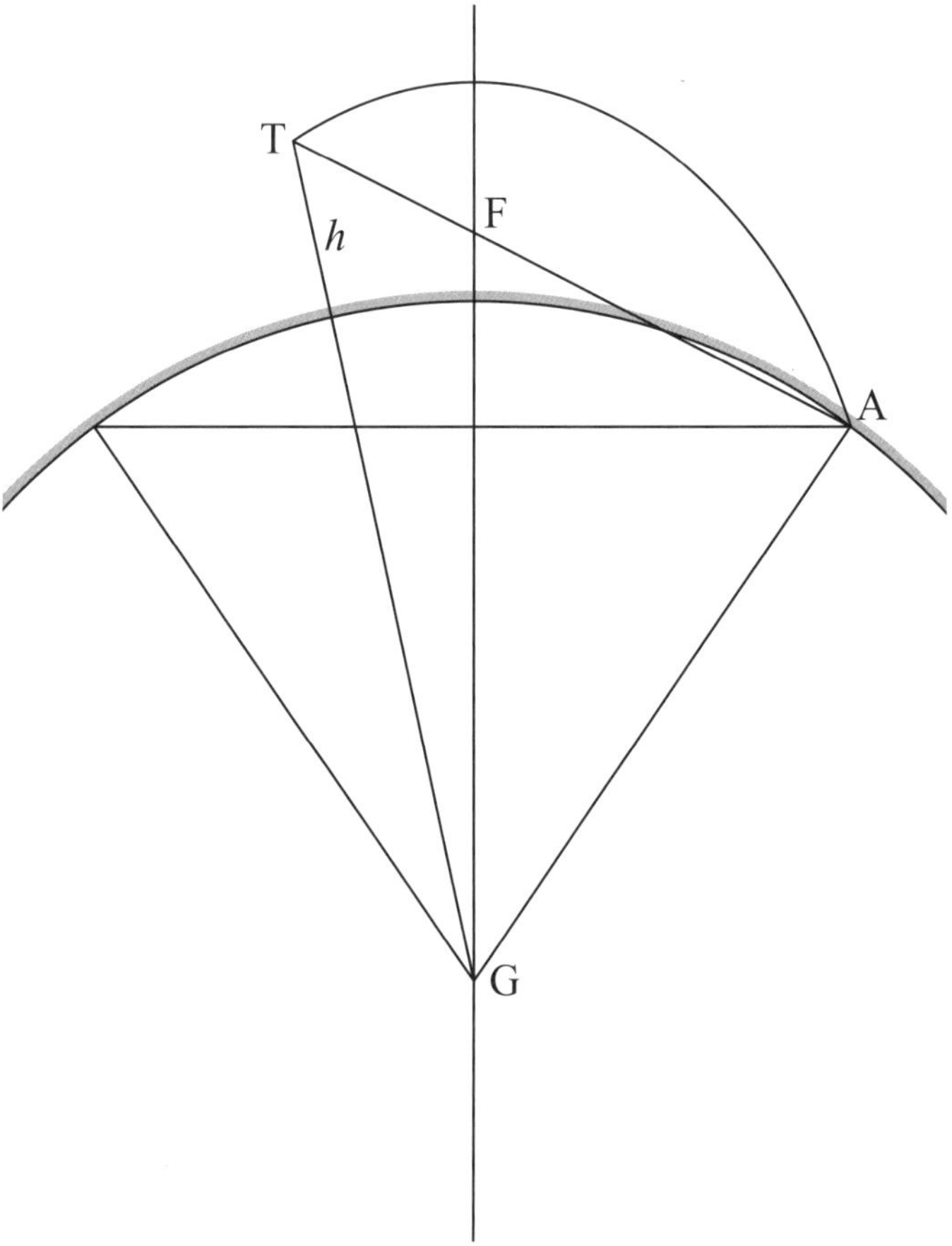

図55｜高さのある目標地点への、到達時刻を指定した打ち上げ

ができます。こうして、標的の到達予測時刻に合わせて、迎撃体を迎撃目標地点へと撃ち込むことが可能になります。なお、探知にも追尾にも予測にも、そして迎撃体の運動にも誤差はつきものです。それでもなお確実に弾道弾に迎撃体を直撃させるよう設計する必要があります。そのため、すでにお話しした通り、迎撃体側の弾頭には、標的に接近した迎撃の最終段階で、標的を捕らえる探知機（赤外線探知機など）と、自身の位置を微調する舵やエンジンなどがついています。

弾道弾防御を突破する方法

ここまで弾道弾防御について見てきましたが、つぎは、それを突破する方法について考えてみましょう。まず最初に弾道弾という超兵器が生み出され、それをなんとか迎撃する弾道弾防御の技術がつくられ、さらにそれを突破する方法を考え出すのは、兵器開発における鼬ごっこを見ているようです。

この突破方法についても、弾道弾の行程を追いながら見ていくことにします。

まず、ブースト・フェイズでの対策としては、二つの方法が考えられます。それは、加速力（推力）を高めて、この区間の時間を減らすことと、この区間でも複雑な機動を行うことで、未来位置の予測をさせないことです。

ブースト・フェイズでの迎撃の難点のひとつがその時間の短さにあることはすでにお話ししましたから、前者が効果的なことはおわかりいただけるかと思います。たとえば本書でもたびたび登場している P-36M2 は、その前の型式の P-36M УТТХ に比べ、発射重量も投射重量もほとんど変わらないにもかかわらず、第一段の推力が一〇パーセント増加しており、その燃焼時間も一〇パーセントほど短くなっています。このように、最終的な速度や射程が変わらなくとも、加速の時間を短縮することで、全行程でもっとも脆弱なブースト・フェイズで迎撃される可能性を少しでも減らそうというわけです。ただし、固体燃料式弾道弾の場合、現役のそれらの加速時間三分というのは、もう限界まで短くなったとも言えます。

後者については、未来位置を予測させないことで迎撃をかわす方法としては注目すべき技術ですが、前述のように、そもそもこの段階での迎撃そのものが難しいので、それならば前者のように短時間でこの区間を駆け抜けたほうが有効な気がします。複雑な軌道よりも、単純な軌道のほうが、短時間で移動できるからです。ロシア連邦の移動発射式大陸間弾道弾は、このブースト・フェイズでの機動も行えるようになっています。

ミッドコース・フェイズでの対策としては、分割弾頭がその回答のひとつです。迎撃手段が直撃式である以上、ひとつの迎撃体でひとつの弾頭しか迎撃できませんから、ひとつの弾道弾で複数の弾頭を放つと、そのうちのいくつかは撃墜されても、いくつかは生き残るというわけです。たとえば本書執筆時点でロシア連邦のP-36M2が四六基配備されており、これらにはそれぞれ一〇発の弾頭が搭載されていますから、これを一斉に発射すると、それだけで四六〇発の弾頭となります。アメリカ合衆国で大陸間弾道弾を迎撃できるのはGBIだけで、これが四四基ですから、仮に撃墜率が一〇〇パーセントだとしても、まったく防ぎ切れないことがおわかりでしょう（『The Economist』誌の報道によると、計算上の撃墜率は五六パーセント）。アメリカ合衆国の弾道弾防御について、最初（226頁）に、ロシア連邦との全面核戦争となったときに防ぎ切ることは、はなから考えていない、と言った意味は、こういうことです。

しかし、いっぽうで、弾道弾防御のおもなターゲットである、北朝鮮やイランといった、いまだ弾道弾開発の途上にある国に対してはどうでしょうか。これらの国が数発の弾道弾を撃つ場合に、それらが単弾頭で、つまり発射基数と同じだけの弾頭数である場合と、それぞれが数発ずつの弾頭に分かれるのとでは、対処すべき状況がまったく違ってきます。ですから、弾道弾開発国は分割弾頭を開発しようとするし、防御側はその開発状況を注視しているのです。

また、この方法は、ターミナル・フェイズにおいても有効です。

そして、多数の弾頭を飛ばして、迎撃側の対応能力をあふれさせるという発想だと、デコイ（decoy、囮）を一緒に飛ばすことも考えられます。分割段に本物の弾頭と一緒にデコイを混ぜて搭載しておくのです。デコイは通常中身のない風船のような軽量のものが使われます。その理由は、限られた投射重量をデコイで使い果たすことがないようにするためです。防御側の探知機からは同じものに見えるよう、寸法は同じにしておくことが多いです。ミッドコース・フェイズは宇宙空間であり、大気がないために、風船でも、本物の弾頭でも、同じ動きをします。ただし、これらがターミナル・フェイズに入り、大気圏に突入したあとでは、弾道係数がまったく異なることから、明らかに異なる動きをするので、デコイはその役割を果たさなくなります。本物の弾頭と同じ弾道係数(すなわち同じ重量)のデコイを用意すれば、ターミナル・フェイズでも同じ動きをしますが、それならば、デコイではなく、本物の弾頭を積めばいいのではないでしょうか。

ディプレスト軌道とロフティッド軌道

ミッドコース・フェイズでの迎撃を突破する方法として、もっと根本的な、軌道そのものを工夫する方法を考えてみましょう。

まずは、単純な楕円軌道のままで、飛行時間を短縮してみることを考えてみます。ミッドコース・フェイズにおいて迎撃側が有利な点のひとつは、他の区間に比べてずっと時間が長いために、対応する時間が与えられ、また、迎撃する場所(タイミング)も広く選べることです。攻撃側からすれば、逆に、その時間を少しでも減らすことができれば、迎撃される可能性を減らすことができるでしょう。第2章の最後(60頁)にお話ししたディプレスト軌道は、そもそも軌道の長さ、つまり弾道弾が移動する距離が短いうえに、地球の重心に近いところを移動することから、最小エネルギー軌道よりも短時間で目標まで到達できます。図56に、第2章で計算例として使った、テイコヴォからペンタゴンまでのルートで、最高高度を変えて攻撃した場合の、到達時間の違いを示します（計算方法については附録16をごらんください）。図に最小エネルギー軌道の場合を描き込んでいますが、その左側がディプレスト軌道、右側がロフティッド軌道となります。第2章でも計算した最小エネルギー軌道での到達時間は一六六〇秒ですが（57頁）、たとえば最高高度一〇〇キロメーターのルートでは、一〇五〇秒ていどと、六割ほどになっています。ただし、これは単純な楕円軌道から計算したものですので、ターミナル・フェイズでの空気抵抗を受ける部分が入っていません。低い軌道で打ち上げた場合には、再突入の際にも浅い角度で飛行することになりますので、大気を通過する距離が長くなり、その分、時間もかかり、速度もいっそう落ちていくことになります。また、これも第2章でお話しした通り、この軌道は最小エネルギー軌道よりも大きなエネルギーを消費するので、エネルギーに余裕が、言い換えれば最大射程に余裕がある弾道弾を使用しなければなりません。テイコヴォからペンタゴンまでの最短距離は七八七〇キロメーターですが、この最高高度一〇〇キロメーターのディプレスト軌道を飛ばすには、最小エネルギー軌道で（つまり最大射程で）一三八〇〇キロメーター飛行できる弾道弾が必要です。

低い軌道を選択する利点は、もうひとつあります。それは、地上配備式のレーダーからは、探知されにくくなることです。地球が丸いために、地平線の向こう側はどうしても見通しにくくなるためです。どんなに高性能で探知距離が長いレーダーでも、地平線の向こう側に隠れてしまっ

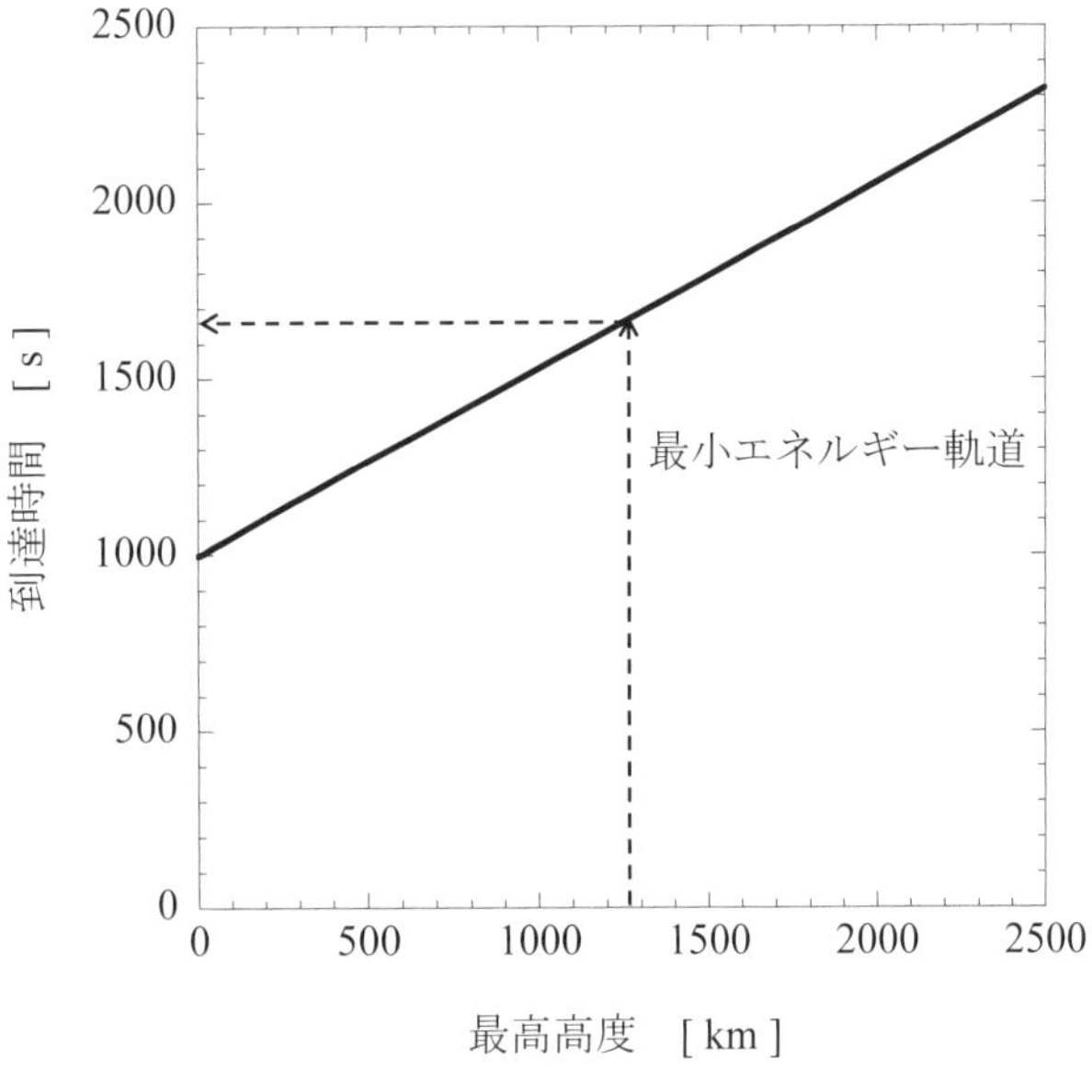

図56｜最高高度と到達時間の関係

たものは見つけられません（261頁でお話しした超地平線レーダーは別ですが）。もちろん最終的にこちら側に接近したときには探知できるわけですが、途中の飛行が低空を通るために地平線の向こうに隠れてしまうと、追尾できる時間が短くなってしまい、それは対処する時間が減ることも意味します。図57に、標高一〇〇メーターに設置されたレーダーが、それぞれの高度を飛行する目標を探知できる、「見通し距離」を示します（計算方法については附録17をごらんください）。高度一〇〇〇キロメーター（長射程の弾道弾の最小エネルギー軌道の最高高度附近に相当）であれば三七〇〇キロメーターの距離から探知できますが、高度一〇〇キロメーターであれば、一二〇〇キロメーターまで接近されないと探知できません。この両者では、着弾までの対応時間に相当な違いがあることがおわかりになるでしょう。アメリカ合衆国の早期警戒レーダー（264頁と図53）が、グリーンランド、イングランド、アラスカと、本土から離れて、ロシア連邦側に寄った位置に配備されているのも、このような「地平線問題」を少しでも改善するためです。

こうして弾道弾防御を突破する観点から見ると、ディプレスト軌道こそ望ましい軌道であって、ロフティッド軌道は到達時間も長いうえに高度が高く発見されやすいので、いいことが何ひとつないように思えます。実際、ロフティッド軌道は、第2章（62頁）でもお話ししたように、国土の狭い国で長射程の弾道弾を試験するための苦肉の策として使われています。では、実戦ではまったく役に立たないのでしょうか。たとえば第2章（63頁）でも例として挙げた、最大

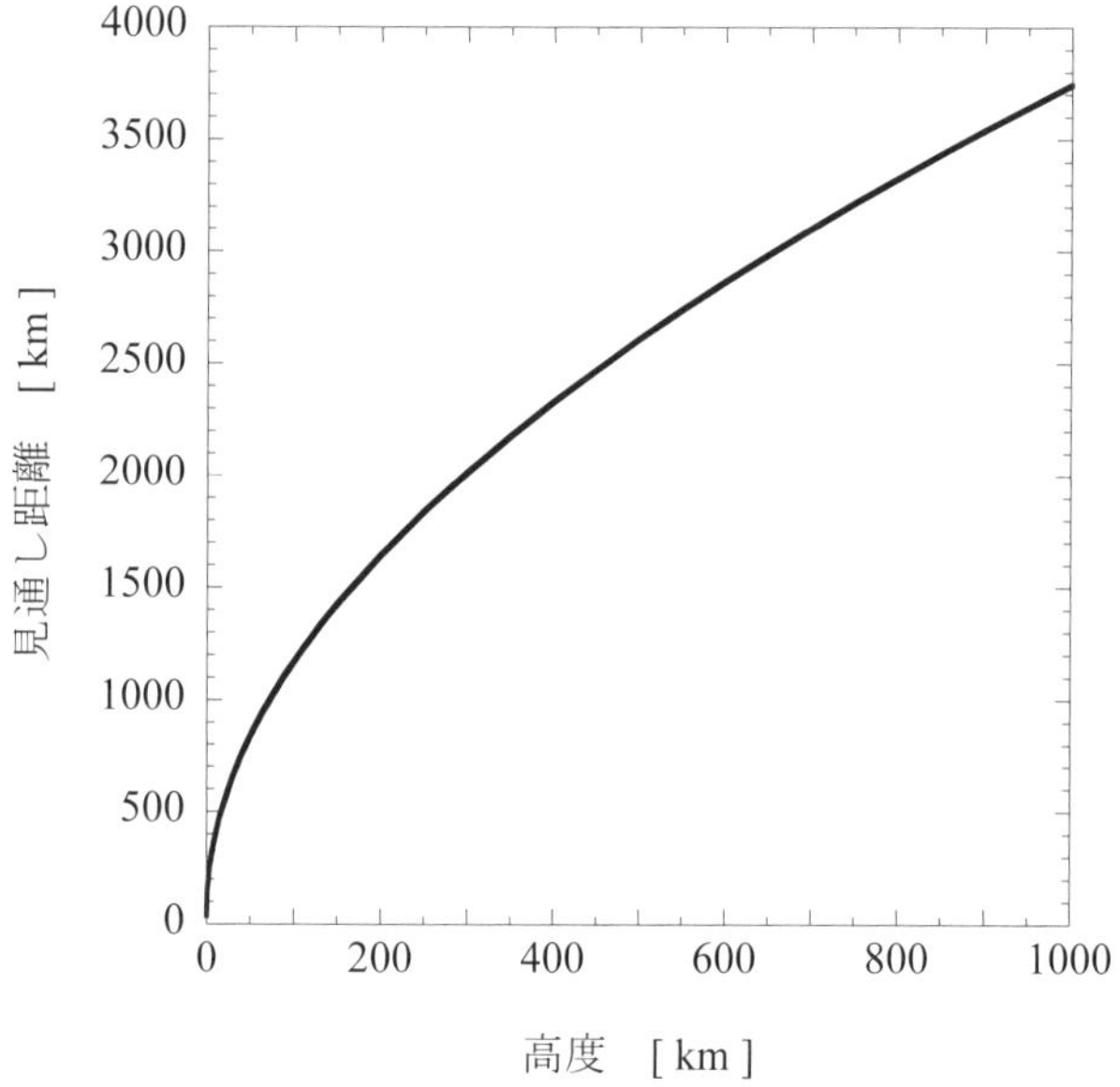
4000
3500
3000
2500
2000
1500
1000
500
0
見通し距離　[km]
0
200
400
600
800
1000
高度　[km]

図57｜見通し距離

射程八七〇〇キロメーターの弾道弾を、最高高度四〇〇〇キロメーター、射程一〇〇〇キロメーターで使った場合を考えます。弾道弾防御に使われる迎撃体の最大射高は、GBIでも二〇〇〇キロメーターていどなので、これをもってしても軌道の半分は迎撃不可能の領域を通ります。そしてGBIを配備しているのはアメリカ合衆国だけで、たとえば我が国が迎え撃たねばならない場合、SM-3ブロックⅠでは最大射高五〇〇キロメーターと、軌道のほとんどで「丸見えではあるが手出しができない」状態となります。「ミッドコース・フェイズでは迎撃場所が広く選べる」という利点がかなり削がれてしまっています。そして、より重要なことは速度の面で、再突入速度が八七〇〇キロメーターの射程を持つ大陸間弾道弾と同じ（秒速七キロメーターていど）になりますから、この速度の物体を迎撃できる兵器は我が国にはなく、打つ手がないことになります。

もちろん、これはきわめて特殊な使い方で、そういった弾道弾を保有している国としても、現段階でそういう運用を想定しているわけではないでしょう。しかし、実戦においては、もともと考えていなかった運用方法だとしても、「使えるものはなんでも使う」という場合があります。二〇〇八年のグルジア戦争におけるアブハジア沖海戦では、ロシア海軍の小型ロケット艦は、グルジア海軍の哨戒艇を「対空ミサイル」で攻撃しています。僕はそれ以来、「これはこういう運用をするための兵器なので、そのような使い方はしない」という固定観念をできるだけ持たないようにしています。

滑空体

軌道を工夫する方法のふたつめとして、第4章の最後（208頁）にお話しした極超音速滑空体を取り上げてみます。弾道弾の弾頭を滑空体にして、単純な楕円軌道以外の軌道にする方法です。第4章で触れた「Альбатрос」計画（208頁）では、再突入時の軌道、つまりターミナル・フェイズでの軌道を大きく変えることで迎撃をかわすことになっていました。本章の「迎撃の仕組み」の節（271頁）でお話しした通り、弾道弾の迎撃の基本は、「待ち合わせ」です。この方法の前提は、弾道弾の軌道を解析し、未来位置を予測することであり、単純な楕円軌道であるからこそ、この人類最速の超兵器を迎撃できるのでした。もちろん、迎撃体側も機動可能であり、標的の弾頭の動きに合わせてこちらの軌道も調整可能ではありますが、「ま、多少はね？」というていどであって、まったく予測できない動きをする物体を追いかけていって、というものではありません。相手のどんな動きに対しても追随するには、相手を大きく上回る速度が必要であり、超高速の弾道弾に対してその条件を確保するのがとても難しいことは、すでにお話しした通りです。ですから、多少の軌道変更はともかく、弾道弾側が大きく軌道を変化させた場合には、ただでさえ難しい迎撃が、ほとんど不可能なレヴェルにまで困難になります。ただし、機動を行うと言っても、大気の薄い高空であり、かつ、翼にあたる部分も小さいので、戦闘機のような激しい機動ではなく、もっと緩やかな軌道変化しか行えません。ですから、遠い未来位置は予測不可能でも、近い未来位置ならあるていどは予測可能です。さらに、これも第4章（213頁）でお話しした通り、弾道弾の弾頭（再突入体）に加速用のエンジンがついていない限り、機動を行えば行うほど、速度は落ちていくことになりますので、あまり長距離にわたって機動、あるいは滑空すると、迎撃体が充分追いかけられるくらいの速度にまで遅くなってしまうこともありえます。そして、機動を終えて着弾に至る最後の突入をする際には、滑空体の空気抵抗の大きさ（弾道係数の大きさ）によっては、さらに大幅に減速する可能性もあります。そのことも考慮して設計を行わなければなりません。

このように、ほとんどの行程が単純な楕円軌道である弾道弾であっても、最後の段階で滑空するだけでも大きな効果が見込めます。そこで、本章ではさらに一歩進めて、もっと積極的に、軌道の大部分を滑空するようなものを考えてみることにします。現在各国が開発を進めている（一部実戦配備している）滑空体の主流は、まさにこれです。このような場合であっても、あくまでも滑空できるのは大気があるところだけですので、まず弾道弾で打ち上げて最高速度にまで加速したあと、弾頭を切り離す際、もしくは弾頭を切り離したあとに、浅い角度で大気圏に再突入するような軌道に乗せるわけです。地球周回軌道に乗せるのと同じように見えますが、その速度は周回運動するのに必要な第一宇宙速度（53頁）よりもずっと小さいので、これがもし大気のない場所であれば、そのまま落下してしまいます。しかし大気のあるところなので、滑空体の揚力を使って、落下せずに水平飛行します。

軌道の選択性は、高度方向だけでなく、水平方向にもあります。予測されにくくするために軌道を変えるだけではなく、もっと積極的に、通りたくないところ（たとえば強固な防空陣地など）を避けて通るといったことも可能です。通常の弾道弾と違って、最短距離を通る必要はないのです。

また、この軌道であれば、前節のディプレスト軌道のところでもお話しした、低空飛行をすることで発見されるのを遅らせる効果もあります。ディプレスト軌道ではしょせんは楕円軌道なので山なりの軌道となりますが、滑空体であれば、地球の表面に沿って飛行することができ、この効果を最大限活用できます。しかしそれはあくまでも「地上配備式の早期警戒レーダーに対しては」にすぎません。大気中を揚力を得て飛行するときには同時に空気抵抗も受けるという話はたびたびしてきましたが、そのために生じる空力加熱も大きく、極超音速ともなれば相当なものです。たとえば第4章でもお話ししたロシア連邦の「Авангард」（215頁）は、同国の国防大臣代理（発言当時、現在は連邦政府議長代理）のユーリイ＝イヴァノヴィチ＝ボリソフ（Юрий Иванович Борисов）の言によれば、滑空中の表面温度は摂氏二〇〇〇度にも達するとのことです。このような超高温の飛翔体は、早期警戒衛星によって容易に探知できるでしょう。しかもこれはブースト・フェイズでだけ高温の燃焼ガスによって探知される通常の弾道弾と違い、滑空中ずっと探知・追尾され続けることを意味します。そして同時に、そのことは、長時間にわたる熱負荷をどう処理すべきかの技術的な問題を抱えていることも意味します。ボリソフ氏の発言も、その技術的な問題点を克服した、という文脈でのことでした（『*Красная звезда*』紙、二〇一八年三月一二日）。通常の弾道弾の再突入体のように十数秒もてばいいのであれば、表面を蒸発させて「削り取られながら」熱を消費するアブレイション（132頁、201頁）が使えますが、数分間、場合によっては数十分ともなると、なんらかの別の手立ても必要になってきます。

以上のような特徴は、弾道弾というよりも、無人航空機、あるいは、巡航ミサイルのそれに近いものです。ただし、加速用のエンジンを持たないことが、これらとは違う点です。

では一般的な話はここまでにして、いよいよ、滑空体がどのような動きをするのか、そしてそれが防御する側から見てどうなのかを、具体的なモデル計算を使って考えてみることにしましょう。このモデルでは、極超音速滑空体の射程を二〇〇〇キロメーターとし、同じく射程二〇〇〇キロメーターの通常の弾道弾（最小エネルギー軌道を描く）と比較します。二〇〇〇キロメーターというと、おや、たまたま偶然にも、中国人民解放軍・火箭軍・第五二基地・第八二二道弾旅の司令部がある莱蕪（山東省）から、新宿区市谷本村町までがちょうどその距離ですね。では、その二地点間の飛行について、モデル計算を行ってみましょう（図58）。いや、他意はありませんよ。

図58には、発射地点、目標地点以外に、その飛行経路に近いレーダーサイトも描き込んでありますす。発射地点にもっとも近いレーダーサイトは、対馬の海栗島にある西部航空警戒管制団・第

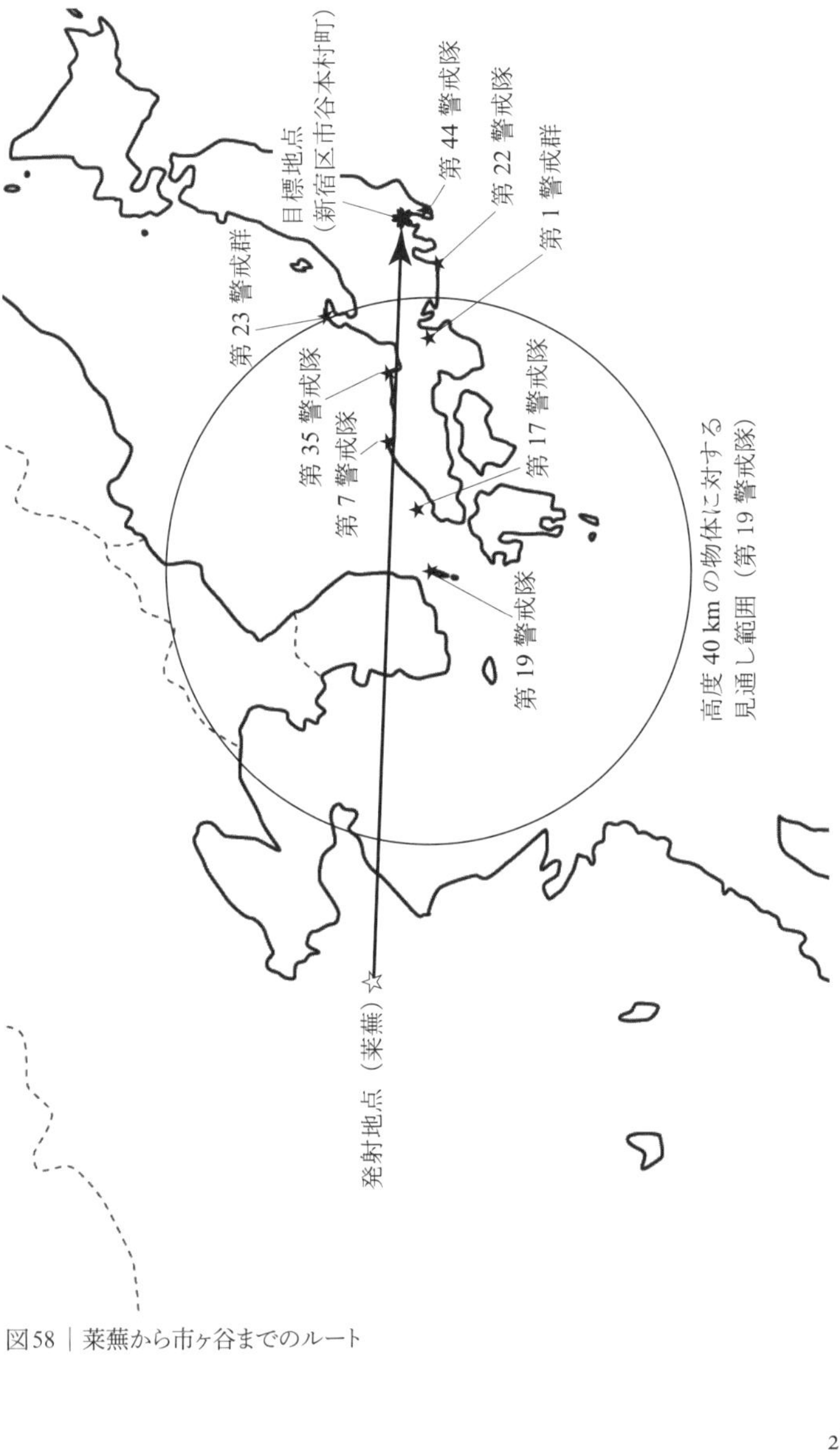

図58｜莱蕪から市ヶ谷までのルート

一九警戒隊のものです。ここの標高とレーダー自体の高さを合わせて四〇メーターとすると、たとえば高度四〇キロメーターの目標に対して、その見通し距離は七一五キロメーターありますから、滑空体がこの経路上をその高度で飛行した場合、発射地点から三八〇キロメーターくらいの位置から探知・追尾できることになります。また、この位置だとブースト・フェイズから小さな楕円軌道を経て滑空に入る前だと考えられるので、滑空高度よりももっと高く、さらに発見しやすくなります。この条件だと「発見を遅らせる」効果はそれほどないことがわかります。レーダーの「地平線問題」は、その配置などの条件によって大きく変わるということなのです。やはり全国にレーダーサイトを配備していることは重要ですね。

さて、通常の弾道弾のほうは、射程二〇〇〇キロメーターくらいのものというと、たとえば東風二一などがあります。たまたま萊蕪にも配備されているようですよ。そして、極超音速滑空体でこれくらいの射程のものというと、二〇一九年に公開された東風一七があります。この両者をモデルとして考えてみます。東風一七は、東風一六の弾頭部を滑空体にしたものだと考えられています。東風一六の射程は一〇〇〇キロメーターと言われ、その場合は再突入速度が毎秒三〇〇〇メーターですから、このモデルの滑空体も、毎秒三〇〇〇メーターの速度で滑空を始めるものとします。滑空を始める高度は四〇キロメーターとしましょう。これはTHAAD（245頁と表8）の最低射高ていどで、その下を狙って滑空するものとします（THAADは日本には配備されていませんが）。ここでのテーマは極超音速ですので、その速度領域以下になるまで滑空し、そのあと、できるだけ鉛直下向きに近い角度にまで向きを変え、着弾するものとします。これは、もっとも減速する地表附近をできるだけ短距離・短時間で駆け抜けるためです。このように選択できるのも、滑空体の特徴です。滑空体のモデルには、揚抗比が最大三・五となるウェイヴ・ライダーを選びました。モデルとその計算の詳細については附録18に書いておきますので、そちらをごらんください。

図59は、その極超音速滑空体のモデル計算による軌道を、通常の弾道弾の軌道と比較したものです。まずブースト・フェイズにて通常の弾道弾と同様に打ち上げ、燃料が尽きたところでしばらく重力にしたがって落下し、目標の高度に達したところで滑空を開始します。図59では、滑空体が「地を這う」様子がよくおわかりになると思います。そして注目は、滑空体の軌道が波打つような形をしていることです。これだとわかりにくいでしょうから、滑空体の軌道だけを拡大したものを図60に示します（直交座標にしてあります）。これだと大きく波打っている様子がおわかりになると思います。このような軌道を描く理由は以下の通りです。滑空開始の高度では空気が薄いために、その速度では揚力が足りず（もっと高速であればこの高度でも自重を支えるだけの揚力を得られます）、落下していきます。しかし高度が下がると大気の密度が高くなるために、あるところで自重を支えられるだけの揚力を得ることができます。ところが、その高度で静かに落下が止まるわけではありません。すでに鉛直方向の速度がついているために、つり合い点を超えて落下してしまい、自重よりも大きな揚力を得ることになります。すると重力を差し引いても

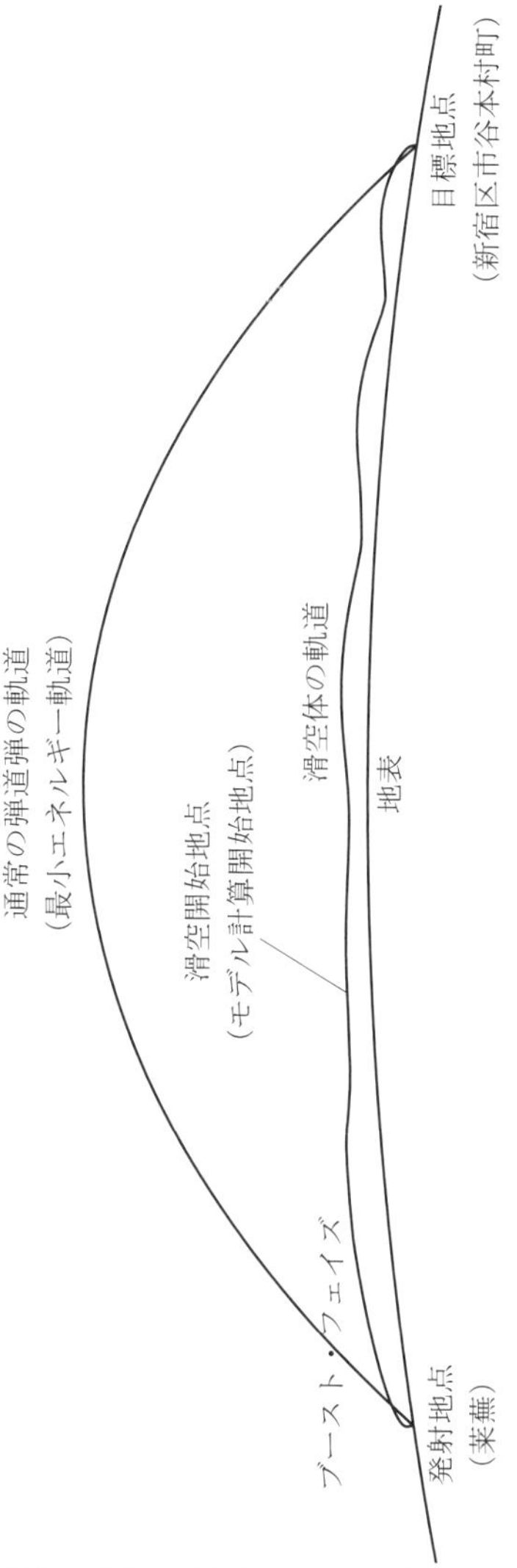

図59｜滑空体と通常の弾道弾の軌道（モデル計算）

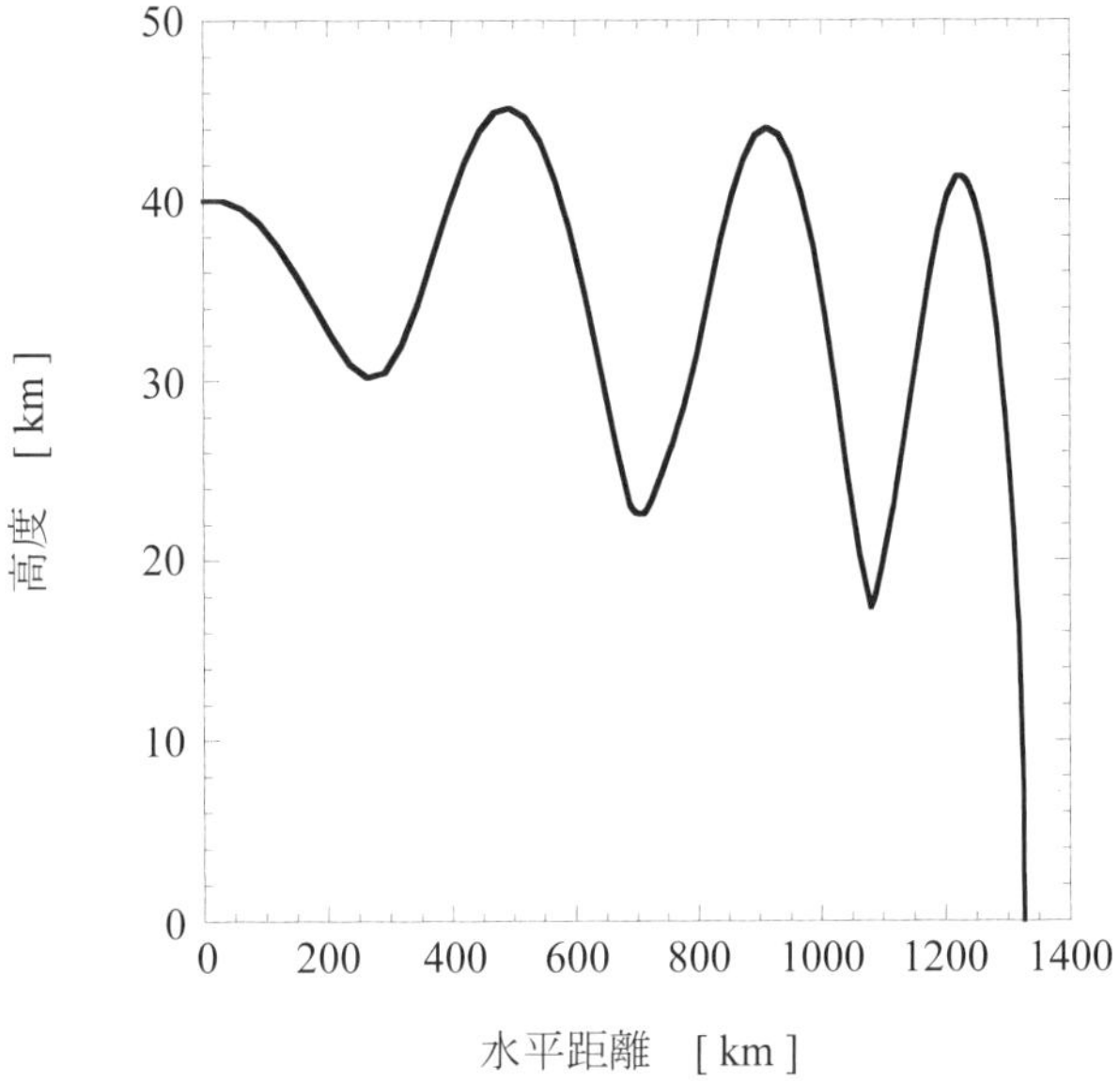

図60｜滑空体の軌道の拡大図（モデル計算）

上向きに力がかかり、上昇していきます。そしてやはり勢いがついているのでつり合い点を超えて大気の密度が低い高空まで上がり、そこで揚力が足りなくなって落下し…を繰り返すのです。空気の層にはね上げられて波打つ軌道を進むさまは、まるで波乗りそのもので、ウェイヴ・ライダーの本領発揮といったところです。この「うねり」を小さくする必要がある場合には、滑空体の姿勢（迎え角）を小刻みに変化させて、揚力を細かく調整することで、それが可能です。

つぎに、滑空体の速度が時間とともにどのように変化するかを見てみましょう（図61）。軌道の「うねり」に合わせて速度もうねっていますが、おおむね、時間とともに、言い換えれば大気中を進むとともに、速度が減少していっていることがわかります。マッハ五ていど（この高度では秒速一五〇〇メーターていど）になったところで滑空を終えて着弾させることにします。到達時間は、滑空段階から着弾までで六三四秒です。ブースト・フェイズの時間を一二〇秒と仮定し（東風一六は二段式なので）、それによって水平距離三〇〇キロメーター・高度六〇キロメーターまで移動し、そこを頂点として目標の滑空地点まで重力にしたがって移動する時間が一二五秒（距離が三七四キロメーターなので）と仮定すると、合計で八七九秒、つまり一五分ていどになります。いっぽう、同じ射程の通常の弾道弾だと、最小エネルギー軌道で七〇〇秒となります。滑空体の飛行経路のほうがはるかに短いのに、時間が長くかかっているのは、図61で明らかなように、途中で速度が落ちていくからです。

図62は、滑空体の、高度を横軸に、速度を縦軸に取ったものです。「うねり」の効果が、この

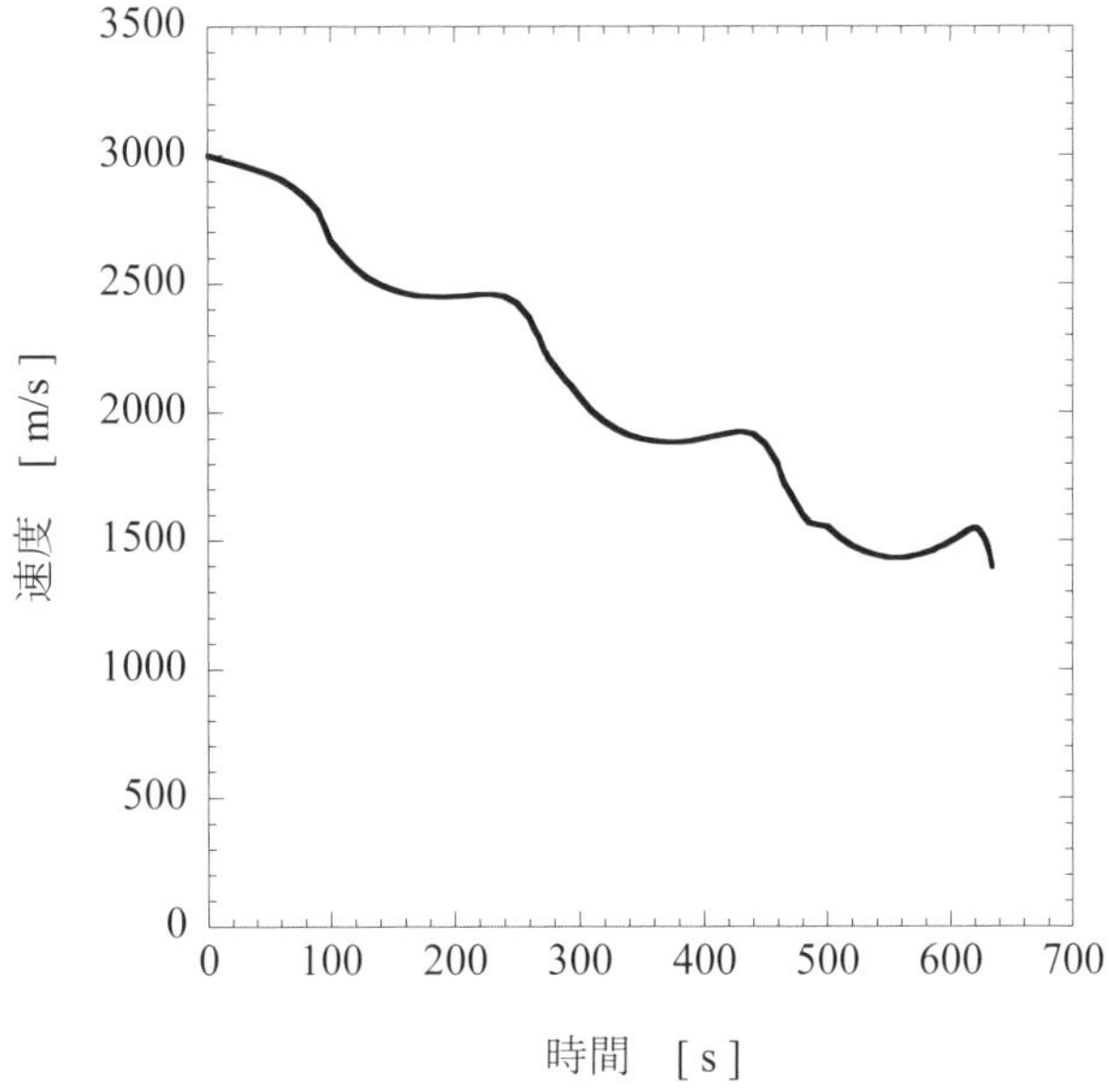

図61｜滑空体の速度の時間変化（モデル計算）

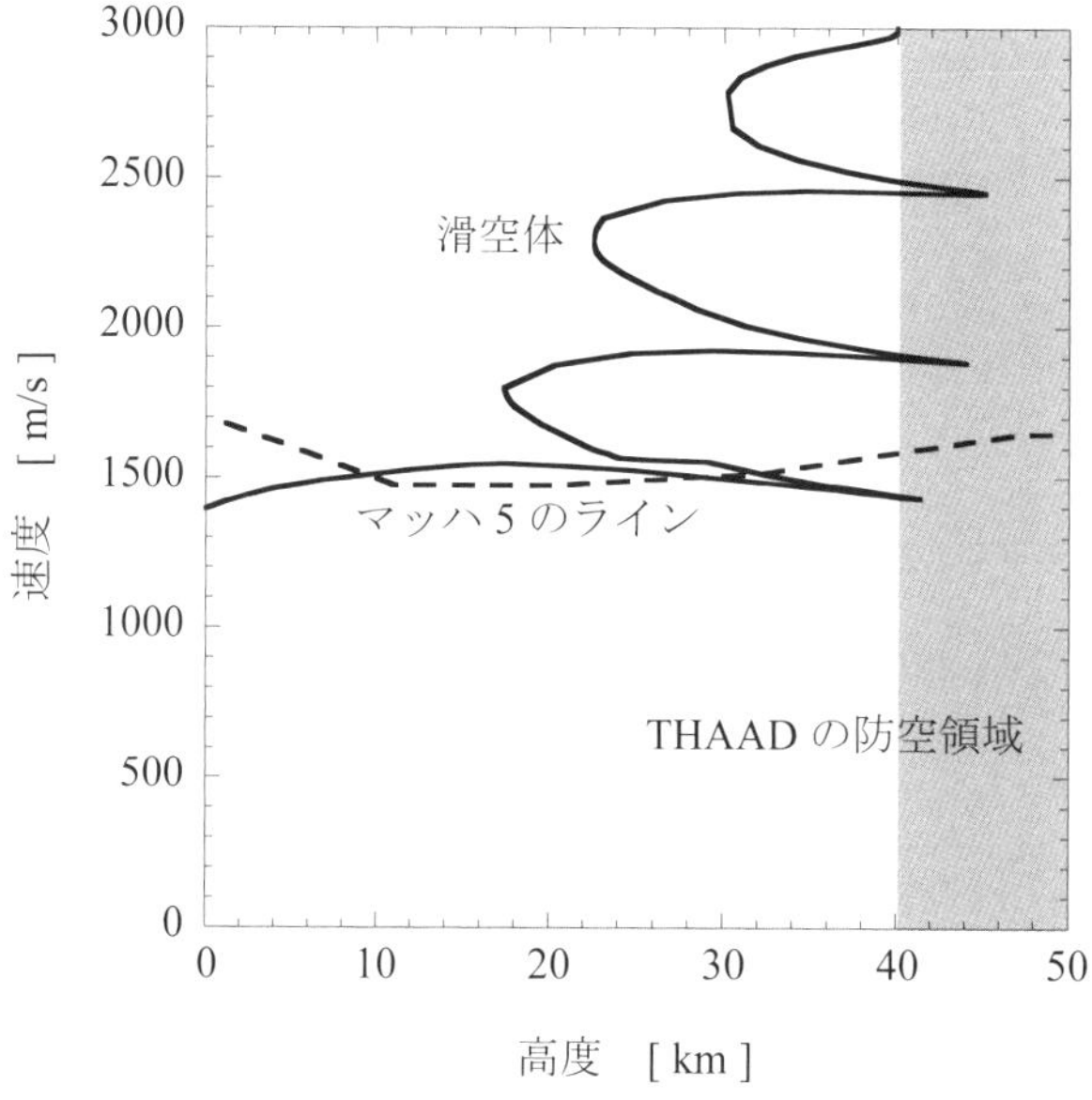

図62｜滑空体の各高度での速度（モデル計算）

グラフではソフトクリームのような形となって表われています。破線は、各高度での音速を五倍してマッハ五のラインを示したもので、おおむねそれを下回らないようにしている（それに達したら滑空をやめて着弾している）ことがわかります。別にここに壁があるわけでもなんでもないのですが、だいたいの指標だと思ってください。この速度を下回っても、高速であることには変わりがありません。そして、右側に「THAAD の防空領域」と書いて灰色に塗りつぶした部分は、THAAD の射高（四〇から一五〇キロメーター）と交戦速度（迎撃可能な目標の速度、毎秒五〇〇〇メーター以下）から、迎撃可能な領域を示したものです。このモデル計算では、短時間ながら、高度四〇キロメーター以上の場所に浮き上がってしまっているので、その場所から射程内の位置に THAAD を配備していれば、そこで迎撃することもワンチャンありかも知れません。ただし実際には、このようなぴょこぴょこ頭を出すものを迎撃する土竜叩きのような方法が、うまくいくとは思えませんが。また、攻撃側がその「土竜叩き」迎撃を完全に避けたいのであれば、滑空高度をもっと下げたり、揚力をこまめに変えて「うねり」を減らしたり、など、方法はあります。ただし、日本には THAAD は配備されていません。

防空システムとの関係をより明確にしたのが図63です。これは、図62から着弾時のみを切り出し、射程二〇〇〇キロメーターの最小エネルギー軌道を辿った通常の弾道弾（鎖線）と比較したものです。通常の弾道弾は、大陸間弾道弾よりもはるかに短いこの射程においてもきわめて高速で（52頁の図6も参照してください）、この滑空体のはるか上の速度領域にいることがわかります。着弾の瞬間に大幅に減速することは第4章（199頁と図42）でお話ししたのと同じですが、それでも着弾時の速度は毎秒二二〇〇キロメーターを上回っています。文字通りの「極超音速兵器」です。

そしてここにTHAADとPAC-3（245頁と表8）の防空領域を重ねてみると、いろいろなことがわかってきます。PAC-3の射高は五〇メーターから一五キロメーター、交戦速度は秒速一六〇〇メーター以下としました（交戦速度は交戦条件にもよるので、目安だと思ってください）。すると、このモデルの滑空体に対しては、最低射高以下の「ふところ」に潜り込まれたTHAADでの対処が難しくとも、PAC-3ならばそのすべての射高で対処可能となっています。攻撃側がこれをかわそうとするなら、着弾までの速度を上げればよく、つまりもっと速度が大きい段階で滑空をやめればよいことになります。ただしそうなると滑空距離が短くなるので、滑空体としての旨味は減ってしまいます。滑空距離も稼いだうえで着弾速度を高めようとするなら、もっと大きなロケットで加速して滑空開始速度を上げてやる必要があります。滑空体は軌道を変えられるので、それを利用して迎撃をかわすことも可能ですが、人が乗っているわけでもないので迎撃体の動きを捕らえながら機動するなどということはできず、あくまでもプログラミングされた機動になります。そして、着弾地点は決まっているので、この段階でそれほど大きく機動するわけにもいきません。

いっぽう、通常の弾道弾に対しては、THAADがあれば対処可能であることもわかります。同

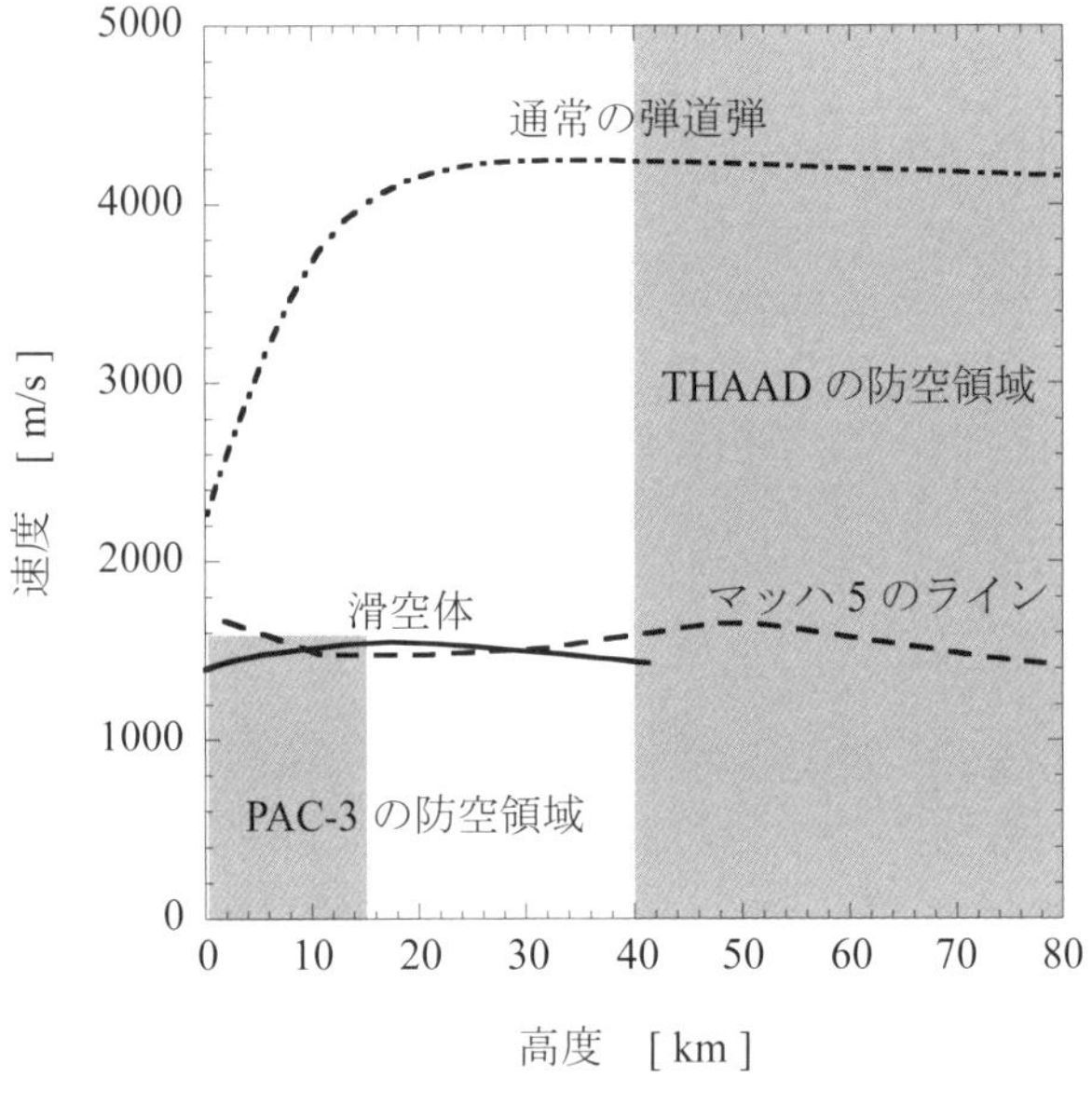

図63 | 着弾時の各高度での速度（モデル計算）

じターミナル・フェイズでの防御も、防空領域の異なる複数の迎撃システムで多層的に行うと、さまざまな兵器に対応できて効果的であることが、よくわかります。別に僕はロッキード・マーティン（THAADのメイカー）の回し者ではありません。THAADが配備されていない我が国の場合は、この通常の弾道弾に対しては、ミッドコース・フェイズにおいてイージスシステムで対処することになります。やはりイージスアショアは必要でしょう。

この防空領域の問題を空間的に見たものが、図64になります。これは、着弾時の軌道を、着弾地点（新宿区市谷本村町）の一〇〇キロメーター前から描いてみたものです。横軸〇キロメーターが、着弾地点になります。縦横比を一にしてありますので、軌道が目に見えるとしたら、まさにこのように日に映ることでしょう。THAAD、PAC-3ともに、着弾地点に配備した場合でその防空領域を描いてあります。水平方向の射程は、THAADで二〇〇キロメーター、PAC-3で二〇キロメーターとしてあります。これを見ると、滑空体も通常の弾道弾もPAC-3の防空領域に収まっていますが（着弾地点に配備しているのだから当然）、通常の弾道弾に対しては、交戦速度が足りません。通常の弾道弾の軌道は単純で自分では変えられないので、「待ち合わせ」を完璧に行えた場合に限り、撃墜が可能でしょう。

この着弾までのようすを、横軸を時間として見たものが図65です。着弾時刻を〇秒として、その前の時刻にどの高度に達しているかを示しています。これを見ることで、対応する時間がどれくらい残されているかがわかります。PAC-3の最大射高とされる高度一五キロメーターに達して

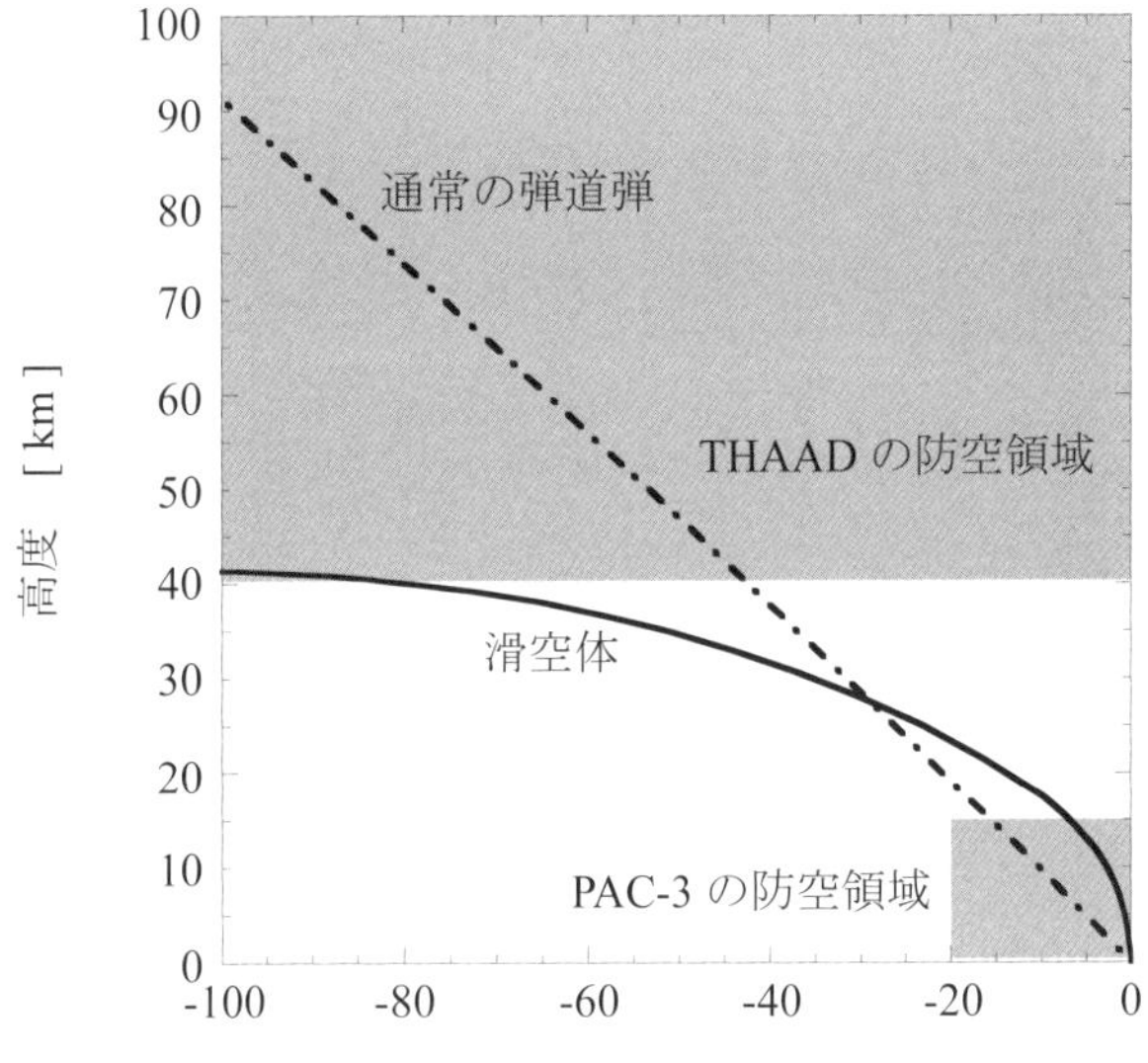

図64 ｜ 着弾時の軌道と防空領域（モデル計算）

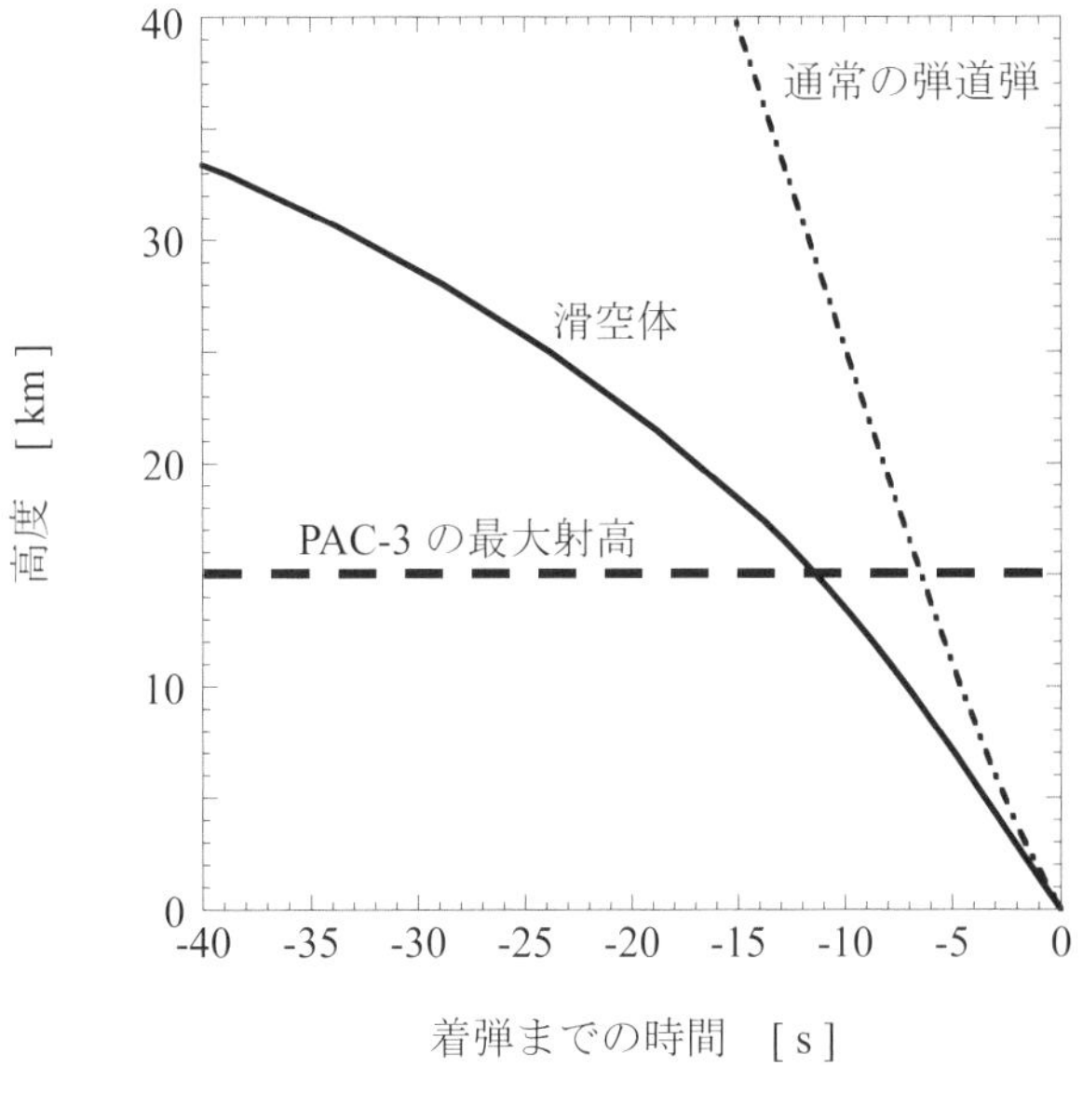

図65｜着弾までの時間と高度（モデル計算）

から、着弾するまでに、滑空体なら一一秒、通常の弾道弾ならわずか六秒しかありません。「最後の砦」で迎撃するのがいかに難しいかは、このわずかな時間が物語っています。

以上でモデル計算による滑空体と通常の弾道弾との比較は終わりです。その着弾までのようすがずいぶん違うこと、それぞれの利点と欠点、迎撃側の対処の方法、その迎撃をかわす方法、などが具体的になったのではないでしょうか。これはあくまでも計算の一例ですので、もっとたくさん、さまざまな場合に応じてそれに合った計算をしていくと、いろんなことがわかってくるでしょう。

結局、滑空体を使うかどうか、あるいはどう使うかは、その利点と欠点を秤にかけ、目標地点でのさまざまな条件（位置関係や防御網など）を考慮したうえで判断することだと思います。滑空体はその困難な技術的障壁を打ち破ってでも開発するに値する優れた兵器ですが、これで従来の戦略ががらっと変わってしまうゲーム・チェインジャーだと言い切ってしまうのは大袈裟な表現で、過大評価だと言わざるをえません。いっぽうで、だからまったく役に立たない兵器だと断ずるのも、過小評価と言うべきです。メディアはすぐに両極端に偏った表現をしたがるので（そのほうが視聴者・読者受けするからでしょう）、そのような大袈裟な表現には注意すべきです。滑空体は、絶対的な兵器ではないものの、兵器に多くのヴァリエイションを持たせることで攻撃の幅を広げ、相手側にさまざまな対応を強いることで相手を消耗させるという点で、とても意義のある兵器です。弾道弾防御は、攻撃側に比べてはるかに高い技術と大きな費用を必要とするので、防御側に対処のための労力を使わせた段階で、ある意味勝ちとも言えるからです。

制御機器の防護

最後に、そのほかの対弾道弾防御の方法について、ふたつほど、かんたんにご紹介しておきましょう。

ひとつめは、核戦争下での使用を考慮した、放射線と電磁パルスに対する対策です。冷戦期からあったターミナル・フェイズでの迎撃体には、目標の弾道弾（再突入体）の近くで核爆発を起こし、その制御機器を無力化するという仕組みのものが使われていたことは、すでにお話しした通りです（241頁）。制御機器に使われている半導体は、放射線に弱いのですが、その中でもとくに中性子に対して弱く、あるていどの量を浴びると誤作動を起こしたりハングアップしたりし、さらに多量に浴びると壊れてしまいます。前者の状態であれば、電源を入れなおすなどの再起動によって復活します。しかし、再起動するともとの情報が失われたり、時間的な空白が生まれたりしますので、超高速で飛行中の弾道弾では、そうかんたんに考えていいことではありません。

また、核爆発によって発生したγ線が大気と反応した際に弾き出された電子が、地磁気によって進路を曲げられ、その結果電磁波を放出します。核爆発はきわめて短時間に巨大な反応が起きるために、この電磁波も時間幅の短いパルス状となって放出されます。これが電磁パルスです。電磁パルスが電子機器に浴びせられると、電子機器内に誘導電流が流れますが、この誘導電流の大きさは、電磁パルスの時間幅に反比例します。つまり、短いパルスであるほど、大きな電流が流れます。その意味では、核爆発は最悪の電磁パルスを発生させます。電子回路の中でも、とくに近年の小型化された電子回路は、その小型化のために電流の流路がきわめて狭く、それほど大きな電流が流れるようにはなっていません。そのため、設計されていない過大な電流に対して、その耐性が低く、すぐに壊れてしまいます。

こういった環境下でも正常に稼働する制御機器をつくるため、ソヴィエト連邦では、一九六八年から研究を始め、実際に六回もの核爆発を実施しての試験まで行い、ついに核爆発環境下でも耐性の高い電子機器を開発するに至りました。しかし開発には時間がかかり、完成の発表をしたのは、冷戦も終わりに近づいた一九八五年でした。

その中でも興味深い技術のひとつは、磁気ディスクの併用です。制御機器のメモリーに入っているのと同じ情報を、磁気ディスクにも書き込んでおき、核爆発が起きた直後に、制御機器を再起動したうえで、失われた情報を磁気ディスクからリロードするのです。磁気ディスクは半導体に比べて放射線耐性が強いために採られた方法です。

南回り軌道

もうひとつは、もっとも根本的な、コースの選定です。「ディプレスト軌道とロフティッド軌道」の節（278頁）で、高さ方向の軌道を変えることで弾道弾防御をかわす方法をお話ししましたが、それはしょせん、水平方向（地球表面に沿った方向）では最短距離を通ることに変わりはありません。しかし、ここで触れるのは、水平方向での最短距離以外の軌道を通る方法です。「早期警戒レーダー」の節（259頁）でお話ししたように、ロシア連邦とアメリカ合衆国は北極をはさんで対峙しており、そのため、アメリカ合衆国の探知網は北方向に厚くなっています。また、弾道弾防御の迎撃体も、GBIのほとんどがアラスカに配備されているなど、明らかに「北に厚く」配備されています。であれば、わざわざ防御の厚い北から攻めなくても、もっと南寄りの方向から攻撃してはどうか、ということです。

潜水艦発射式弾道弾であれば、海でつながっているところならどこからでも発射できるので、これは容易です。容易と言っても、敵国の領域、とくに世界でほかに並ぶ者のない強大な艦隊を有するアメリカ合衆国の近海に踏み込んで発射するのはリスクが大きく、潜水艦発射式弾道弾も今や大陸間弾道弾並みの射程を持っているので、北極海やオホーツク海といった自国の中庭的な「聖域」から発射するのが基本です。しかし、これだと「北回り」の軌道に限定されるため、場合によっては、潜水艦の利を活かして、南からの攻撃をしかけようというわけです。実際、ロシア連邦軍は、二〇一四年から弾道弾搭載型潜水艦による南半球での哨戒を二〇年ぶりに再開することをその前年に発表しました（『*ИТАР-ТАСС*』二〇一三年六月一日と四日）。

しかし、大陸間弾道弾でこれを行うには、弾道弾の射程に相当な余裕が必要とされます。発射場所が自国内に限られるためにかなりの「遠回り」をしなければならないからです。ところが、現在ロシア連邦で開発中の大陸間弾道弾 PC-28 は、南寄りどころか、「南極を通る軌道で」アメリカ合衆国を攻撃できると公言されています（たとえば、『*Телеканал Звезда*』の二〇一八年三月七日の記事）。ロシア連邦もアメリカ合衆国も北半球に位置するため、南極回りの軌道は三〇〇〇〇キロメーターを超える相当な距離です。いっぽうで、二〇一九年の軍事技術フォーラム「Армия」で発表された PC-28 の最大射程は一八〇〇〇キロメーターで、とうてい南極回りで攻撃できる値ではありません。そもそも、二〇〇〇〇キロメーターを超えた時点で、通常の楕円軌道での飛行は不可能になります。いったいどういうことでしょうか。

これにたいする答えのひとつが、「部分軌道爆撃システム（Система частично-орбитального бомбометания）」と呼ばれるものです。これは、弾道弾（の弾頭）を、人工衛星のように地球周回軌道に打ち上げ、その周回軌道上を目標地点上空附近まで移動したあとで、目標に向かって再突入する、というものです。これであれば、第一宇宙速度（53頁）に達するようにさえすれば、あとは射程などはいっさい関係なく、地球上のどこでも攻撃できる、というわけです。そして、ルートも、南極回りだろうがなんだろうが、自由に選べます。これはかつて、P-36орб という大陸間弾道弾で、一九六八年から実戦配備されていました（計一八基）。しかし、第二次戦略兵器制限交渉（Переговоры об Ограничении Стратегических Вооружений II、ОСВ-II、もしくは、Strategic Arms Limitation Talks II、SALT II）で規制対象となり、一九八三年に廃止されました。それと同じ発想の兵器を復活させようというのであれば、穏やかではありません。現在、二〇二一年に期限を迎える「戦略的攻撃兵器の更なる削減及び制限のための措置に関するロシア連邦とアメリカ合衆国との間の条約」（Договор между Российской Федерацией и Соединёнными Штатами Америки о мерах по дальнейшему сокращению и ограничению Стратегических Наступательных Вооружений、СНВ-III、もしくは、The Treaty between the United States of America and the Russian Federation on Measures for the Further Reduction and Limitation of Strategic Offensive Arms、New START）の更新（あるいは、それに代わる新しい条約の締結）に向けて、露米で交渉が行われています。このРС-28が部分軌道爆撃システムを復活させたものなら、その交渉においても、かならず問題になるものと思われます。

もうひとつの答えが滑空体です。「Авангард」（215頁、286頁）は、数千キロメーターの滑空を行うとのことですが、その滑空を最後の再突入のときに行い、それまでは通常の弾道弾の軌道を描けば、РС-28の射程一八〇〇〇キロメーターにこの数千キロメーターを加えることになり、三〇〇〇〇キロメーターとはいかなくとも（南極上空とはいかなくとも）、相当な「南回り」の軌道を通ることができます。滑空体にはこのような使い方もあるのです。もともと、「Авангард」は、

PC-28に搭載するのを前提で開発されたものです。PC-28は、現在人類最強の兵器として君臨しているP-36M2を代替するものとして開発中ですが、実戦配備されれば、その弾道弾としての基本性能の高さに加え、このような活用法もあるために、文字通りの「人類最強の兵器」として君臨し続けることでしょう。

しかし、「最強の兵器」ではあっても、「究極の兵器」ではありません。これまで見てきたように、弾道弾という超兵器が開発され、しかしそれを迎撃する兵器が開発され、そしてそれを突破する技術が開発され、という具合に、人類の兵器開発の歴史は、常に鼬ごっこだからです。

推薦図書

この『兵器の科学』シリーズは、各分野の入門書という位置づけです。その分野に興味を持ってくださった方々により詳しい内容に触れていただきたい、との想いから、本書執筆にあたって参考にした文献の中で、書籍として出版されているものからセレクトして推薦図書として挙げておきます。和書に関しては、絶版になっているものでも、図書館で閲覧できることから、挙げてあります。洋書に関しては、アマゾン・ジャパンで購入できるものだけ挙げてあります。日本語訳の翻訳本が存在する場合には、そちらのほうを挙げておきます。

ただし、さすがに弾道弾についてもろに書いてある技術書は少なく、日本の商業誌では見当たりませんので、おもにロケット技術に関する書籍となります。

弾道弾に関する書籍

僕の知りうる限り、弾道弾についてのみ書かれた技術書は、同人誌にしかありません。同人誌なので一般の書店には売っていませんが、同人誌専門店などで見かけられたなら、即買いをお薦めする二冊をご紹介します。

『ソビエト・ロシアの固体燃料式ICBM』
福間晴耕　風虎通信

ロシア連邦側の資料を集めて書かれた、同国の固体燃料式大陸間弾道弾を系統的に解説した書籍です。液体燃料式や潜水艦発射式の本もぜひ出していただきたいものです。

『Aerospace Engine Review Vol.7 OKB-2 SCUD Engines』
Grid　推進器研究会

弾道弾技術の礎とも言えるP-11／P-17の構造について、徹底的に書かれた技術書です。一般人が入手できる書籍で、これほど詳しい技術書はほかに見たことがありません。

ロケット技術に関する書籍

『Rocket Propulsion Elements』
George P. Sutton / Oscar Biblarz
John Wiley and Sons　ISBN：978-1118753651

ロケット推進技術に関する、世界最高の教科書です。本稿執筆時点での最新版は第九版です。

『ロケット推進工学』
George P. Sutton　山海堂　ISBN：978-4381100740

『Rocket Propulsion Elements』の第六版の翻訳本です。ただし、出版社（山海堂）が廃業したので、現在は絶版となっています。

『ロケット推進工学』
George P. Sutton　風虎通信

絶版になってしまった『ロケット推進工学』を同人誌として再版したものです。

『ロケット工学』
木村逸郎　養賢堂　ISBN：978-4842593012

ロケット技術書の双璧として『Rocket Propulsion Elements』と並び称せられる名著です。永らく絶版でしたが、現在、オンデマンド印刷で復刻しています。

『Chemical Rocket Propulsion』
Luigi T. De Luca / Toru Shimada / Valery P. Sinditskii / Max Calabro　Springer
ISBN : 978-3319277462

ロケット推進技術についてのさまざまな論文を一冊にまとめた書籍です。とくにソヴィエト連邦の固体燃料式推進剤の歴史について一章を割いているのが嬉しい一冊です。

『航空宇宙工学便覧』
日本航空宇宙学会編　丸善
ISBN : 978-4621075708

ロケット技術に限らず、航空宇宙技術全般に関して、基礎的な解説やデータが載せられた、同分野の技術者には必携の書籍です。本稿執筆時点での最新版は第三版です。

『ロケット工学基礎講義』
冨田信之／前田則一／長谷川恵一／幸節雄二／鬼頭克巳　コロナ社
ISBN : 978-4339045604

ロケット技術の基礎についてひと通り学べる教科書です。

軌道に関する書籍

『人工衛星の軌道概論』
川瀬成一郎　コロナ社
ISBN : 978-4339046403

おもに人工衛星の軌道についての教科書ですが、弾道弾の軌道についても書かれています。

宇宙開発の歴史に関する書籍

『ロシア宇宙開発史』
冨田信之　東京大学出版会

ISBN : 978-4130611800

ロシア帝国から始まる同国の宇宙開発の歴史について書かれた書籍です。

核兵器に関する書籍

『核兵器』
多田将　明幸堂

ISBN : 978-4991034817（初版）
ISBN : 978-4991034824（普及版）

弾道弾に搭載する核弾頭について学ぶなら、この書籍以上のものはありません（宣伝！）日本で唯一の、本格的な核兵器のメカニズムについて書かれた本（宣伝、宣伝！）

おわりに

若い方々には想像もつかないことかも知れませんが、冷戦最盛期には、わずか三〇分で世界が滅びるという状態が、日常として継続されていました。ソヴィエト連邦とアメリカ合衆国が、互いを標的として、すべての核出力を合算すれば世界を何度も滅ぼせるような規模で、大陸間弾道弾と潜水艦発射弾道弾を常時発射態勢に置いていたのです。そして今でも、ロシア連邦とアメリカ合衆国の二箇国だけは、その規模を大幅に縮小させたとは言え、その臨戦態勢を維持しています。本文中でもお話しした通り、二〇一七年二月の段階で、ロシア国防相はロシア国会に対して、大陸間弾道弾の九六パーセントが即応状態にあることを報告しています（『RT』二〇一七年二月二二日）。この二箇国は、他の国とは格が違うのです。今の日本ではいつでもどこでも中国の脅威が声高に叫ばれていますが、それでも、当時のソ米二大超大国とは比べ物になりませんし、今でも世界唯一の超大国であるアメリカ合衆国をこの地球上から消滅させうる核戦力を持つ国は、ロシア連邦を除いてほかには存在しません。

冒頭でお話しした通り、核兵器は弾道弾という運搬手段を得て初めて超兵器足りえます。そして同時に、弾道弾が超兵器としての真価を発揮するのは、核弾頭を搭載してこそ、とも言えます。この両者は、ほかに並ぶもののない人類最強の超兵器を構成する両輪として、どちらもなくてはならないものです。

そして実に興味深いことに、どちらも、まず兵器として開発が始められ、そののちに平和利用された、という経緯を持ちます。核兵器開発の技術は原子力発電に、弾道弾開発の技術は宇宙開発用ロケットに、というわけです。我が国がそのどちらに関しても、平和利用の面では世界有数の技術国であるために、よりいっそう、その兵器化を疑われないよう、神経を尖らせている分野でもあります。

人類の、「最強の兵器をつくりたい」という欲望と情熱が、このような超兵器を開発してしまった――本書を通じて、その恐るべき技術の一端でもお伝えできれば幸いです。

本書は、イベントハウス「東京カルチャーカルチャー」での僕の一連の講演「ミリタリーテクノロジーの物理学」の中で、二〇一六年一二月一〇日と二〇一七年三月一一日の二回にわたって講演したものを書籍化したものです。ただし、この頃は講演のまとめの小冊子をつくっていませんでしたので、内容はそれをもとにしていても、文章は完全に書き下ろしです。

「はじめに」にも書きました通り、本書は「軽装版」を目指していたこともあり、最初はもっと軽い文量とするつもりだったのですが、書き始めるとあっという間に当初予定の一・五倍ほどになってしまいました。それほどに、弾道弾には、とても多くの技術が集約されていることをも意味しています。いっぽうで、これ以上の文量にしないことから、各項目でまだまだ書き足りないことがありますし、空力加熱や発射時の運動など、項目ごと省いてしまったこともあります。これまた「はじめに」に書いた通り、それらをすべて含んだ「重装版」をいずれ執筆するつもりですので、そのときはまたよろしくお願いいたします。

本書を出版するにあたり、明幸堂の高良和秀さん、装幀の桜井雄一郎さん、そして本書を手にしてくださったみなさんに、心より感謝いたします。
ありがとうございました。

［図版クレジット］

図31……作成：株式会社スリークォーター

図39……提供：合衆国空軍

図22、29、40下、46、50、附図4……作成：桜井雄一郎

図1〜21、23〜28、30、32〜39、40上、41〜45、47〜49、51〜65、
附図1〜3、5〜13……作成・撮影：著者

附録1｜楕円の幾何学

第2章 衛星の軌道…35頁

楕円は、みなさんが算数で習ったものですが、あまりに昔のことですっかり忘れてしまっている方も多いと思います。そういう方のために、ここで、今いちど、算数を思い出してもらうことにします。

楕円とは、円をある方向につぶした図形を言います。

このとき、つぶした方向を短軸方向、つぶさなかった方向を長軸方向と言います。つぶす前の円の半径をaとした場合、直径は$2a$ですが、楕円のほうも、長軸のほうはつぶされていないので、この軸方向の長さ（長径）は$2a$のままです。いっぽう、つぶされた短軸方向の長さ（短径）を$2b$とすると、b/aの割合でつぶされたことになります。

さて、みなさんが円を描くとき、どのようにして描くでしょうか。小さな円だと、コンパスを使います。コンパスでは描けないほど大きな、たとえば地面に円を描く場合などは、長さを決めた紐のようなものを、片方を固定して、もう片方を移動させて、紐がたるまないようにして描くかもしれません。このとき、固定した側が円の中心、移動させる側が円周となります。このような描き方をするのは、円というものが、「ある点（中心）から一定の距離にある点の集合」だからです。このときの紐の長さが、「一定の距離」、つまり円の半径になります。

では、楕円はどうでしょうか。それは、ある2点を固定して、その2点からの距離の和が一定となる点の集合となります。ですから、実際に描くときは、両端を固定した紐を用意し（その紐の長さは固定した2点間の距離よりも長くなければならない）、楕円を描く筆先はこの紐の上を動くようにします。紐は折れ線となりますが、決してたるまないように。このときの2つの固定点を焦点と呼びます。

この楕円を描くのに使った紐の長さは、ちょうど、長径$2a$になります。したがって、焦点間の長さを$2d$とすると、この長さと、長径a、短径bとの関係は、三平方の定理から、

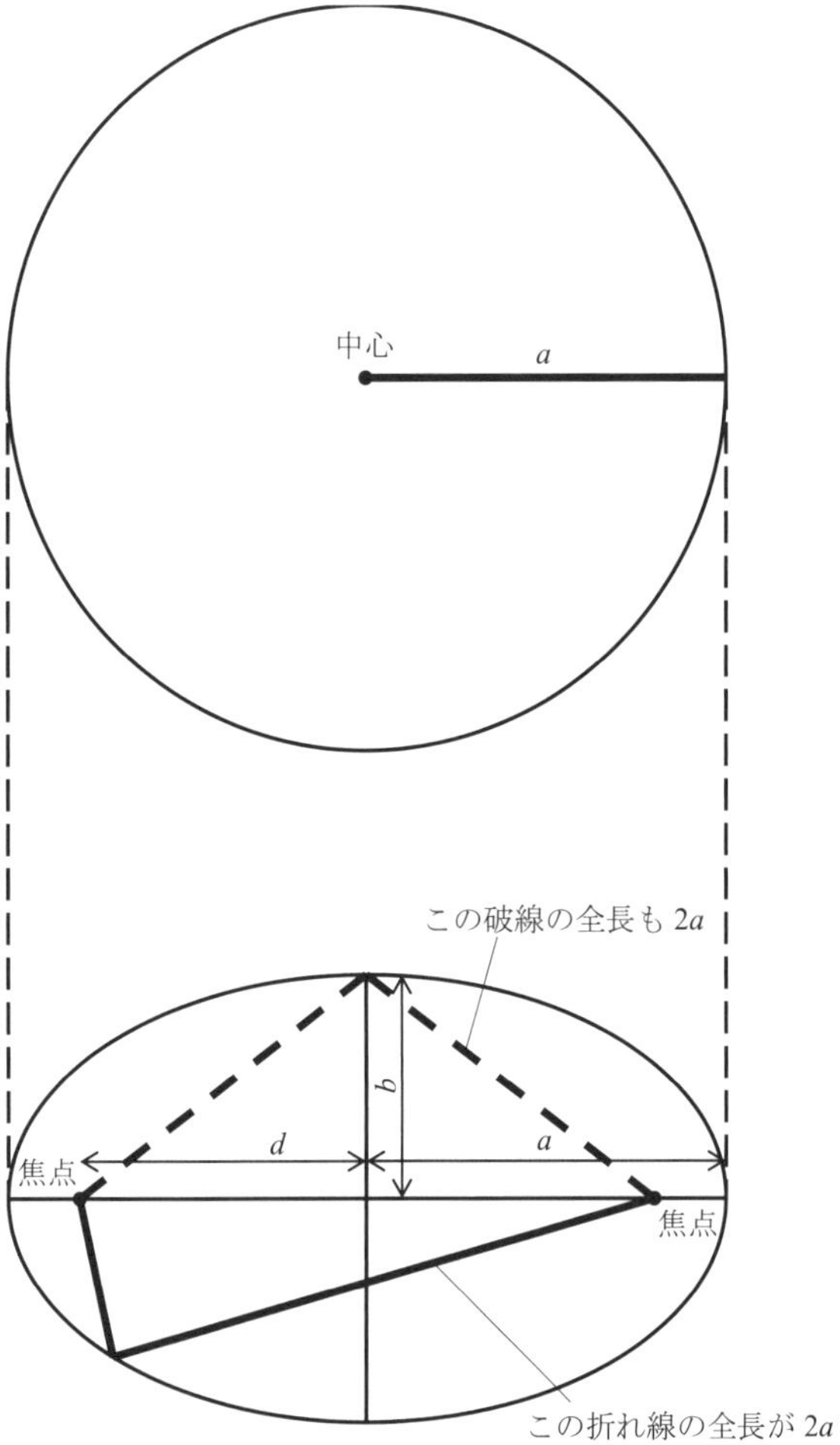
中心
a
この破線の全長も 2a
b
焦点
d
a
焦点
この折れ線の全長が 2a

附図1 ｜ 楕円

$$d^2 = a^2 - b^2$$

となります。また、dの、aに対する割合を、離心率と言います。離心率をeとすると、

$$e = \frac{d}{a} = \frac{\sqrt{a^2 - b^2}}{a}$$

2つの焦点が重なるときは、すなわち円になりますが、焦点間距離$2d$が0なので、eも0になります。つまり、円の離心率は0です。bを使わずeで表わす場合には、

$$b = a\sqrt{1 - e^2}$$

となります。

また、半径aの円の面積はπa^2ですが、この楕円はそれをb/aだけつぶしたものなので、その面積は、

$$\pi a^2 \times \frac{b}{a} = \pi ab$$

になります。

附録2　人工衛星の円軌道の速度の計算

第2章 衛星の軌道…36頁

単純な円軌道で考えると、向心力Fは、

$$F = m\frac{v^2}{r}$$

となります。mが人工衛星の質量、vが人工衛星の速度、rが人工衛星と地球の重心との間の距離です。この拘束力が、人工衛星の場合には、地球からの重力となります。重力がぴったりこの値と等しい場合には、ちゃんと周回軌道を描きますが、それよりも大きいと地球に向けて落下しますし、小さいと宇宙の彼方へと飛んでいきます。

2つの物体の間に働く重力は、それらの質量の積に比例し、距離の自

乗に反比例します。比例定数をGとすると、重力Fは、

$$F = \frac{GMm}{r^2}$$

と表わせます。Mが地球の質量です。Gは重力定数と呼ばれます。これがさきほどの向心力に等しい場合、

$$\frac{GMm}{r^2} = m\frac{v^2}{r}$$

となり、余計な文字を省き、整理すると、

$$GM = rv^2$$

となります。これが、人工衛星の地球（の重心）からの距離と、そのときの速度の関係です。

附録3 ｜ 人工衛星の円軌道の周期の計算

第2章 衛星の軌道…37頁

円運動の場合、この周回軌道の1周の道程は$2\pi r$です。円運動では距離rは一定、つまり距離rで決まる速度vも一定ですから、この1周を動くのにかかる時間、つまり周期Tは、

$$T = \frac{2\pi r}{v}$$

となり、附録2のvを入れると、

$$T = \frac{2\pi r}{\sqrt{\frac{GM}{r}}}$$

となります。ルートがつくと面倒なので、両辺を自乗します。

$$T^2 = \frac{4\pi^2 r^3}{GM}$$

これは、ケプラーの第3法則「惑星の公転周期（T）の2乗は、軌道の長

軸半径（r）の3乗に比例する」そのものです。

附録4｜角運動量保存則

第2章 衛星の軌道…39頁

ある物体の位置ベクトルを$\mathbf{r}$、運動量ベクトルを$\mathbf{p}$とすると、角運動量$\mathbf{L}$は、

$$\mathbf{L} = \mathbf{r} \times \mathbf{p}$$

となります。「×」は外積を表わします。運動量$\mathbf{p}$は、

$$\mathbf{p} = m\mathbf{v}$$

なので、

$$\mathbf{L} = \mathbf{r} \times m\mathbf{v}$$

となります。これを時間tで微分すると、

$$\frac{d\mathbf{L}}{dt} = \frac{d\mathbf{r}}{dt} \times m\mathbf{v} + \mathbf{r} \times m\frac{d\mathbf{v}}{dt}$$

となりますが、位置の時間微分が速度であるため、$d\mathbf{r}/dt = \mathbf{v}$ で、右辺第1項は $\mathbf{v} \times m\mathbf{v}$ で同じベクトルの外積なので0となります。また、速度の時間微分は加速度であるため、$md\mathbf{v}/dt = \mathbf{F}$（物体にかかる力）で、弾道弾や人工衛星の場合は重力だけを考えますから、これはまさに重力のことです。位置ベクトル$\mathbf{r}$の基点を地球の重心（中心）に取ると、重力は位置ベクトル$\mathbf{r}$と同じ向きになりますから、右辺第2項は同じ向きのベクトルの外積なので、0となります。結局、右辺は0となり、

$$\frac{d\mathbf{L}}{dt} = 0$$

角運動量の時間変化はない、つまり角運動量は保存されることになります。まとめると、地球の中心からの重力だけを考えればよい場合には、角運動量は保存されるのです。

附録5 | 面積速度と角運動量

第2章 衛星の軌道…39頁

楕円軌道上のある地点での、地球の中心からの位置ベクトル**r**と運動量ベクトル**p**について、角運動量**L**が、

$$\mathbf{L} = \mathbf{r} \times \mathbf{p}$$

で表わされることは前述の通りです。そしてその大きさLは、**v**のうち、**r**に直交する成分をv_vとすると、

$$L = mrv_v$$

となります。

いっぽう、このときの面積速度sは、附図2のように、

$$s = \frac{1}{2} rv_v$$

となります。このことから、面積速度sと角運動量の大きさLとの関係は、

$$L = 2ms$$

となります。つまり、角運動量は、面積速度の2倍に質量をかけたものになります。

附録6 | 近点と遠点での速度

第2章 衛星の軌道…41頁

ケプラーの第3法則より、公転周期の2乗は、長径の3乗に比例するので、円軌道をつぶして楕円軌道にしても、長径さえ同じであれば周期は同じです。附録3より、周期Tは、半径rを長軸の半径aに置き換えて、

$$T = \frac{2\pi a}{\sqrt{\frac{GM}{a}}} = \frac{2\pi a^{1.5}}{\sqrt{GM}}$$

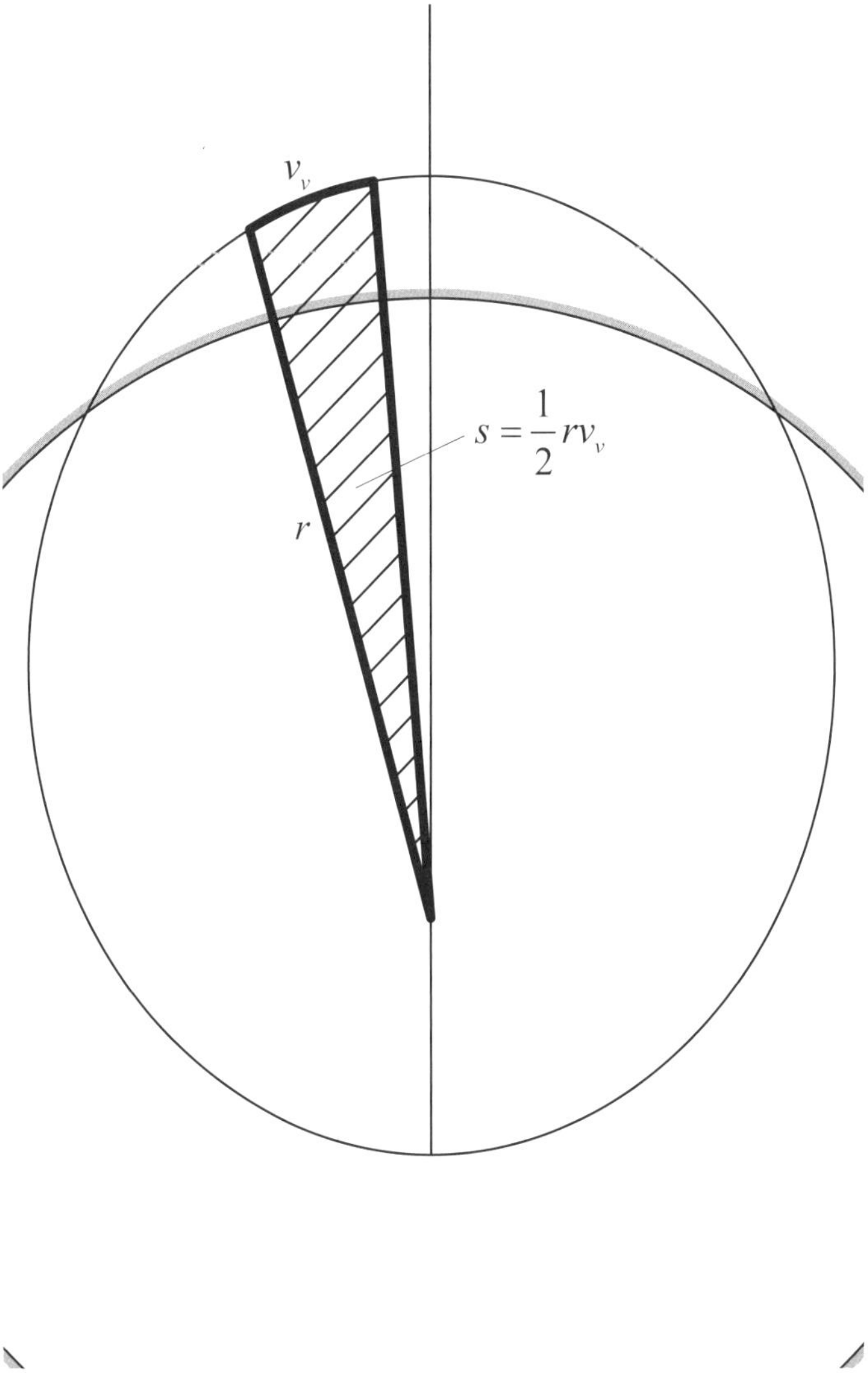

附図2｜面積速度

です。これで1周するとき、面積は円に比べて b/a だけつぶれて小さくなっているのですから、面積速度も b/a にならなければ同じ周期になりません。附録4より、面積速度と角運動量は比例関係にありますから、角運動量も b/a になります。附録2で求めた円軌道のときの速度 v を、r を a に置き換えると、

$$v = \sqrt{\frac{GM}{a}}$$

ですから、ここから、円軌道の角運動量と面積速度はそれぞれ

$$L = ma\sqrt{\frac{GM}{a}} = m\sqrt{GMa}$$

$$s = \frac{1}{2}a\sqrt{\frac{GM}{a}} = \frac{\sqrt{GMa}}{2}$$

となり、楕円軌道の場合にそれを b/a 倍すると、それぞれ、

$$L = mb\sqrt{\frac{GM}{a}}$$

$$s = \frac{b}{2}\sqrt{\frac{GM}{a}}$$

となります。これらを、短軸半径 b を使わずに離心率 e を用いて表わすと、附録1より、

$$L = m\sqrt{GMa(1-e^2)}$$
$$s = \frac{1}{2}\sqrt{GMa(1-e^2)}$$

となります。近点、遠点における地球の重心からの距離は、それぞれ、a-d 、a+d で、離心率で表わせば、附録1より、それぞれ、$a(1$-$e)$ 、$a(1$+$e)$ ですから、近点と遠点における速度 v_p 、v_a は、それぞれ、

$$v_p = \frac{2s}{a(1-e)} = \sqrt{\frac{GM}{a}}\sqrt{\frac{1+e}{1-e}}$$

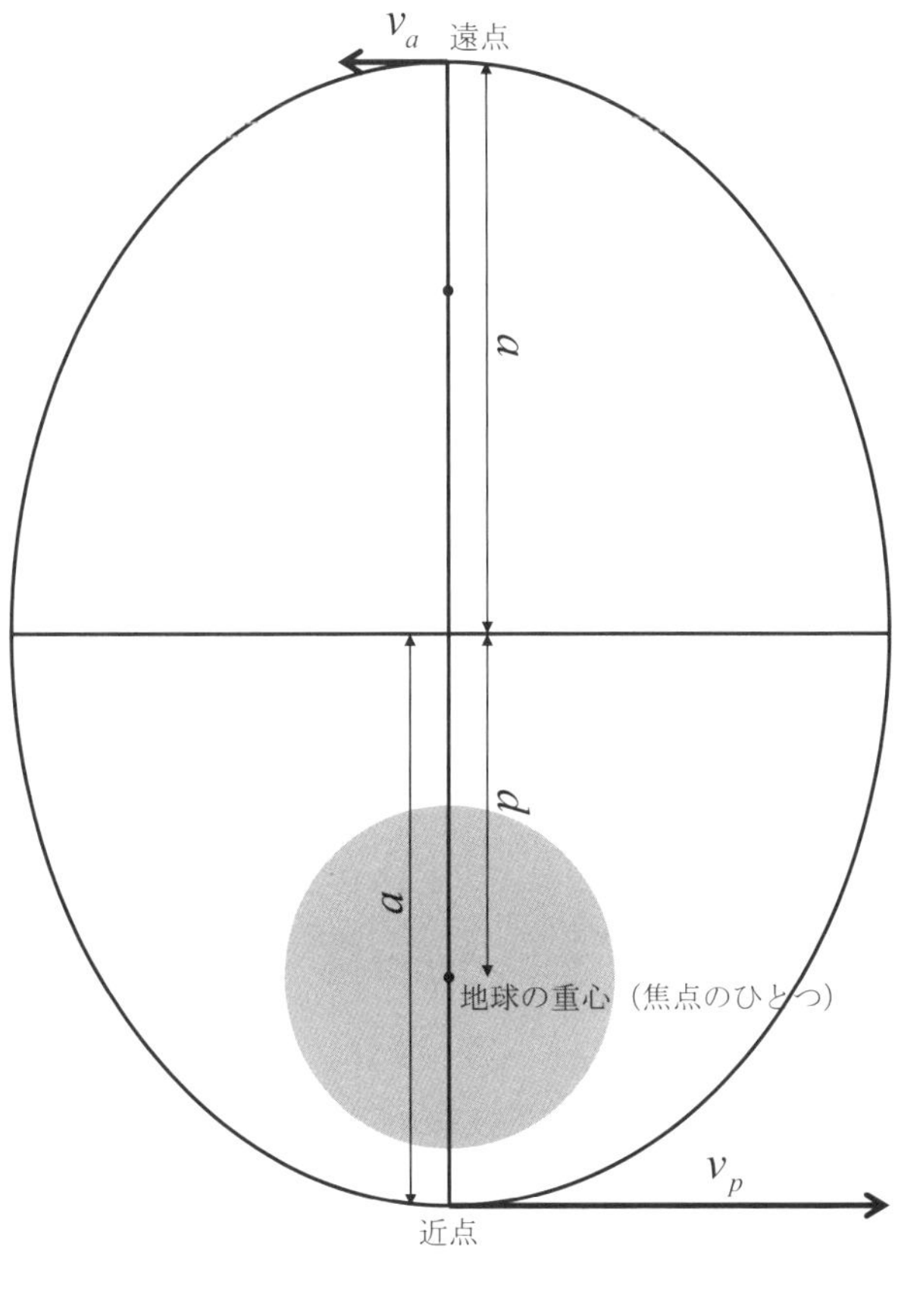

附図3｜近点と遠点

$$v_a = \frac{2s}{a(1+e)} = \sqrt{\frac{GM}{a}}\sqrt{\frac{1-e}{1+e}}$$

となります。ルートを2つに分けたのは、前半が円軌道の場合の速度、後半が楕円につぶした分、と明確にするためです。

附録7｜人工衛星のエネルギー

第2章 衛星の軌道…42頁

附録2から、地球の重力による位置エネルギーは、重力Fを積分して、

$$\int_{\infty}^{r} \frac{GMm}{r^2} dr = -\frac{GMm}{r}$$

となります。通常、重力による位置エネルギーは、無限遠を基準に取りますので、負の値になります。地球の重心が位置エネルギー最小となりますが、その値は$-\infty$です。位置エネルギーが最大となるのは位置がもっとも遠い無限遠で、その値は0です。

この位置エネルギーと、速度から求めた運動エネルギーとの合計が全エネルギーEとなりますが、これがどの位置でも保存されるという、エネルギー保存則を用いて計算してみます。一番簡単なのは近点と遠点なので、附図3の近点と遠点でのEが等しい、ということを式で表わすと、

$$E = -\frac{GMm}{a-d} + \frac{1}{2} m {v_p}^2 = -\frac{GMm}{a+d} + \frac{1}{2} m {v_a}^2$$

となります。また、角運動量保存則から、両地点での角運動量は等しいので、

$$m(a-d)v_p = m(a+d)v_a$$

この2つの式から、

$$ {v_p}^2 = \frac{a+d}{a-d}\frac{GM}{a}$$

となり、これをEの式に代入すると、

$$E = -\frac{GMm}{a-d} + \frac{1}{2}m\frac{a+d}{a-d}\frac{GM}{a} = -\frac{GMm}{2a}$$

が得られます。全エネルギーEは、長軸半径aだけで決まっていることがわかります。

附録8｜緯度と経度から2地点間の距離を求める

第2章 弾道弾の軌道…45頁

ある2地点の緯度と経度を、それぞれ、ϕ_1、λ_1、ϕ_2、λ_2としたとき、地球上の位置関係は附図4のようになります。P、Tがその2地点、Gが地球の中心、Nが北極点です。

その間の最短距離2φ（角TGP）は、球面三角形の余弦定理より、

$$\cos 2\varphi = \cos\left(\frac{\pi}{2} - \phi_1\right)\cos\left(\frac{\pi}{2} - \phi_2\right) + \sin\left(\frac{\pi}{2} - \phi_1\right)\sin\left(\frac{\pi}{2} - \phi_2\right)\cos(\lambda_1 - \lambda_2)$$

ですから、この逆関数を取って、

$$2\varphi = \arccos\left(\sin\phi_1 \sin\phi_2 + \cos\phi_1 \cos\phi_2 \cos(\lambda_1 - \lambda_2)\right)$$

となります。φではなく2φとしたのは、本文に合わせるためです。

附録9｜最小エネルギー軌道における発射エネルギーと発射速度

第2章 発射速度…51頁

最小エネルギー軌道の長軸半径a（48頁）

$$a = \frac{1+\sin\varphi}{2}R$$

を、附録7の全エネルギーEに代入すると、

$$E = -\frac{GMm}{(1+\sin\varphi)R}$$

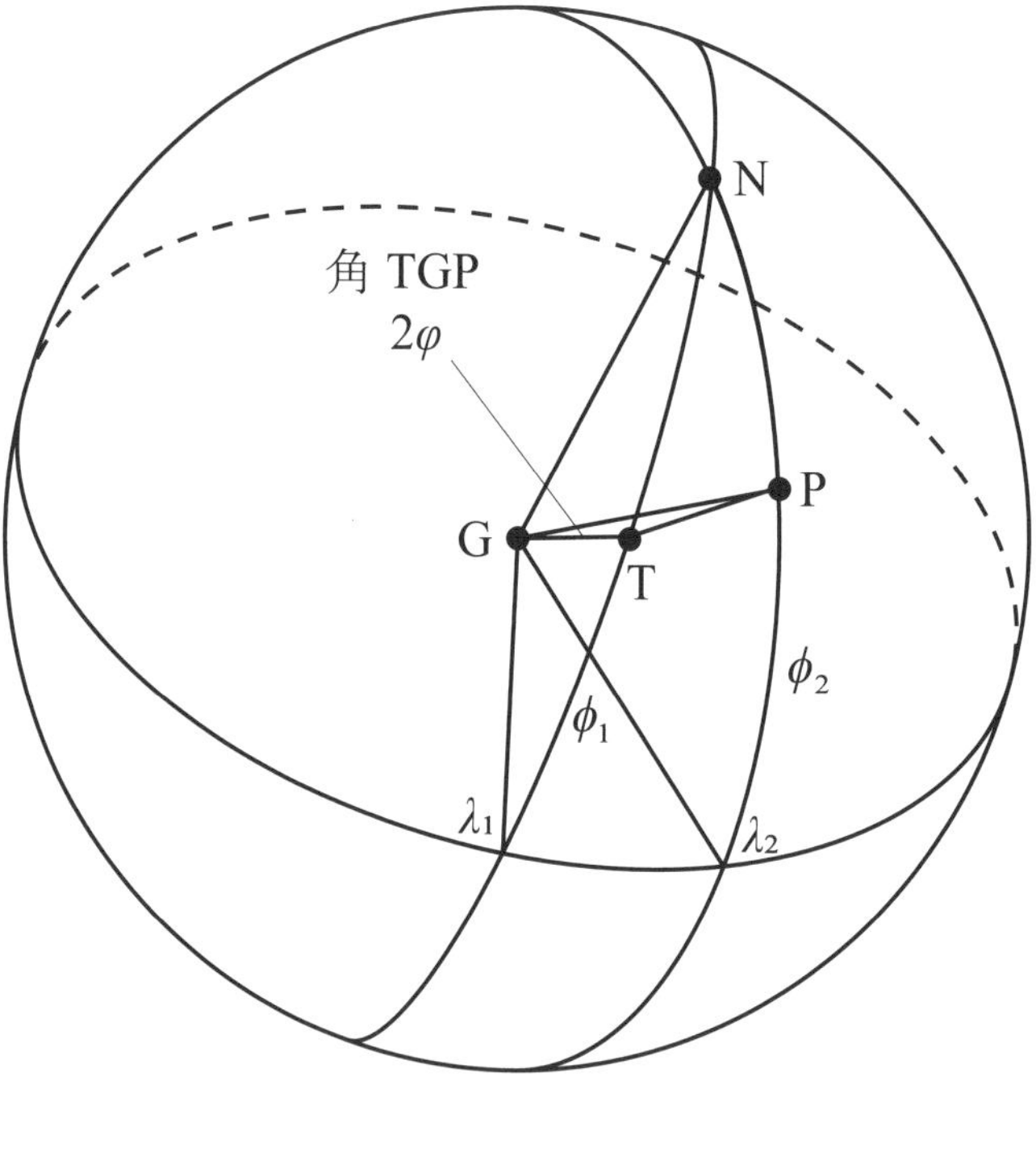

附図4｜緯度、経度と位置関係

となります。いっぽう、発射地点は地表ですので、地球の重心からの距離は地球半径Rとなり、そこでの位置エネルギーは、

$$-\frac{GMm}{R}$$

となります。その差し引き分が運動エネルギーとなりますので、発射速度をvとすると、

$$\frac{1}{2}mv^2=-\frac{GMm}{(1+\sin\varphi)R}-(-\frac{GMm}{R})$$

が成り立ちます。これを解くと、

$$v=\sqrt{\frac{GM}{R}}\sqrt{\frac{2\sin\varphi}{1+\sin\varphi}}$$

となります。

附録10｜最小エネルギー軌道における到達時間

第2章 到達時間…57頁

楕円の各部の面積を求めるのは容易ではありません。そこで、附録1でもお話しした、「楕円は円をつぶしたもの」を思い出して、円に戻したりまたつぶしたりすることで面積を求めてみましょう。

附図5の上が、本題の最小エネルギー軌道です（縦長の本書を有効に使うため、90度回転させています）。このうち、太線で囲われた部分の面積が、弾道弾がTからPまで飛行する際に動径によって塗りつぶす面積で、ここを求めるのが目的です。求めるべき面積は斜線部とその下の三角形からできています。三角形の面積は、FTの長さをlとすると、$2dl$とかんたんに求められます。なお、$l=R\sin\varphi$です。

附図5の下が、上を短軸方向にa/b倍に引き伸ばして円にしたものです。斜線部分の面積は、それゆえ、a/b倍になっています。FT'の長さも、FTのa/b倍になっています。また、半径は当然ながらもとの楕円の長軸半

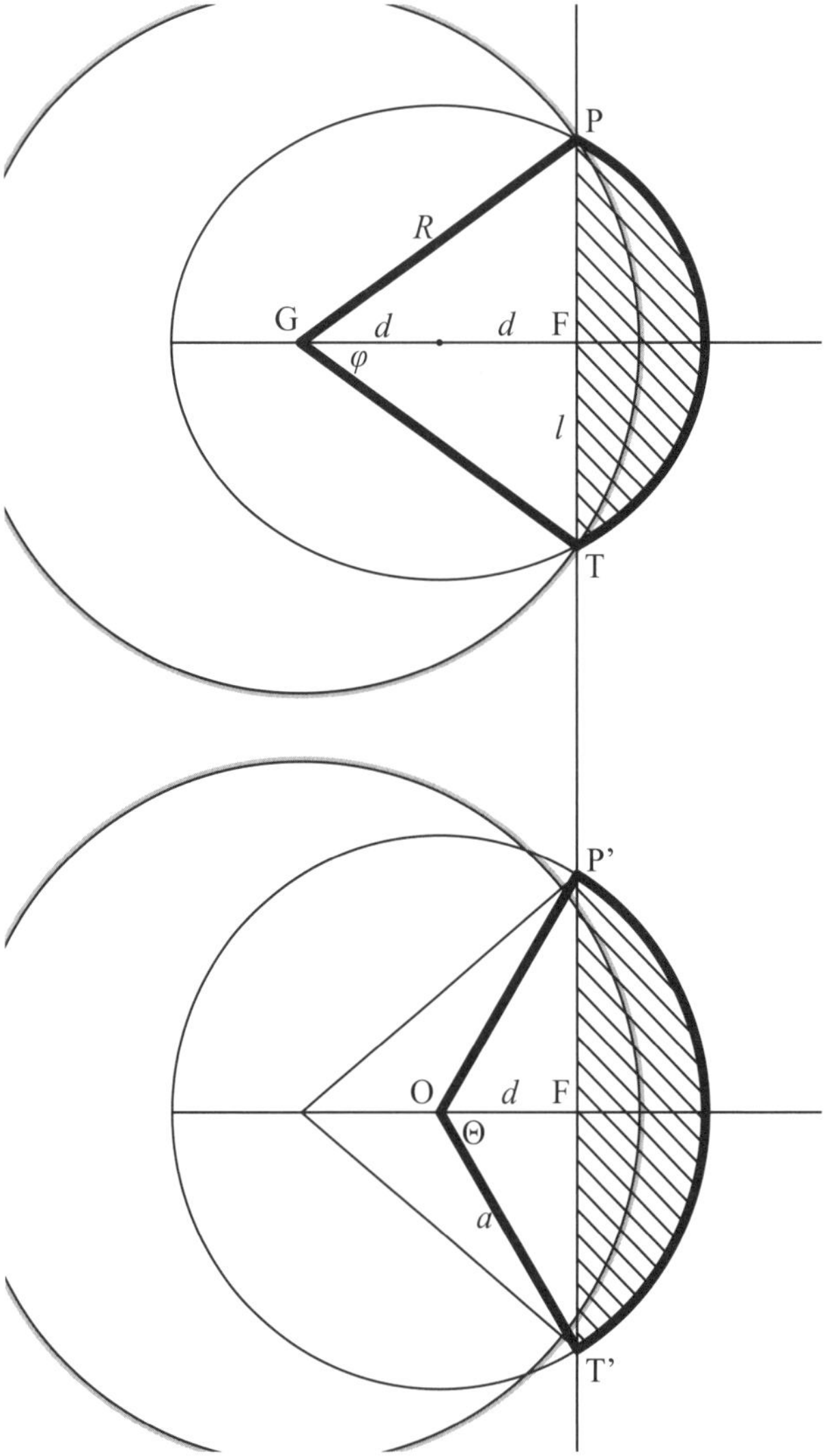

附図5｜楕円の一部の面積を求める

径aに等しいです。下図の斜線の面積は、太線で囲まれた扇形（上図の扇形とは異なることに注意）から、三角形の部分を引いたものになります。この扇形の面積は、円全体の面積に対する、角T'OP'分の割合になります。その半分、角T'OFの大きさをΘとすると、

$$\Theta = \arccos\frac{d}{a}$$

となります。したがって、斜線部分の面積は、

$$\pi a^2 \frac{\arccos\frac{d}{a}}{\pi} - d\frac{a}{b}l = a^2 \arccos\frac{d}{a} - dl\frac{a}{b}$$

となります。これをb/a倍につぶすともとの楕円の斜線部分に戻りますから、その面積は、

$$\left(a^2 \arccos\frac{d}{a} - dl\frac{a}{b}\right)\frac{b}{a} = ab\arccos\frac{d}{a} - dl$$

となります。これに上図の三角形部分を加えたものが、求めるべき面積になります。

$$ab\arccos\frac{d}{a} - dl + 2dl = ab\arccos\frac{d}{a} + dl$$

これを附録6で求めた面積速度

$$s = \frac{b}{2}\sqrt{\frac{GM}{a}}$$

または

$$s = \frac{1}{2}\sqrt{GMa(1-e^2)}$$

で割ったものが、TからPへと移動するのにかかる到達時間となります。

附録11｜飛距離と最高高度から最大射程を算出する

第2章 最小エネルギーでない軌道…63頁

飛距離と最高高度から長軸半径aを求めてみましょう。まずは、最小エ

ネルギー軌道よりも高い軌道を描くロフティッド軌道について考えます。

飛距離を地球の円周で割れば、附図6の角度φが求められます。これは最小エネルギー軌道の際のφと同様です。この楕円は最小エネルギー軌道ではないので、地球の重心Gでないほうの焦点Fは、線分TPの中点ではありませんが、その垂直二等分線上にはあります。線分TPの中点をMとすると、地球の半径Rと角度φを用いて、TM = $R\sin\varphi$ 、GM = $R\cos\varphi$ と表わせます。いっぽう、附録1から、折れ線GT+TFの長さは長径$2a$に等しいですから、TF = $2a - R$ となります。すると、三平方の定理より、線分FMの長さは、

$$\sqrt{(2a-R)^2-(R\sin\varphi)^2}$$

となります。この線分FMを線分GMに加えたものが、焦点間距離$2d$になります。

いっぽう、遠点と地球の重心との距離は、附録6より $a+d$ で、附図6において同じ距離は、最高高度hと地球の半径Rを足したものですから、$a+d=h+R$ となります。ここにさきほどの$2d$を代入すると、aは、

$$a+\frac{R\cos\varphi+\sqrt{(2a-R)^2-(R\sin\varphi)^2}}{2}=h+R$$

の式を満たします。そして、長軸半径aと最小エネルギー軌道の場合の射程角φとの関係は、

$$a=\frac{1+\sin\varphi}{2}R$$

ですから（48頁）、この2式からhとφ（したがって最大射程）の関係が求められます。

ディプレスト軌道の場合も基本的な考え方は同じですが、地球の重心Gでないほうの焦点Fが、線分TPの中点MよりもGに近くなっていますから、焦点間距離$2d$は、線分GMから線分FMを引いたものになります。したがって、満たすべき式は、

$$a+\frac{R\cos\varphi-\sqrt{(2a-R)^2-(R\sin\varphi)^2}}{2}=h+R$$

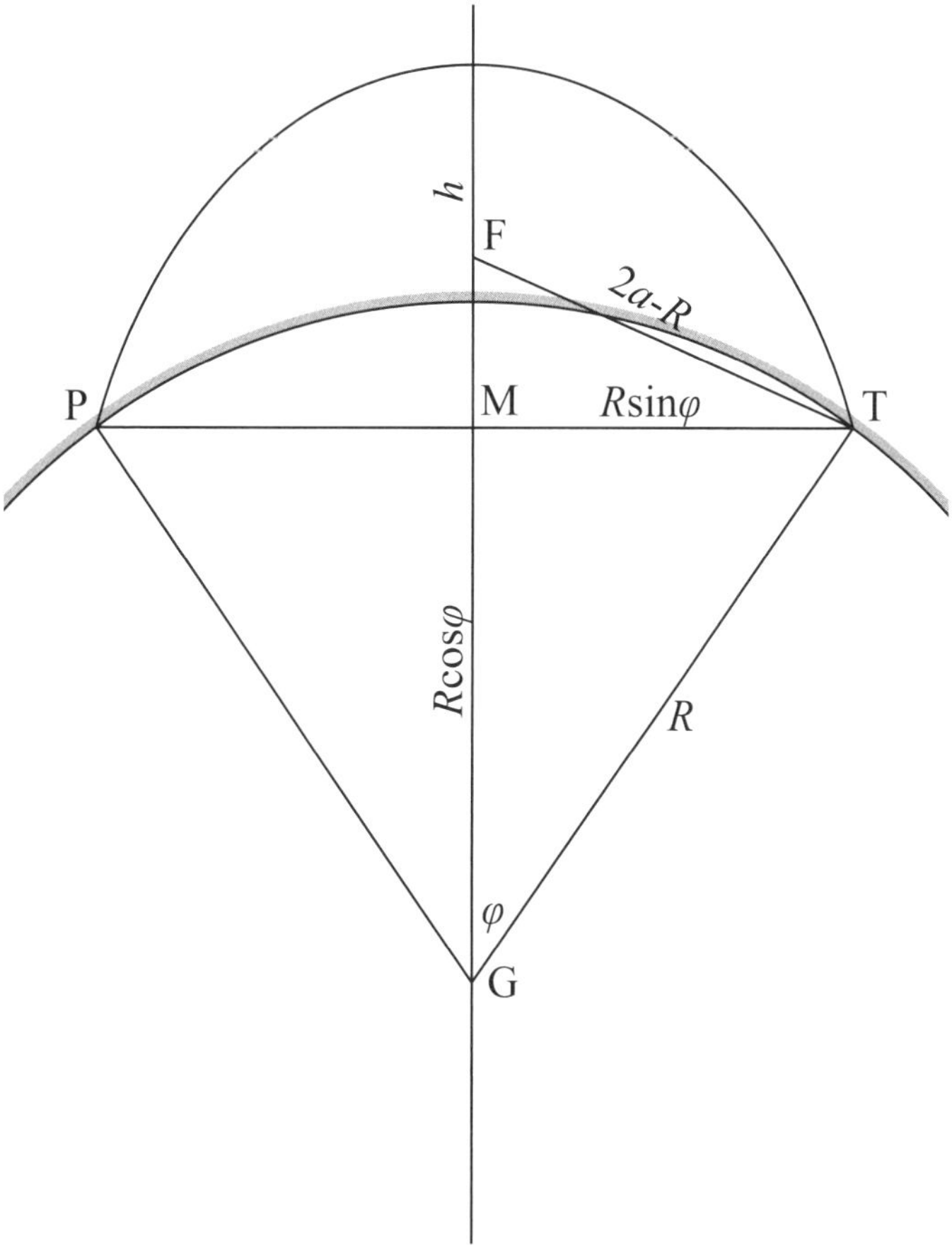

附図6 ｜ロフティッド軌道

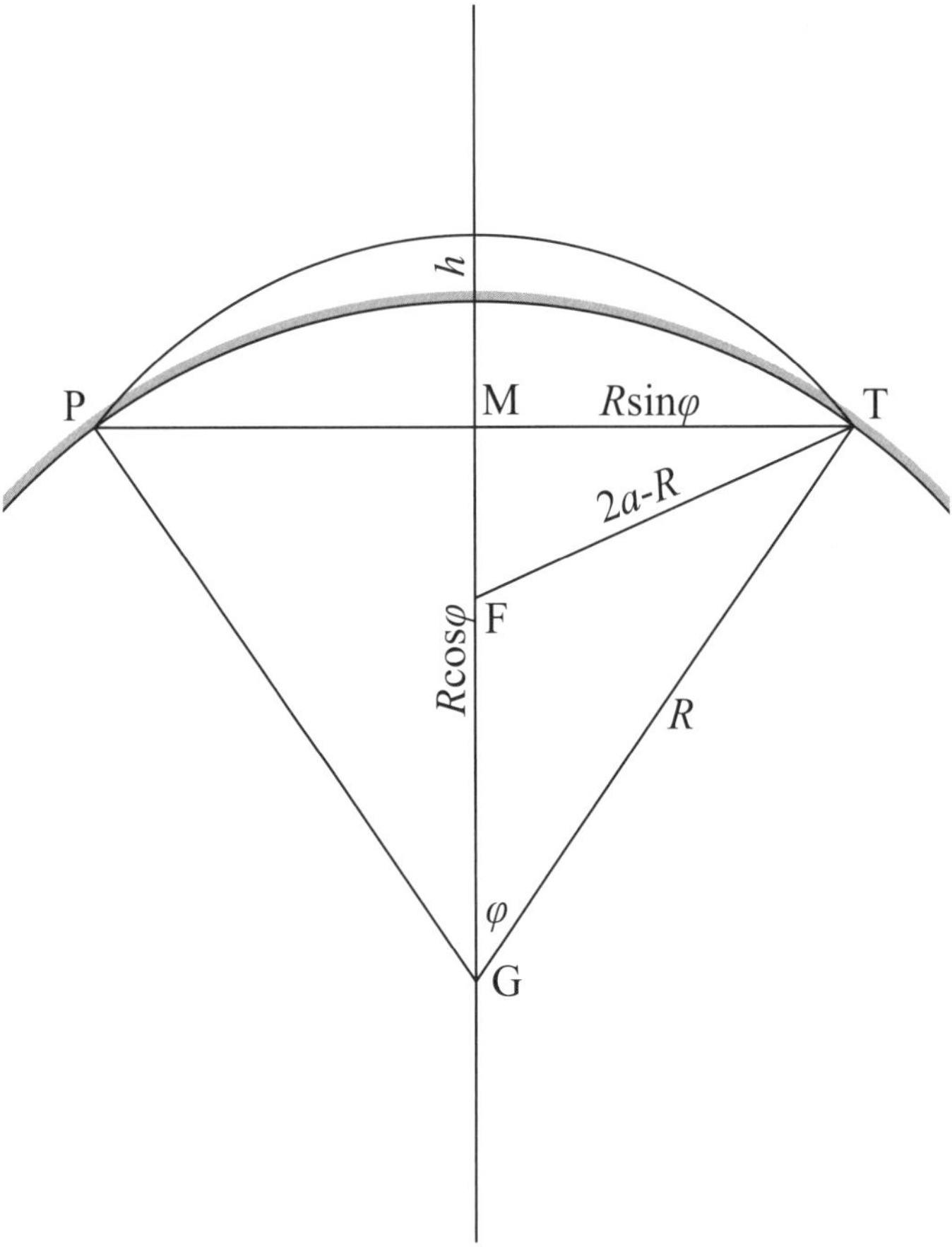

附図7｜ディプレスト軌道

となります。長軸半径aと最大エネルギー軌道の場合の射程角φとの関係は同じですから、その2式からhとφ（したがって最大射程）の関係を求めるのはロフティッド軌道の場合と同じです。

附録12 ｜ 推進に関する諸量

第3章 推進についての諸量…80頁

あるロケットが、外力がかからない状態で燃料を後方に捨てて運動量を得る話は、本文第3章の推進の原理（68頁）のところでしました。これには運動量保存則を用いました。ここで、ロケット本体の運動量をMV、捨てる燃料（推進剤）の運動量をmvとして、その微小変化で考えると、

$$d(MV) = d(mv)$$

となります。いっぽう、ニュートンの運動方程式から、推力Fは、

$$F = \frac{d}{dt}(MV)$$

となります。ここで、燃料（燃焼ガス）の速度はv_eで一定、単位時間あたりに捨てる燃料（噴出する燃焼ガス）の質量、つまり燃料流量も$\dot{m}$で一定、とすると、上の2式から、

$$F = \frac{d}{dt}(MV) = \frac{d}{dt}(mv) = \dot{m}v_e$$

となります。

さて、上で「外力がかからない状態で」と言いましたが、最初に打ち上げるときには、周囲に大気がありますので、大気圧がかかっています。この効果を加えます。ロケットのノズルの開口部（出口）からは大気が入ってくると同時に、燃焼ガスが外に出ていきます。この出口での燃焼ガスの圧力をp_e、大気圧をp_aとすると、その両者の差$p_e - p_a$が、ロケットを押す圧力になります。それにノズル出口の面積S_eをかければ、圧力が力になります。これを上の式に加えると、

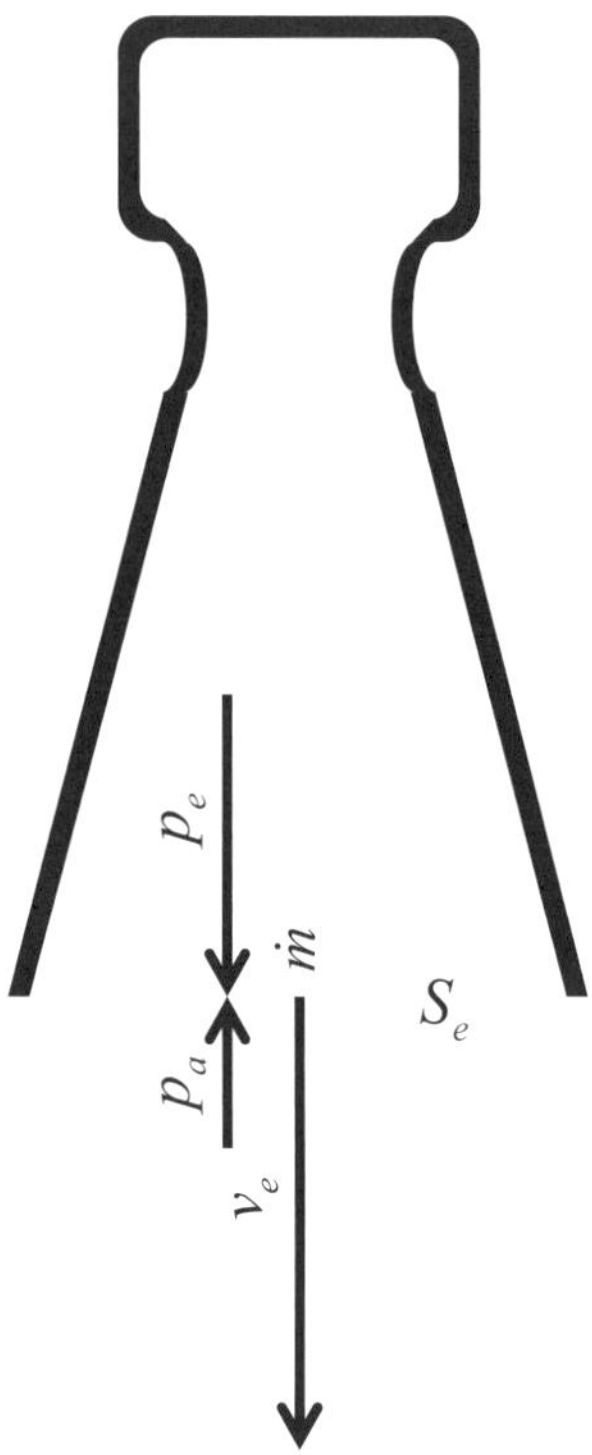

附図8｜推力

$$F = \dot{m}v_e + (p_e - p_a)S_e$$

となります。

つぎに、推力を燃料流量で割った量

$$v_{eff} = \frac{F}{\dot{m}}$$

を定義します。この v_{eff} を有効排気速度（effective exhaust velocity）と呼びます。この有効排気速度は、燃料の燃焼効率を表わす特性排気速度（characteristic exhaust velocity）v_c と、推力係数（thrust coefficient）C_f の積となります。

$$v_{eff} = C_f v_c$$

したがって、推力は、

$$F = \dot{m}v_{eff} = C_f \dot{m} v_c$$

と書けます。

そして、比推力 I_{sp} とは、燃焼期間中の、力積と、燃料（推進剤）の消費量（重量）との比のことです。比推力は、

$$I_{sp} = \frac{\int F dt}{g \int \dot{m} dt}$$

と定義されます。g は重力加速度で、消費量を質量ではなく「重量」で表わすためについています。

さきほどの推力の式で、有効排気速度が一定であるとすると、

$$\int F dt = v_{eff} \int \dot{m} dt$$

ですから、比推力は、

$$I_{sp} = \frac{v_{eff} \int \dot{m} dt}{g \int \dot{m} dt} = \frac{v_{eff}}{g}$$

となり、有効排気速度を重力加速度で割ったものになります。

附録13 ｜ ノズル

第3章 ノズル…129頁

燃焼室とノズルの内部の燃焼ガスのようすを考えるために、まず、熱力学の基礎から思い出してもらいます。ここで計算する燃焼ガスは、すべて理想気体とします。物質量nの理想気体の場合の状態方程式は、圧力をp、体積をV、温度をTとして、

$$pV = nRT$$

となります。Rは気体定数（gas constant）で、

$$R \equiv 8.314462618 \ [\ \mathrm{J/mol \cdot K}\ ]$$

です。物質量は、質量をm、モル質量をm_Mとすると、$n = m/m_M$なので、

$$pV = \frac{m}{m_M} RT$$

となり、これを、気体定数をモル質量で割った値、比気体定数（specific gas constant）$R_s = R/m_M$を用いて表わすと、

$$pV = mR_sT$$

となります。

さて、この理想気体に、ある微小な熱dQを加えることを考えてみましょう。すると、その熱は、一部は気体内にエネルギーとして蓄えられ、一部は気体を膨張させることに使われます。気体の内部エネルギーの増加分をdU、体積の膨張をdVとすると、

$$dQ = dU + pdV$$

となります。いっぽう、熱力学にはエンタルピー（enthalpy）という量があり、その量Hは、

$$H \equiv U + pV$$

で定義されます。これを微分すると、

$$dH = dU + pdV + Vdp$$

となり、さきほどのdQを代入すると、

$$dH = dQ + Vdp$$

となります。

ところで、この「加えた熱とそのとき上昇する温度との関係」ですが、みなさんは、「その物体の温度を1度上げるのに必要な単位質量あたりの熱量」として、「比熱（specific heat）」というものを学んだことを憶えてらっしゃるでしょうか。そもそも、「1カロリー」の定義が、「1 gの水を標準大気圧下で摂氏14.5度から15.5度まで温度上昇させるのに必要な熱量」でしたよね。このときの水の比熱は1 cal/g・Kとなります。比熱をC、質量をmとすると、

$$mC = \frac{dQ}{dT}$$

です。ところが、気体の場合は、圧力や体積など、いろいろな量が変化してしまってややこしいために、「圧力を一定とした場合に温度を1度上げるのに必要な単位質量あたりの熱量」と「体積を一定とした場合に温度を1度上げるのに必要な単位質量あたりの熱量」との両方を定義しています。前者を「定圧比熱（specific heat at constant pressure）」、後者を「定積比熱（specific heat at constant volume）」と言います。それぞれをC_p、C_vとすると、

$$mC_p = \left(\frac{\partial Q}{\partial T}\right)_p$$

$$mC_v = \left(\frac{\partial Q}{\partial T}\right)_V$$

であり、さきほどの

$$dH = dQ + Vdp$$

を見ると、「定圧」のときは、圧力が変化しない、つまり$dp = 0$ですから、$dH = dQ$となり、

$$mC_p = \frac{dH}{dT}$$

となります。いっぽう、さきほどの

$$dQ = dU + pdV$$

を見ると、「定積」のときは、体積が変化しない、つまり$dV = 0$ですから、$dQ = dU$となり、

$$mC_v = \frac{dU}{dT}$$

となります。エンタルピーの定義式

$$H \equiv U + pV$$

を T について微分すると、

$$\frac{dH}{dT} = \frac{dU}{dT} + \frac{d(pV)}{dT}$$

で、さきほどの式から、左辺は mC_p 、右辺第一項は mC_v で、右辺第二項はさきほどの状態方程式

$$pV = mR_sT$$

を微分すればよいですから、

$$mC_p = mC_v + mR_s$$

となり、両辺を m で割って式を整理すると、

$$C_p - C_v = R_s$$

が得られます。ここで、比熱比（specific heat ratio）

$$k = \frac{C_p}{C_v}$$

を導入すると、この2式から、C_p と C_v は、

$$C_p = \frac{k}{k-1}R_s$$

$$C_v = \frac{1}{k-1}R_s$$

と、k と R_s を使って表わすことができます。C_p 、C_v 、k 、R_s は、すべて、気体に固有の値です。

さて、熱力学の復習はここまでにして、いよいよ燃焼室からノズルに至る燃焼ガスのようすを考えてみましょう。燃焼ガスがノズルから噴出するまでに、外壁などの部分に熱を伝えたりはしますが（だから燃焼室やノズルが高温になる）、実はその量は全体のごく一部にすぎません。大部分が自

分でその熱を持ったまま噴出する、つまり噴出するまでは熱の出入りがない「断熱過程」だとみなしてもかまいません。断熱過程だと、さきほどの式で、$dQ = 0$ となるので、

$$0 = dU + pdV$$

$$dH = Vdp$$

が成り立ちます。いっぽう、さきほどの C_p と C_v の式から、

$$dH = mC_p dT$$

$$dU = mC_v dT$$

ですから、これを代入すると、

$$0 = mC_v dT + pdV$$

$$mC_p dT = Vdp$$

となり、この両式から、

$$-\frac{Vdp}{pdV} = \frac{C_p}{C_v} = k$$

これを変形すると

$$\frac{dp}{p} = -k\frac{dV}{V}$$

となりますから、これを積分すると、

$$\ln p = -k \ln V + const.$$

となり、対数表示だとわかりにくいのでこれを指数表示に書き直すと、

$$pV^k = const.$$

となります。これは標準的な断熱過程の式です。

ところでこの体積 V は、密度 ρ を使うと $V = m/\rho$ なので、微分を取ると

$$dV = -\frac{m}{\rho^2}d\rho$$

となりますので、これをさきほどの式に入れて V の代わりに ρ で表示すると、

$$\frac{dp}{p} = k\frac{d\rho}{\rho}$$

となり、これを変形して、

$$\frac{dp}{d\rho} = k\frac{p}{\rho}$$

となります。

ここで、音速というものを考えてみます。音というのは、物質の密度の変化が波として伝わっていくものです。ある密度変化が起きたときに、それが圧力の変化となり、それが周囲の物質を押すことで、周囲の物質の密度変化を起こします。それを繰り返して音が伝わっていくのです。そのため、いっぱんに、音速 v_s は、

$$v_s = \sqrt{\frac{dp}{d\rho}}$$

と表わすことができます。この断熱過程においては、上の式を代入して、

$$v_s = \sqrt{k\frac{p}{\rho}}$$

となり、さらに、状態方程式

$$pV = mR_sT$$

をρを使って書くと

$$\frac{p}{\rho} = R_sT$$

であるため、これを代入して、

$$v_s = \sqrt{kR_sT}$$

と表わすことができます。

ある物体の速度の、音速に対する比率を、マッハ数（Mach number）と言います。速度をvとすると、マッハ数Mは、

$$M = \frac{v}{v_s} = \frac{v}{\sqrt{kR_sT}}$$

と表わすことができます。

断熱過程において、ある地点にあった燃焼ガスが別の地点に流れていったときに、各物理量がどのように変化するかを考えます。地点1と地

点2を考え、それぞれの場所での物理量を、添え字1と2で表わします。状態方程式や、断熱過程の圧力と体積の関係式から、温度の比は、

$$\frac{T_1}{T_2}=\frac{P_1V_1}{P_2V_2}=\frac{P_1V_1^k}{P_2V_2^k}\left(\frac{V_1}{V_2}\right)^{1-k}=\left(\frac{V_1}{V_2}\right)^{1-k}=\left(\frac{\rho_1}{\rho_2}\right)^{k-1}$$

と密度の比を使って表わすことができます。また、断熱過程なのでエネルギー保存則が成り立ち、重力による位置エネルギーは微小なので無視すると、

$$H_1+\frac{1}{2}mv_1^{\ 2}=H_2+\frac{1}{2}mv_2^{\ 2}$$

が成り立ちます。さきほどの

$$dH=mC_pdT$$

を積分すると $H=mC_pT$ ですから、このエネルギー保存の式は

$$mC_pT_1+\frac{1}{2}mv_1^{\ 2}=mC_pT_2+\frac{1}{2}mv_2^{\ 2}$$

となり、これを整理し、vをさきほどのマッハ数で表わすと、

$$2C_p\left(T_1-T_2\right)=v_2^{\ 2}-v_1^{\ 2}=kR_s\left(M_2^{\ 2}T_2-M_1^{\ 2}T_1\right)$$

となるので、ここから、

$$\frac{T_1}{T_2}=\frac{kR_sM_2^{\ 2}+2C_p}{kR_sM_1^{\ 2}+2C_p}=\frac{kR_sM_2^{\ 2}+2\dfrac{k}{k-1}R_s}{kR_sM_1^{\ 2}+2\dfrac{k}{k-1}R_s}=\frac{\left(k-1\right)M_2^{\ 2}+2}{\left(k-1\right)M_1^{\ 2}+2}$$

と求められます。

さて、この2地点では、エネルギーだけでなく、物質の質量も保存されます。ノズルの出口から噴出するまでは、ほかに逃げようがないですからね。質量は、体積に密度をかけたものであり、体積は流路の断面積Sに速度vをかけたものですから、

$$\rho_1v_1S_1=\rho_2v_2S_2$$

が成り立ちます。したがって、その断面積の比は、さきほどの密度と温度の関係と、速度とマッハ数の関係から、

$$\frac{S_2}{S_1}=\frac{\rho_1 v_1}{\rho_2 v_2}=\left(\frac{T_1}{T_2}\right)^{\frac{1}{k-1}}\frac{M_1\sqrt{kR_sT_1}}{M_2\sqrt{kR_sT_2}}=\frac{M_1}{M_2}\left(\frac{T_1}{T_2}\right)^{\frac{k+1}{2(k-1)}}$$

となり、さらに、温度とマッハ数の関係から、

$$\frac{S_2}{S_1}=\frac{M_1}{M_2}\left(\frac{(k-1)M_2{}^2+2}{(k-1)M_1{}^2+2}\right)^{\frac{k+1}{2(k-1)}}$$

となります。この式を、$M_1=1$、つまり、地点1を「燃焼ガス速度が音速となる地点」とし、その断面積を基準として、その比が、マッハ数によってどう変わるか、の関数と見ると、

$$\frac{S_2}{S_1}=\frac{1}{M_2}\left(\frac{(k-1)M_2{}^2+2}{k+1}\right)^{\frac{k+1}{2(k-1)}}$$

となり、これをグラフにしたものが本文の図23（130頁）です。地点1の断面積S_1が最小となるので、ここがスロートとなります。言い換えればスロート部で音速となります。そして、そこを境に、マッハ数M_2が1より小さくなるほど（音速以下では速度が下がるほど）、また1より大きくなるほど（超音速では速度が上がるほど）、スロートに対する断面積の比は大きくなっていくことがわかります。そのため、燃焼室からスロートまではいったんくびれ、スロートからノズルはすそ広がりになっているのです。

附録14｜サイロの破壊に関する計算

第4章 分割弾頭…187頁

一般に、強固なサイロを破壊しうる指標として、5000 psiの過剰圧力が使われます。アメリカ合衆国で考え出されたものなので、psi、ポンド／平方インチ（pound per square inch）という21世紀には許されない絶滅すべき単位が使われていますが、これを普通の単位系に直すと、34 MPaになります。核爆発においては、膨大なエネルギーが一度に開放されるために、

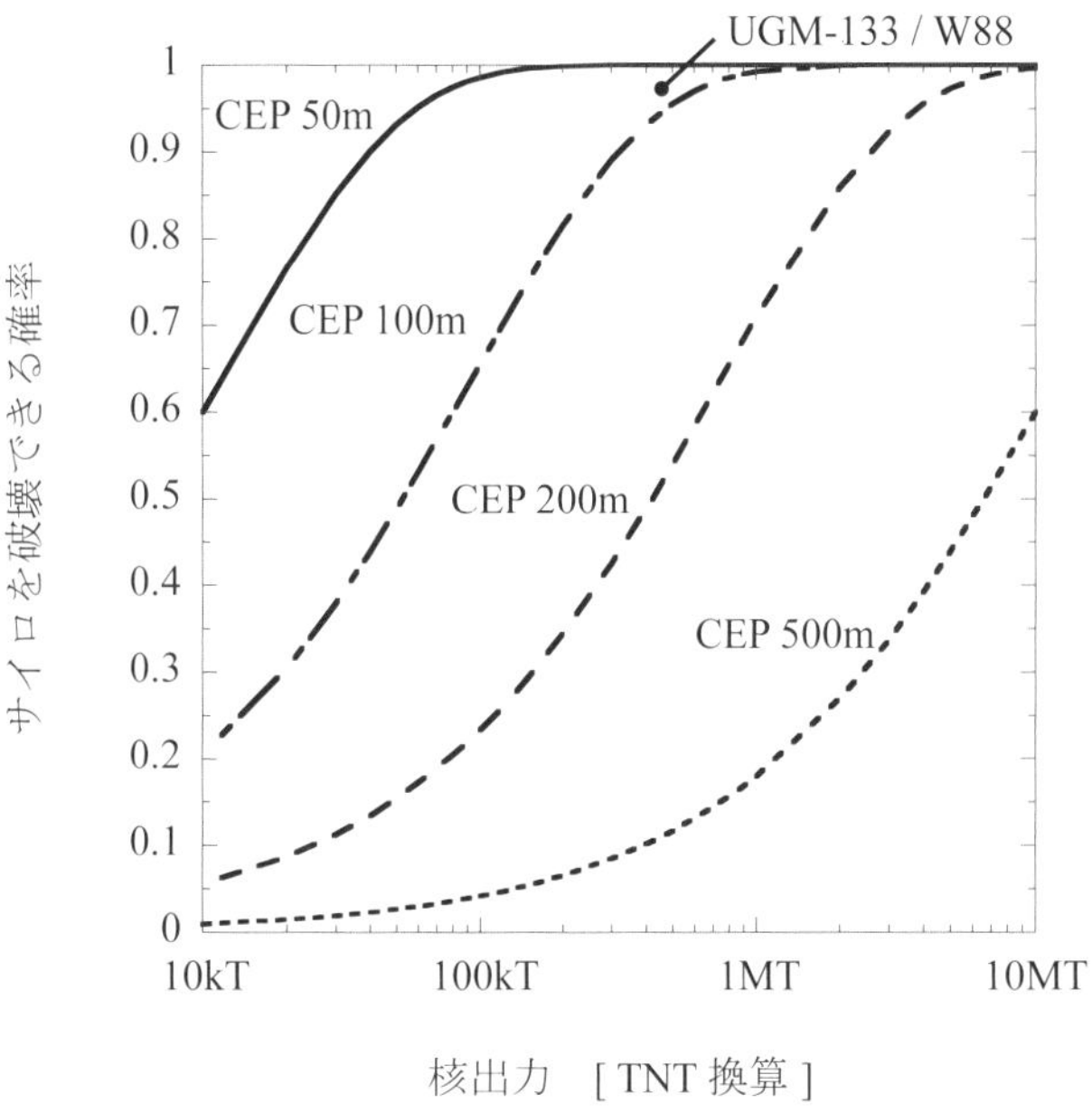

附図9｜核出力、平均誤差半径とサイロ破壊可能性の関係

その爆発中心部は超高圧状態となり、その圧力が時間とともに周囲へと広がっていきます（詳しくは拙著『核兵器』(明幸堂)をごらんください)。一般的な核融合兵器を想定した場合、粗い計算では、この34 MPaになる範囲（爆心地からの距離r_w [m]）と、核出力Y [MT]との関係は、

$$r_w \sim 267 \times Y^{\frac{1}{3}}$$

となります。核出力の単位には、TNT換算値を使っており、1 Tが4.18 GJに相当します。

いっぽう、本文でも触れている通り、核弾頭の着弾位置にはばらつきがあり、必ずしも狙ったところに正確に着弾するとも限りません。本文（144頁）でお話しした平均誤差半径（CEP）をr_c [m]とすると、この34 MPaの過剰圧力の範囲にサイロを捕らえ、破壊することができる確率P_kは、

$$P_k = 1 - 0.5^{(r_w/r_c)^2}$$

となります。より細かく言うと、核弾頭が起爆しない場合もありますので、その信頼性を掛け合わせたものが、サイロを破壊できる確率となります。

附図9に、CEP 50m、100m、200m、500mの場合について、核出力とサイロを破壊できる確率との関係を示します。この図では信頼性を1（100%）としてありますが、実際には0.9くらいで計算することが多いです（つまり、この図の値に0.9をかける)。この図を見ると、核出力を高める以上に、平均誤差半径を小さくすることがより重要であることがわかるでしょう。核弾頭付き弾道弾というと、一般には、巨大な威力で一気に敵を殲滅するので精度はそれほど重要でないかのように思われていますが、そうではなく、やはり精度の高い誘導兵器である必要がおわかりいただけると思います。

附録15 | 再突入体の運動

第4章 再突入…196頁

再突入のモデルを計算する際に、ここでは、かんたんにするため、楕

円運動ではなく、地球が平らとした場合で考えます。それでも、最後の再突入の部分だけなら、その運動の理解に充分な精度の計算ができます。ただし、重力の高度による変化は盛り込むため、「放物線」としたものよりずっと現実的な計算です。

附図10のように、水平方向にx軸（再突入体の進行方向が正）、鉛直方法にy軸（上が正）を取ります。このとき、再突入体（質量m）には、鉛直下向きに重力mgと、再突入体の進行方向の逆向きに空気抵抗F_Dとがかかります。揚力は無視します。水平方向に対する再突入体の進行方向の角度をθとすると、x、y両方向の運動方程式は、

$$m\frac{dv_x}{dt} = -F_D \cos\theta$$

$$m\frac{dv_y}{dt} = F_D \sin\theta - mg$$

となります。tは時間、v_x、v_yは速度vのx、y方向の成分で、

$$v_x = v\cos\theta$$

$$v_y = -v\sin\theta$$

$$v = \sqrt{{v_x}^2 + {v_y}^2}$$

$$\theta = \arctan\left(-\frac{v_y}{v_x}\right)$$

です。

yの零点を地表に取ると、これは高度を表わしますから、重力加速度gは、地球の半径を6,378 kmとすると、

$$g \sim 9.807 \times \left(\frac{6378}{6378 + y/1000}\right)^2$$

となります。以下の計算ではx、yの単位を［ m ］としますので、1,000で割って[km]に合わせてあります。

再突入においてもっとも肝となる空気抵抗F_Dは、動圧（dynamic pressure）をqとすると、

$$F_D = qC_D S$$

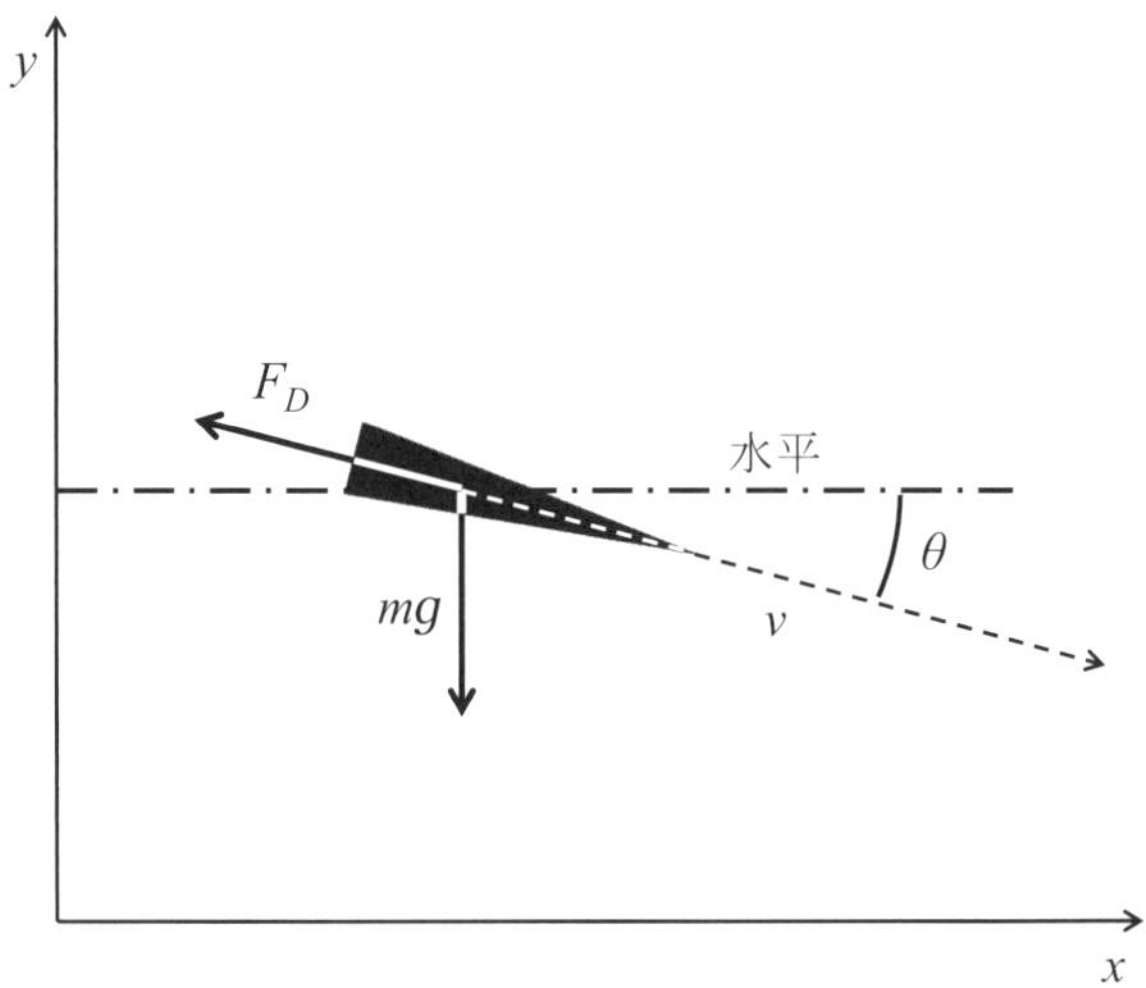

附図10｜再突入体にかかる力

と表わすことができます。C_Dは抗力係数、Sは投影面積で、本文195頁の弾道係数の式で出てきたものです。それによると、弾道係数βは、

$$\beta = \frac{m}{C_D S}$$

でしたから、この弾道係数を用いて、

$$F_D = m\frac{q}{\beta}$$

と書けます。これを使って、さきほどの運動方程式を書き直すと、

$$m\frac{dv_x}{dt} = -m\frac{q}{\beta}\cos\theta$$

$$m\frac{dv_y}{dt} = m\frac{q}{\beta}\sin\theta - mg$$

となり、mで割ると、x、y方向の加速度がそれぞれ求められます。

$$\frac{dv_x}{dt} = -\frac{q}{\beta}\cos\theta$$

$$\frac{dv_y}{dt} = \frac{q}{\beta}\sin\theta - g$$

いっぽう、この動圧qはどのようにして求められるかというと、速度vと、その場所の空気の密度ρから、

$$q = \frac{1}{2}\rho v^2$$

となります。そしてこの空気の密度は、高度yによって決まります。高度ごとの空気の密度は測定されており、その値は、ほぼ、以下のように近似できます。

高度10 km以下：$\rho \sim 1.225\exp\left(-\frac{0.1051y}{1000}\right)$

高度10 km以上：$\rho \sim 2.020\exp\left(-\frac{0.1558y}{1000}\right)$

以上から、再突入体がどのように運動するのかを計算することができま

す。実用的には、解析的に解くわけではなく、1ステップごとの数値計算を順次行っていくことになります。具体的には、以下のように行います。

まず、初期条件として、x、y、v_x 、v_y 、θ を与えます。本書の196頁の計算例では、時刻 $t = 0$ で、$x \sim 0$ [m] 、$y \sim 100{,}000$ [m] 、$\theta \sim 27$ [deg.] 、$v \sim 6{,}800$ [m/s] ですから、$v_x \sim 6{,}059$ [m/s] 、$v_y \sim 3{,}087$ [m/s] です。この高度yから、空気の密度ρを求め、それと速度vと合わせて動圧qを求めます。また、高度yから重力加速度gも求められるので、q、g、θと、モデルで定めたβから、加速度 dv_x / dt 、dv_y / dt が求められます。これで時刻 $t = 0$ でのすべての物理量が求められました。

つぎに、1ステップ進んだ状態を計算します。1ステップの時間をΔtとすると、位置 x 、y と速度成分 v_x 、v_y は、

$$x \sim 0 + 6{,}059 \times \Delta t$$

$$y \sim 100{,}000 - 3{,}087 \times \Delta t$$

$$v_x \sim 6{,}059 + \frac{dv_x}{dt} \times \Delta t$$

$$v_y \sim 3{,}087 + \frac{dv_y}{dt} \times \Delta t$$

と求められ、そこからまた速度v、角度θ、空気の密度ρ、動圧q、重力加速度gが求められます。さらにそこから加速度 dv_x / dt 、dv_y / dt が求められ、これで1ステップ後のすべての物理量がそろいました。

これを使ってさらにΔtだけ時間が進んだ、つぎのステップを計算します。こういった計算を繰り返すことで、各時刻での再突入体の物理量が求められ、図41から図43のようなグラフを描くことができます。同図は、1ステップ（Δt）を1秒として計算していますが、それでもこれだけなめらかな曲線が描けます。

附録16 | 最高高度と到達時間の関係

第5章 ディプレスト軌道とロフティッド軌道…279頁

この計算は、とくに新たな説明を加えるまでもなく、これまで計算の組み合わせでできます。

まず、附録11の通りに、最高高度hと射程から、長軸半径aとの関係を求めます。式をそのまま転載すると、

ディプレスト軌道の場合：$a+\dfrac{R\cos\varphi-\sqrt{(2a-R)^2-(R\sin\varphi)^2}}{2}=h+R$

ロフティッド軌道の場合：$a+\dfrac{R\cos\varphi+\sqrt{(2a-R)^2-(R\sin\varphi)^2}}{2}=h+R$

でした。詳しくは附録11をごらんください。

そして、附録10の通りに、長軸半径aなどから、移動経路分の扇形の面積を求め、附録6の通りに求めた面積速度で割れば、到達時間が求められます。

附録17 | 見通し距離

第5章 ディプレスト軌道とロフティッド軌道…281頁

附図11のように諸量を定めます。地球の中心をG、レーダーの位置をO、目標の位置をT、見通し線の地表との接点をH、地球の半径をR、レーダーの高度をh_O、目標の高度をhとすると、見通し距離はOH + HTですから、三平方の定理より、

$$\mathrm{OH}+\mathrm{HT}=\sqrt{\left(R+h_O\right)^2-R^2}+\sqrt{\left(R+h\right)^2-R^2}=\sqrt{2Rh_O+{h_O}^2}+\sqrt{2Rh+h^2}$$

となります。

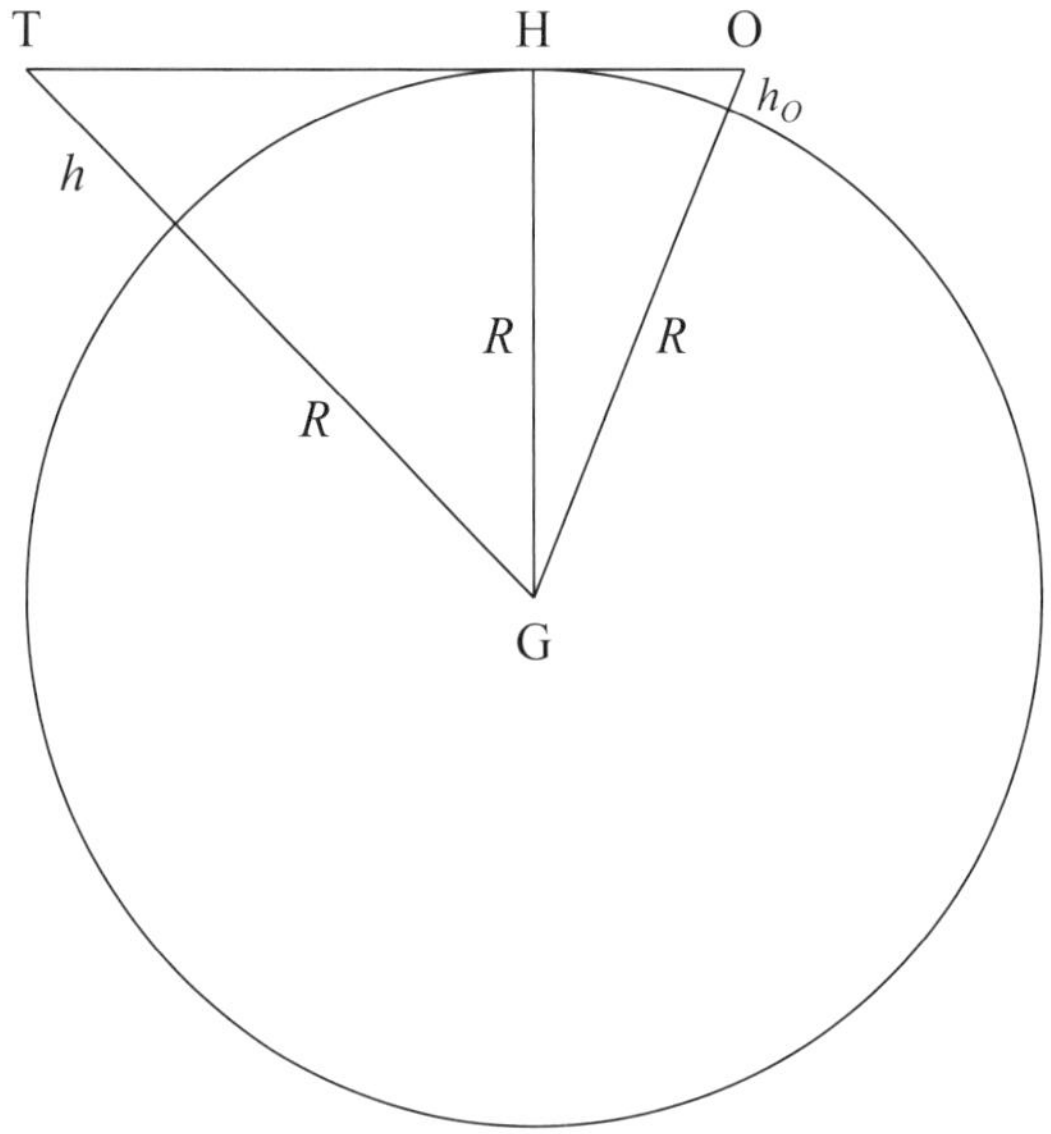

附図11 ｜見通し距離

附録18｜極超音速滑空体の運動

第5章 滑空体…290頁

滑空体についての計算は、附録15と同様に行います。つまり、地球が平らとした場合の直交座標系で、ただし重力加速度は高度による変化を入れます。滑空体の運動はほとんど水平飛行ですので、これでもこのモデル計算で必要とされるていどの精度は出ます。

いっぽう、通常の弾道弾の計算は、附録1～10の手順で、楕円軌道として正しく取り扱います。こちらは、射程2,000 kmの最小エネルギー軌道とします。そのときの発射速度は4,112 m/s、発射角は40.5度となりますので、再突入の計算では、その速度と角度を使って、附録15と同様の計算を行います。弾道係数は附録15と同じく10,000 kg/m^{2}とします。

滑空体のほうに戻ると、附録15の計算と違う点は、揚力を考慮することです。これこそが今回の計算での主役とも言えます。

附図12のように、水平方向にx軸（滑空体の進行方向が正）、鉛直方法にy軸（上が正）を取ります。このとき、滑空体（質量m）には、鉛直下向きに重力mgと、滑空体の進行方向の逆向きに空気抵抗F_D、進行方向に垂直に揚力F_Lとがかかります。揚力は垂直上向きを正とします。水平方向に対する滑空体の進行方向の角度をθとすると、x、y両方向の運動方程式は、

$$m\frac{dv_x}{dt} = -F_D\cos\theta + F_L\sin\theta$$

$$m\frac{dv_y}{dt} = F_D\sin\theta + F_L\cos\theta - mg$$

となります。tは時間、v_x、v_yは速度vのx、y方向の成分で、

$$v_x = v\cos\theta$$

$$v_y = -v\sin\theta$$

$$v = \sqrt{{v_x}^2 + {v_y}^2}$$

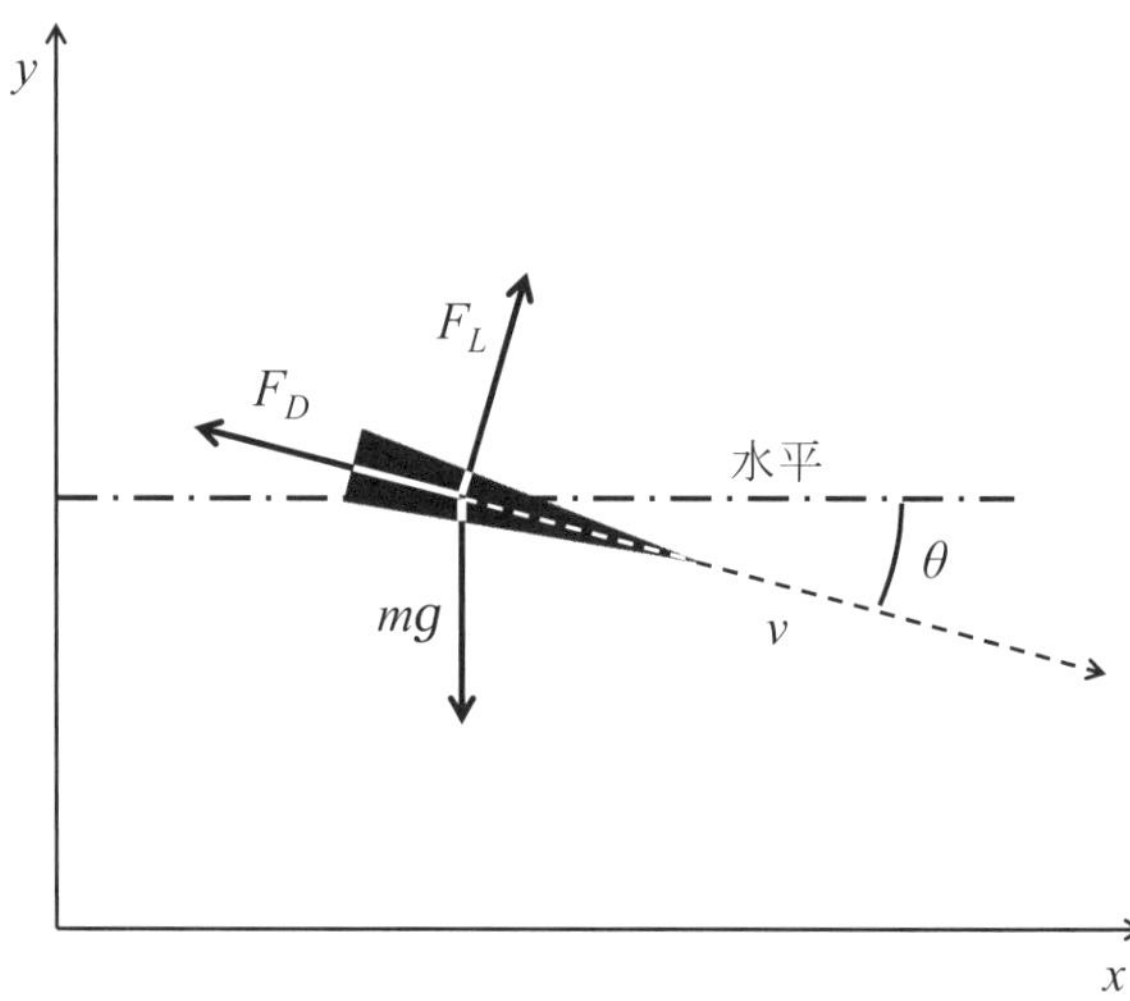

附図12 | 滑空体にかかる力

$$\theta = \arctan\left(-\frac{v_y}{v_x}\right)$$

です。

yの零点を地表に取ると、これは高度を表わしますから、重力加速度gは、地球の半径を6,378 kmとすると、

$$g \sim 9.807 \times \left(\frac{6378}{6378 + y/1000}\right)^2$$

となります。以下の計算ではx、yの単位を [m] としますので、1,000で割って [km] に合わせてあります。

空気抵抗F_Dと揚力F_Lは、動圧をqとすると、

$$F_D = qC_DS$$

$$F_L = qC_LS$$

と表わすことができます。C_Dは抗力係数、C_Lは揚力係数、Sは投影面積です。附録15では、ここからC_Dは一定として弾道係数を用いた式に直して簡略化しましたが、この計算では、C_DはC_Lとともに変化する量として扱います。

C_DとC_Lは、滑空体のモデルによって決まり、滑空体の迎え角（気流に対する角度）の変数となります。ここでは、北京航空航天大学の研究者が2015年に発表した、極超音速滑空体のモデル計算の論文

『Optimal trajectory and heat load analysis of different shape lifting reentry vehicles for medium range application』 *Defence Technology* **11** (2015) 350-361

で使われたウェイヴ・ライダーのモデルを使って計算します。そのモデルでは、迎え角をαとすると、

$$C_D = 0.012 - 0.01\alpha + 0.6\alpha^2$$

$$C_L = -0.03 + 0.75\alpha$$

となります。ただしこの式のαの単位は「ラディアン」です。この式から、揚抗比 C_L / C_D をαの関数として表わすと、附図13のようになります。附

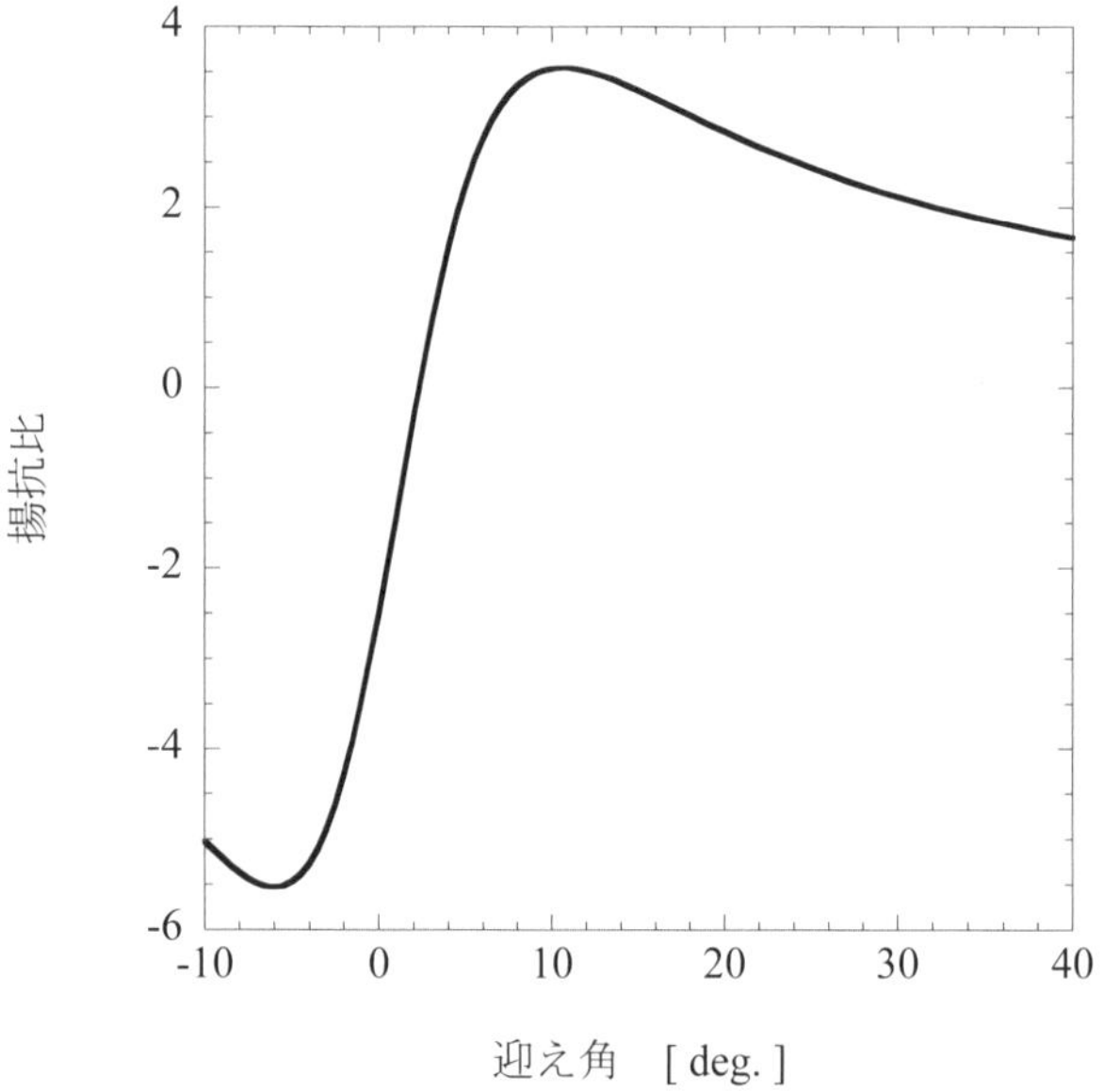

附図13 ｜ 本計算で用いたウェイヴ・ライダーのモデルの揚抗比の迎え角依存

図13ではαの単位を「度」に直してあります。このモデルの揚抗比は、迎え角10度附近で最大となり、迎え角2度附近で0（つまり揚力が0）、迎え角-6度附近で最小（負の最大）となります。

C_DとC_Lを使うと、運動方程式は、

$$m\frac{dv_x}{dt} = -qC_D S\cos\theta + qC_L S\sin\theta$$

$$m\frac{dv_y}{dt} = qC_D S\sin\theta + qC_L S\cos\theta - mg$$

と書け、両辺をmで割ると、x、y方向の加速度がそれぞれ求められます。

$$\frac{dv_x}{dt} = -\frac{qC_D S}{m}\cos\theta + \frac{qC_L S}{m}\sin\theta$$

$$\frac{dv_y}{dt} = \frac{qC_D S}{m}\sin\theta + \frac{qC_L S}{m}\cos\theta - g$$

ここでは、滑空体の質量mは、東風16の投射重量と同じ、1,000 kgとしました。投影面積Sは、上の論文で使われている3.00 m^2としました。

動圧q、速度v、空気の密度ρの関係、

$$q = \frac{1}{2}\rho v^2$$

や、空気の密度

$$高度10\ km以下：\rho \sim 1.225\exp\left(-\frac{0.1051y}{1000}\right)$$

$$高度10\ km以上：\rho \sim 2.020\exp\left(-\frac{0.1558y}{1000}\right)$$

は、附録15と同じです。

以上の式から、附録15と同様に、1ステップごとの数値計算を順次行っていくことになります。

滑空を開始した時点の初期値は、高度 y = 40,000 [m]（40 km）、速度 v_x = 3,000 [m/s]、v_y = 0 [m/s]、迎え角 α = 10 [deg.] としました。速度は、本文に書きました通り、ロケットモーターが東風16と同じで、東風16の射程が1,000 kmとのことですので、その発射速度と同じにしまし

た。迎え角は揚抗比が最大となる10度で固定し、計算を行いましたが、そのままだと、2度めと3度めの「うねり」で、高度が40 kmよりもはるかに高くなってしまったので、その2箇所（高度が上がっていく手前）で迎え角を5度まで下げることで揚力を調整し、高度50 kmを超えないようにしました。本文中にもあった、「うねりをもっと小さくしたい場合」は、迎え角をもっとひんぱんに変えることでそれが可能です。

速度がマッハ5附近にまで減速した段階で、迎え角を-6度まで下げて、着弾のために滑空体の機首を下向きに曲げていきました。着弾の直前には、着弾の瞬間に迎え角が2度（揚力が0）となるように迎え角を戻しました。

なお、迎え角を変化させるときには、1秒間に1度ずつ変化させました。極超音速滑空体のモデル計算の論文をいくつか読みましたが、どれもその値を超えていないためです（同じていどか、もっとゆっくりと変化させています）。実際には、高空では空気が薄いので変化させづらく、低空では空気が濃いので変化させやすいものと思われます。

著者紹介

多田 将

京都大学理学研究科博士課程修了、理学博士。

高エネルギー加速器研究機構 素粒子原子核研究所 准教授。

著書に、『核兵器』『放射線について考えよう。』(以上、明幸堂)、『すごい実験』『すごい宇宙講義』『宇宙のはじまり』『ミリタリーテクノロジーの物理学〈核兵器〉』『ニュートリノ』(以上、イースト・プレス)がある。

兵器の科学1

弾道弾

検印省略

2020年11月22日　初版第1刷発行

著者	多田 将
発行者	高良 和秀
発行所	株式会社 明幸堂 東京都小金井市梶野町1-2-36 TEL: 090-8114-9644
印刷所	中央精版印刷 株式会社
装幀	桜井 雄一郎 (ロウバジェット)

PRINTED IN JAPAN　ISBN 978-4-9910348-3-1